LA PETITE MAISON DU SIXIÈME RANG
1. VICTORINE

MICHELINE DALPÉ

Roman

Couverture : Sarah-Camille Tremblay
Conception graphique : Mélodie Landry
Révision et correction : Audrey Faille, Vicky Goyette et Élaine Parisien

© 2017, Les Éditions Goélette, Micheline Dalpé

www.boutiquegoelette.com
www.facebook.com/EditionsGoelette

Dépôt légal : 1er trimestre 2017
Bibliothèque et Archives nationales du Québec
Bibliothèque et Archives Canada

Les Éditions Goélette bénéficient du soutien financier de la SODEC pour son programme d'aide à l'édition et à la promotion.

Nous remercions le gouvernement du Québec de l'aide financière accordée par l'entremise du Programme de crédit d'impôt pour l'édition de livres, administré par la SODEC.

Canada

Nous reconnaissons l'aide financière du gouvernement du Canada par l'entremise du Fonds du livre du Canada (FLC) pour nos activités d'édition.
We acknowledge the financial support of the Government of Canada through the Canada Book Fund (CBF) for our publishing activities.

 Membre de l'Association nationale des éditeurs de livres

Imprimé au Canada

ISBN : 978-2-89690-872-1

Micheline Dalpé

La petite maison du Sixième Rang

1. Victorine

Les Éditions Goélette

De la même auteure

Les Batissette, roman, Éditions Au Pied de la Lettre, 1998 (réédition Les Éditions Coup d'œil, 2013).

Charles à Moïse à Batissette, roman, Éditions Au Pied de la Lettre, 1999 (réédition Les Éditions Coup d'œil, 2013).

La Fille du sacristain, roman, Éditions Au Pied de la Lettre, 2002 (réédition Les Éditions Coup d'œil, 2012).

Joséphine Jobé, Mendiante, roman, Éditions Au Pied de la Lettre, 2003 (réédition Les Éditions Coup d'œil, 2012).

La chambre en mansarde, Mendiante T. 2, roman, Éditions Au Pied de la Lettre, 2005 (réédition Les Éditions Coup d'œil, 2012).

L'affaire Brien, 23 mars 1834, roman, Éditions Au Pied de la Lettre, 2007 (réédition Les Éditions Coup d'œil, 2012).

Marie Labasque, roman, Éditions Au Pied de la Lettre, 2008 (réédition Les Éditions Coup d'œil, 2014).

Évelyne et Sarah, Les sœurs Beaudry T. 1, roman, Les Éditions Goélette, 2012 (réédition Les Éditions Coup d'œil, 2015).

Les violons se sont tus, Les sœurs Beaudry T. 2, roman, Les Éditions Goélette, 2012 (réédition Les Éditions Coup d'œil, 2015).

Faut marier Héléna, La grange d'en haut T. 1, roman, Les Éditions Goélette, 2013 (réédition Les Éditions Coup d'œil, 2016).

L'exode de Marianne, La grange d'en haut T. 2, roman, Les Éditions Goélette, 2013 (réédition Les Éditions Coup d'œil, 2016).

Les orphelins irlandais, roman, Les Éditions Goélette, 2014.

Je donne un deuxième souffle à nos aïeux.

Mes personnages emploient le parler rude, franc et coloré de nos pères et les expressions populaires de l'époque.

Un merci spécial à Suzanne Lajeunesse.
Suzanne a eu l'amabilité de me prêter un cahier où sa mère
a laissé l'histoire de ses cent un ans.

Merci aussi à :
Guylaine Parent
Suzanne Dalpé
Claire Dalpé
Marie Brien
Jean Brien
Élaine Lortie
Roxanne Breault
France Dalpé
Esther Brien
Irénée Brien

Prologue

Saint-Côme, 1903

Le train terminé, Antoine Beauséjour entrait de l'étable en traînant sur lui une odeur de fumier chaud.

— La porte! les mouches! cria Prudentienne. Pis laissez vos sabots sur le perron; y sentent le fumier à plein nez.

Antoine semblait sourd aux récriminations de sa femme. Les yeux illuminés de joie, il agitait une petite enveloppe en l'air.

— Y a de la malle à matin, Prudentienne. Ça doit être une lettre de notre petite Clara.

Derrière la table, quatre grands garçons, assis coude à coude, se regardaient, stupéfaits. Chaque lettre de leur sœur Clara allumait des étincelles.

Le visage de leur mère s'allongea de dépit.

— Pas encore celle-là, dit-elle.

— Celle-là, comme tu dis, c'est notre fille.

— Donne-moé ça, ordonna-t-elle en tendant la main. On la lira un autre tantôt. Là, la soupane est prête.

Antoine glissa la petite enveloppe sous son assiette et on n'entendit plus que le choc des cuillères cognant sur les bols.

Tout en tournicotant autour de la table, Prudentienne commanda aux garçons :

– Vous autres, videz vos assiettes. Grouillez-vous. Ensuite, vous irez lâcher les vaches pis vous nettoierez l'étable. Toé Noé, tu lèveras les œufs pis tu soigneras les poules. T'oublieras pas de refermer la porte du poulailler.

Noé, à quinze ans, ne faisait rien de ses dix doigts. Celui-là, la terre lui brûlait les pieds et la pioche lui brûlait les mains. Noé étant le dernier des garçons, sa mère avait une certaine prédilection pour lui. Il était un adolescent curieux au flair extraordinaire, qui s'intéressait à tout. On ne pouvait s'empêcher de remarquer son intelligence et sa mémoire sans défaillance.

Noé voyait bien que sa mère se débarrassait d'eux ; elle tenait toujours les siens à l'écart de ce qui touchait leur sœur Clara internée à Saint-Jean-de-Dieu[1]. Il cherchait un moyen d'en apprendre plus long à son sujet.

Pendant que ses frères s'en allaient aux bâtiments, Noé sortit et, une fois sur le perron, mine de rien, il se glissa sous la fenêtre ouverte de la cuisine d'où il pouvait entendre ce qui se disait à l'intérieur.

Son père lisait tout haut :

Chère maman, cher papa,

Hier, c'était ma fête. J'ai eu quatorze ans. Je vous ai attendus toute la journée, les yeux accrochés à la fenêtre, mais, comme les années passées, vous n'êtes pas venus.

---

1. L'hospice Saint-Jean-de-Dieu, devenu l'Hôpital Louis-H.-Lafontaine puis l'Institut universitaire en santé mentale, était situé à Longue-Pointe, faisant aujourd'hui partie de Montréal.

À leur anniversaire, les autres ont de la visite, mais moi, j'étais seule, comme une dinde, comme toujours depuis sept ans. Je me rappelle à peine vos visages. Hier soir, sous mes couvertures, j'ai pleuré. Sœur Béatrice a tenté de me consoler avec des biscuits aux amandes, mais ça prend autre chose que des biscuits pour effacer des années loin de ma famille. J'aime bien sœur Béatrice ; elle m'a accordé onze sur dix pour mon examen de calcul, mais ici, il y a d'autres religieuses qui ne sont pas gentilles avec moi. Heureusement, mon calvaire achève.

J'ai une belle nouvelle à vous annoncer. Cette semaine, le docteur Martineau m'a demandée à son bureau. Il m'a dit que j'étais guérie de mon épilepsie. Il a cessé mes médicaments et il a signé mon congé. Depuis le début de mes menstruations, je n'ai pas eu une seule rechute.

Venez me chercher ; ma valise est prête. Je compte les jours tellement j'ai hâte de rentrer à la maison.

Excusez mes barbots ; c'est que je suis mal installée, à genoux devant une petite table de chevet.

Je vous embrasse tous.
À très bientôt.
Votre fille Clara

* * *

Antoine souriait sans s'en rendre compte. Le mot « guérie » lui allait droit au cœur. Sa fille allait enfin rentrer à la maison après sept ans d'internement dans une maison d'aliénés mentaux. Il glissa la petite feuille dans l'enveloppe et la déposa sur la corniche de l'horloge.

— On aurait dû aller la voir, dit-il, mais comme toujours, t'as pas voulu.

— Elle se serait accrochée à moé pour qu'on la ramène.

— Prépare-toé. Je vais atteler Gazelle au boghei. On va aller la chercher asteure qu'elle est guérie.

— Non ! Elle peut avoir des rechutes pis je serais pas capable de m'en occuper. Elle manque de rien là-bas ; en plus des soins, on y donne un certain niveau d'instruction. Faudrait pas déranger ses habitudes.

— Instruction ou pas, notre fille supporte pus d'être enfermée. Elle est malheureuse.

— On doit agir pour son bien, insista Prudentienne.

— Oh non ! Tout ce qui compte pour toé, c'est ce que le monde va dire. Tu l'as toujours cachée, celle-là ; t'en avais honte.

— Avec raison, rétorqua Prudentienne. On dit que les enfants nés avec une tare sont une punition de Dieu, qu'ils expient les péchés de leurs parents. Tout le blâme retomberait sur nous. T'aimerais ça, toé, te faire pointer du doigt par toute la paroisse ? Même chose pour elle ; y a pas un garçon qui va s'intéresser à une fille qui est tombée dans les mals.

— Quelle insignifiance ! s'exclama Antoine, que les on-dit laissaient froid.

Prudentienne n'avait pas tort ; dans les petites paroisses, médisances, calomnies et ragots allaient bon train.

— Y nous reste une solution ; mettre la clef dans la porte pis prendre le bord de la ville.

— Partir de Saint-Côme ? En ville, on vivrait de quoi ? Je sais pas faire autre chose que travailler la terre. On va plutôt se ficher des cancans pis on va aller chercher notre fille. Icitte, c'est sa maison, pis c'est son droit de vivre avec sa famille. Pis si y a du monde que ça défrise, ben tant pis!

Prudentienne ravalait à grand-peine sa salive, comme si sa gorge s'étranglait, et deux veines se gonflaient sous la peau plissée de son cou.

Elle rétorqua d'une voix sèche :

— Si tu vas la chercher, je vais aller rester chez Germaine pis tu t'en occuperas tout seul.

Leur fille Germaine, même mariée, obéissait à sa mère, au doigt et à l'œil.

Antoine resta un moment assis devant la lettre. Il savait qu'entre Prudentienne et lui, ce serait la guerre, mais il se dit que, de toute façon, ils étaient rendus comme un vieux couple qui ne se sent plus.

Il sortit.

Prudentienne, le front collé à la vitre, suivait discrètement son mari du regard. De son pas lent, il s'en retournait aux bâtiments. Elle le vit entrer dans la grange par la petite porte en planches cloutées. En tournant sur ses gonds, la porte produisit un bruit grinçant qui vint jusqu'à ses oreilles. «Antoine doit aller bouder», se dit-elle. Et elle déposa deux tartes au four chaud.

* * *

Dans la grange, Antoine se tira un banc à traire et s'y assit, les coudes sur les genoux, la tête dans les mains. L'homme, profondément malheureux, cherchait une solution à son problème quand Rosaire passa près de lui avec une fourche à la main.

— P'pa? Qu'est-ce que vous faites là? Êtes-vous en pénitence?

Antoine leva les yeux vers son garçon. Il sentait le besoin de se confier à quelqu'un qui le comprendrait ou, du moins, qui partagerait sa peine. Peut-être que derrière son caractère impénétrable, Rosaire cachait un cœur sensible. Antoine lui confia sa préoccupation.

— Ta sœur Clara est guérie pis elle nous attend. Elle peut enfin rentrer à la maison, mais ta mère s'y oppose comme toujours. À ton âge, t'en as assez entendu pour comprendre que si je la ramenais icitte, avec ta mère, ce serait la guerre. Un rejet de même venant d'une mère est impensable. C'est le droit de Clara de vivre avec les siens. Toé, Rosaire, qu'est-ce que tu penses de tout ça?

Son père ravalait sa peine pour ne pas pleurer, sa bouche se tordait.

Rosaire avait pitié de son père, mais il n'allait pas se mettre le doigt entre l'arbre et l'écorce. Il appuya son menton au manche de sa fourche et ne bougea plus.

— M'man doit avoir ses raisons, dit-il au bout d'un moment.

— Ben sûr qu'elle a ses raisons; c'est à cause des qu'en-dira-t-on. Je me demande si, avec le temps, elle peut s'être détachée de Clara. Toé, Rosaire, qu'est-ce que tu ferais si t'étais à ma place, si Clara était ta fille?

— Moé, je suis ben mal placé pour vous répondre là-dessus, le père! Si j'étais vous, j'en toucherais un mot à monsieur le curé; lui pourrait vous conseiller ben mieux que moé[2].

---

2. À l'époque, on consultait le prêtre, ce philosophe de la sagesse et de la vérité, que ce soit pour demander des prières, un conseil, régler un différend entre voisins ou une chicane de couple. Les gens s'en remettaient entièrement à lui.

— Penses-tu que quelqu'un qui a jamais eu d'enfants peut se mettre à la place d'un père?

— Vous perdez pas grand-chose à essayer.

— Tu sais, depuis le départ de Clara, c'est comme s'il me manquait un membre. Tu me comprends, toé, Rosaire?

— La vie sépare tout le monde un jour ou l'autre.

— Peut-être! Mais sept ans, c'est trop. Je sais même pas si je vais la reconnaître. La séparation a assez duré. Si ça continue, Clara va virer folle. Viendrais-tu avec moé rencontrer le curé?

Après un moment de réflexion, Rosaire répondit:

— J'aime mieux pas prendre parti.

Rosaire refusait de l'accompagner.

— Je pensais que tu me comprendrais, mais je vois que tu veux pas.

Son père ne se froissa pas de ce refus; il avait une préoccupation beaucoup plus importante; Clara occupait toutes ses pensées. Qui s'occuperait de sa fille s'il ne le faisait pas? Depuis sept ans, il attendait ce retour.

Finalement, consulter son curé était peut-être la solution, même si cette démarche ne lui plaisait pas.

Antoine se leva péniblement et traversa à l'étable. Cinq vaches occupaient le mur complet côté ouest, et sur le mur opposé se trouvait un genre de petite pièce mi-cloisonnée qui comprenait deux box. On nommait ce lieu la « petite écurie ». Là logeaient deux pouliches fringantes: Gazelle et Picotine.

Antoine décrocha les harnais du mur et attela Gazelle au boghei.

* * *

En voyant l'attelage passer devant la porte pour s'engager sur le chemin, Prudentienne cria à tue-tête :

— Antoine Beauséjour ! Viens icitte !

La tarte à la ferlouche lui partit des mains et s'effoira sur le plancher.

« Y s'en va chercher Clara, supposa-t-elle. Ça se passera pas de même. J'ai pas dit mon dernier mot. »

* * *

Au presbytère, le curé écoutait Antoine, tout en caressant sa forte moustache.

— Vous avez là un gros problème, dit-il. Moi, je suis bien mal placé pour vous donner un conseil. Vous m'enverriez promener. C'est à vous de trouver une solution. Vous devez choisir entre votre femme et votre fille, et ça, personne ne peut le faire pour vous. Cependant, considérez comme sacré le saint nœud du mariage que rien ne dissout.

— Choisir ? L'une et l'autre font partie de ma famille. Si vous pouviez raisonner ma femme, je suis sûr qu'elle vous écouterait. Vous savez parler aux gens, vous êtes leur pasteur. Moé, je connais pas les mots qu'y faut pour la faire changer d'idée.

— Rien ne vous empêche de rendre visite régulièrement à votre fille.

— Ma femme s'y oppose, dit Antoine.

— C'est vous le chef de famille. Allez et racontez tout à votre fille, qu'elle sache que son père a des sentiments pour elle, que sa famille ne l'a pas reniée.

Le curé voyait la pomme d'Adam du pauvre père monter et descendre avec peine dans son cou. La déception se peignait sur son visage.

Le prêtre toussa deux coups et se leva.

– La vie est une longue série d'épreuves. Allez, mon fils. Je vais prier pour vous.

– Cette histoire va finir par me tuer, murmura Antoine.

Il se leva à son tour, serra la main du curé et sortit. Il sentit le sol se dérober sous ses pieds. Le curé ne lui avait été d'aucun secours.

Antoine ne voulait pas s'exposer à briser son foyer.

Pour la paix de son ménage, Antoine Beauséjour renonça à rapatrier Clara.

Chapitre 1

Il faisait nuit noire dans la petite paroisse de Saint-Côme.

Au retour de la kermesse, Félicien Gaudet menait son attelage à fond de train sur dans le Deuxième Rang.

Dans la voiture, personne ne parlait. Sa femme, Marquise, et ses filles, trois adolescentes, assises mollement sur leur siège dur, résistaient tant bien que mal au sommeil. Les têtes dodelinaient au gré des cahots.

Arrivé chez lui, Félicien tira les cordeaux :

– Woh, bèque !

La bête enfila au trot dans la cour pour s'arrêter net tout près du perron. Les filles descendirent de la voiture et, la démarche un peu engourdie, entrèrent dans la maison pour filer directement à leur chambre.

Victorine, l'aînée, échangea sa belle robe à pois verts contre une vieille jaquette un peu rêche, confectionnée dans des poches de sucre.

C'était une de ces nuits où la chaleur est insupportable, où les draps collent à la peau. Malgré la moiteur étouffante de l'air, Victorine se roula en boule sur sa paillasse. Elle profita de la tranquillité de la nuit pour s'enfoncer dans une rêverie où toutes ses pensées convergeaient vers Maxime Beauséjour, un garçon qu'elle venait de rencontrer à la kermesse du village. Elle se demandait bien si elle allait le revoir. Il lui avait dit en la quittant : « Le rang Versailles, c'est pas à la porte. » Elle s'encouragea en se disant que Maxime avait pris sa main et que c'était sans doute un signe qu'il tenait à elle. Le samedi suivant, elle le reverrait peut-être ; il restait deux autres jours de kermesse. Victorine en avait pour une longue semaine à espérer, à se morfondre. Elle s'endormit sur ces pensées.

* * *

Le mercredi suivant, chez les Beauséjour, la famille soupait tranquillement, attablée autour d'une soupière ventrue, quand Maxime se leva de table et fila vers l'escalier. Ses frères échangèrent un regard étonné. On était au temps où les gens ne savaient pas se presser. Maxime, comme les autres, avait habituellement tout son temps dans sa poche, mais, cette fois, c'était bien différent ; il courait presque et en oublia son dessert.

— Maxime a-t-y le feu ? murmura Noé à l'oreille de Rosaire.

Les garçons avaient l'habitude de sortir après le souper, mais leur mère ne supportait pas qu'ils quittent la table avant la fin du repas. Ce soir, pourtant, elle ne faisait pas de cas de Maxime. Sans dire un mot, elle déposa un pouding au pain sur la table, se versa un café et s'assit devant.

Quelques minutes passèrent, puis Maxime, tout endimanché, descendit l'escalier et traversa la cuisine, sans un regard pour les siens. Sa mère, assise au bout de la table, lui dit, en l'examinant de la tête aux pieds :

— Veux-tu me dire où cé que tu t'en vas, changé de même, en pleine semaine ?

— À la forge, mentit Maxime, la main sur la poignée de porte.

— Checké sur ton trente-six ? dit-elle, l'air sceptique. T'as pas peur de salir ton linge du dimanche ?

Maxime faisait mine de ne rien écouter. Il avait déjà un pied dans la porte.

Ce départ précipité éveilla la curiosité de Prudentienne. Elle se posta devant la fenêtre et suivit son fils des yeux, avec une adoration dans le regard.

À dix-neuf ans, Maxime, un grand brun aux yeux bleus et aux lèvres sensuelles, était un garçon séduisant, presque irrésistible. Dans la cour de l'étable, il faisait avancer Gazelle, attelée au cabriolet. Il leva ensuite la capote en toile cirée. Puis, la nuque bien droite, le chapeau rabattu sur le front, il rajusta son gilet.

« C'était donc ça ! » se dit Prudentienne, songeuse.

Le matin, elle l'avait vu étriller longuement la pouliche. Il avait aussi mis un temps fou à astiquer le cabriolet noir. Et voilà qu'en pleine semaine, il portait ses vêtements du dimanche : un costume-cravate et des souliers vernis. Sans doute Maxime cherchait-il à faire bonne impression devant une fille.

Sitôt Maxime monté dans le cabriolet, Gazelle prit la poudre d'escampette.

Gazelle était une belle pouliche grise aux hautes pattes et au corps élancé, tout en os, attentive et brave. Elle comprenait « hue » et « dia ». Cette bête n'avait qu'un défaut : elle ne savait pas attendre. Avec elle, pas question de laisser pendre les cordeaux sans qu'elle s'élance à fond de train sur le chemin.

Prudentienne suivit l'attelage des yeux jusqu'à ce qu'il disparaisse au coude du chemin. Puis, elle retourna s'asseoir à la table, devant sa tasse de café.

— Comme je connais mon frère, dit Noé, y doit s'être fait une blonde. Pis ça vous servira à rien de le questionner, y vous répondra pas. Dimanche, à la kermesse, je l'ai vu faire de la façon à une fille.

— Je me doutais ben aussi qu'y avait une fille derrière tout ça. C'est qui ? Je la connais ?

— C'est une petite Gaudet du Deuxième Rang.

Prudentienne faillit s'étouffer avec sa gorgée de café. Elle s'informa :

— Une petite Gaudet, tu dis ? J'espère que c'est pas une des filles à Félicien Gaudet, dit-elle, le bec pincé, comme si elle sentait une menace.

— Je sais pas le nom de son père, répondit Noé.

Prudentienne jeta un regard vers son mari.

— T'entends ça, Antoine ? Je serais prête à gager que c'est la fille à Félicien Gaudet. Tu sais ce que je pense de ces gens ?

Son mari fit la sourde oreille. Chaque fois qu'il ouvrait la bouche pour parler, sa femme lui clouait le bec. Son intérêt se limitait au contenu de son portefeuille.

Noé vit une grimace de mécontentement se dessiner sur le visage de sa mère, comme si elle avait un goût aigre dans la bouche. Elle jeta un regard méfiant à son père.

— Toé, Antoine Beauséjour, tu dis rien ; je suppose que tu l'approuves, ajouta Prudentienne. C'est vrai que l'orgueil pis le bon goût t'ont jamais étouffé. Si j'étais pas là, tu laisserais tes enfants s'amouracher de n'importe quel énergumène.

— C'est aux enfants de fréquenter qui leur plaît, ajouta Antoine. Moé, j'ai pour mon dire que leur choix, ça nous regarde pas pantoute.

— En tout cas, quand viendra mon tour, intervint Noé, c'est moé qui déciderai de mon choix, que vous soyez contente ou pas.

Sa mère lui lança un regard furieux.

— Quelle fille va vouloir d'un gars qui fait jamais rien de ses dix doigts ?

La riposte de sa mère n'intimida pas Noé, qui fit comme s'il n'entendait rien de son reproche. Il continua sur la même lyre :

— Maxime a du caractère derrière son air d'enfant de chœur. Si vous pensez pouvoir vous mettre en travers de son chemin, vous risquez d'avoir un problème.

Et Noé, toujours d'humeur folichonne, ajouta avec un sourire moqueur au coin des lèvres :

— Y a de qui tenir.

— C'est ça ! Tant qu'à y être, dit-elle, allez-y ! Mettez-vous à deux sur mon dos. Tout le monde est contre moé dans cette maison. Heureusement que vos sœurs ont plusse de bon sens ; elles ont marié des garçons bien, elles.

— Vous pouvez pas parler d'autre chose ? intervint Rosaire, qui n'en finissait plus de vider son assiette. J'en ai assez de vos obstinations ! J'ai envie de manger tranquille, moé.

Prudentienne sentait tous les siens ligués contre elle.

— Sois poli avec ta mère, toé ! dit-elle, d'un ton sec.

Son dessert avalé, Rosaire repoussa son assiette et se rua sur la berçante. La grosse chatte grise se campa devant lui en faisant le dos rond. Elle attendait un signe invitant pour sauter sur ses genoux, mais Rosaire, peu disposé aux minouches, la repoussa du pied.

Prudentienne déposa sa tasse d'un geste brusque et se leva spontanément de table. Elle versa l'eau de la bouilloire dans l'évier et se planta devant. Noé la regardait promener brusquement la lavette sur les assiettes en granit et les déposer sans ménagement sur l'égouttoir, comme si elle avait besoin de s'en prendre à quelque chose pour passer sa frustration. On n'entendait plus, dans la cuisine, que des clic-clac agaçants.

Prudentienne était trop obsédée par les fréquentations de Maxime pour faire cas de Rosaire et de Léopold qui sortirent à leur tour. Seul Noé resta assis au bout de la table.

— Vous avez ben l'air d'haïr les Gaudet, m'man, dit-il. Pourquoi vous levez le nez sur eux autres ?

— Parce que c'est pas du monde de notre classe.

Prudentienne s'assit sur la chaise voisine de Noé et lui raconta :

— Vous autres, vous avez pas connu le quêteux Manchot, hein ? Ben non ! Vous êtes trop jeunes pour ça. Eh ben, Manchot était leur grand-père. Les gens disaient qu'y était pas orgueilleux, mais c'était pour pas dire qu'y était quêteux. Plus tard, ses garçons se sont installés sur des terres de la paroisse. Eux autres s'en sont mieux sortis. Mais la faute des aïeux, même de lignée éloignée, reste. Les gens oublient pas. Dans les mémoires, les Gaudet resteront toujours des petites-filles de quêteux.

— Pourquoi y mendiait?

— Parce qu'y avait un bras coupé.

— Comment y s'était fait ça?

— Je sais pas trop. Sur un banc de scie, je crois.

— Y pouvait pas faire autrement. Avec juste un bras, comment vouliez-vous qu'y gagne sa vie? dit Noé. Y était pas méchant pour ça.

— Pas méchant, mais différent. Je le juge pas. Je veux juste pas que mes garçons fréquentent ses petites-filles.

— Les gars de la place disent que, chez les Gaudet, y a trois belles filles. Vous devriez, au contraire, être contente que Maxime ait du goût.

Prudentienne pinça le bec.

— Belles, pas belles, les Gaudet sont pas des filles pour mes garçons, pis Maxime va savoir ce que j'en pense. Si je peux l'empêcher de rabaisser notre famille…

— Si ça vous soulage, ajouta Noé, allez-y, mais ce sera pour rien; Maxime laissera personne se mêler de sa vie. Vous le connaissez? Y est fermé comme une huître, comme sa porte de chambre qu'y tient toujours barrée. C'est à croire qu'elle cache des trésors.

— Je vais mettre le holà à ses fredaines avant que les choses aillent plus loin.

— Mais si Maxime l'aime?

— L'amour, l'amour! Une nouvelle flamme y fera oublier cette fille.

* * *

Prudentienne Beauséjour, une femme dans le début de la cinquantaine, était tout en chair. Elle savait rechercher

l'élégance, les fins tissus, et le fait d'être toujours bien
vêtue faisait un peu oublier son front proéminent, son nez
busqué et son double menton. Le dimanche à la messe, il
fallait la voir monter la grande allée coiffée de chapeaux à
large bord achetés chez la chapelière de la place Bourget,
à Joliette. Elle portait de belles robes en crêpe Georgette
qui retombaient sur ses bottines vernies. Un corselet lacé
redressait sa colonne vertébrale. Elle marchait la tête haute ;
on eût dit que l'église au complet lui appartenait. Pour en
ajouter, son rôle de sage-femme lui valait le respect des
gens de la place.

* * *

Noé continuait de tenir tête à sa mère, comme si ça
l'amusait.

— Mais c'est de l'orgueil, ça, m'man ! dit-il avec son
sourire moqueur. À l'école, la maîtresse nous a enseigné
que l'orgueil est un péché.

— C'est pas de l'orgueil, c'est de la fierté ! trancha
sèchement Prudentienne.

— Que les Gaudet aient un grand-père qui a vécu de
la charité des gens, c'est pas pire que notre sœur Clara qui
est internée à l'asile. Vous la cachez pis vous allez jamais la
visiter.

Sa mère le foudroya du regard.

— Qui t'a raconté ça ?

— Je m'en souviens ; j'avais huit ans. Je me rappelle
surtout ses joues rondes comme des pommes et ses yeux
noirs coquins. Le jour de son départ, elle portait une petite
robe rouge avec une ceinture de soie attachée à la taille.

Vous y défendiez tout le temps de sortir de sa chambre. En bas, on l'entendait à cœur de jour crier pis bûcher à coups de pied dans sa porte barrée à clef. Pis le soir à la brunante, vous fermiez les rideaux pis vous baissiez la lampe pour faire croire qu'y avait personne dans la maison.

– Je te défends de répéter ça à qui que ce soit ! Tu m'entends ? De toute façon, les gens n'ont pas intérêt à savoir.

– Tout le monde le sait. Y a un conseiller qui est venu veiller à la forge y a quelque temps, pis y a raconté que la Municipalité doit payer une dot de cinquante-sept piastres par année à l'asile Saint-Jean-de-Dieu pour chaque citoyen interné. C'est pas vivre de la charité des gens, ça ?

– Quel conseiller ?

– Je sais pas trop ; moé pis les noms…

– Y a pas le droit de rabaisser les gens de la sorte. On va le faire taire.

– Vous pourrez pas revenir contre lui, y a nommé personne.

– Tu devrais pas aller veiller à la forge ; t'es un peu jeune.

Noé n'oublierait jamais ce départ cruel qui, des années plus tard, restait encore frais dans sa mémoire.

* * *

Dans le temps, sa mère pratiquait le métier de sage-femme, et chaque fois qu'on venait la demander, elle n'avait pas sitôt passée la porte que son père montait chercher Clara qui lui réclamait une histoire et une autre. Il la berçait et lui chantait des chansons jusqu'à ce qu'elle s'endorme dans ses bras. Il la regardait, et de grosses larmes roulaient sur ses joues, jusque dans sa barbe. Il se cachait la tête dans les cheveux de Clara pour qu'on ne le voie pas pleurer. Un père qui pleure, ça marque un petit garçon. Puis, un jour, alors que Clara devait avoir sept ans, on l'avait conduite à l'asile. À son départ pour Saint-Jean-de-Dieu, des sanglots secouaient son père ; un tel chagrin était inconcevable, venant d'un homme qui ne laissait pas voir ses sentiments. Au retour, sa mère pleurait comme une mère qui a perdu un enfant. Par la suite, elle réduisit la famille au silence. Elle nia l'existence de Clara. Elle refusa même d'entendre prononcer son nom.

* * *

Pendant que Noé prenait la défense de Maxime, au loin, dans le Deuxième Rang qu'on nommait le rang Versailles, Maxime laissait flotter les rênes sur la croupe de Gazelle. La grande coureuse ajustait son pas selon les caprices des montagnes ; elle ralentissait dans les montées pour reprendre son allant dans les descentes. Et tout au long du chemin, au bruit des roues qui grinçaient, Maxime rêvassait.

Depuis sa rencontre avec Victorine, celle-ci occupait toutes ses pensées. Chaque soir, il s'endormait en pensant à elle. Cette fille l'obsédait au point de troubler ses nuits. C'était la première fois qu'il ressentait un attrait aussi irrésistible pour une fille.

Il l'avait rencontrée le dimanche précédent, à la kermesse du village. Des lanternes chinoises, suspendues à de longs fils, couraient entre les arbres et éclairaient faiblement la place. La paysannerie au complet était présente à la fête.

Une fille à la crinière rousse et à la démarche souple se déplaçait en serpentant dans la shed à chevaux, où se trouvait une trentaine de kiosques. Elle portait à son bras un panier recouvert d'un linge à vaisselle tissé sous lequel se cachait une surprise. Maxime s'était arrêté un moment pour mieux la regarder : une robe en calicot blanche à pois verts démarquait sa taille et retombait mollement sur ses mollets. Elle avait bonne mine. On l'entendait claironner à gauche et à droite d'une façon on ne peut plus charmante :

— Mesdames et messieurs, tentez votre chance. Pour cinq sous, dites-moé ce qui se cache dans mon panier. Celui qui devinera gagnera le contenu.

Le parieur avait la permission de soupeser le panier. Hector Lafond avait tenté sa chance.

— Oups ! J'entends un gargouillis.

Lafond avait remué de nouveau la corbeille.

— Y a un liquide là-dedans. Moé, j'ai pour mon dire que c'est des cornichons dans le vinaigre.

La fille avait fait entendre un éclat de rire qui s'égrenait note à note, comme une clochette, et son rire avait laissé voir une belle rangée de dents blanches.

— Non, monsieur Lafond !

Dans la foule, les quatre frères Beauséjour allaient de kiosque en kiosque quand l'aîné, Maxime, s'était détaché discrètement des siens.

Il avait tout de suite aimé ce petit rire argentin. La fille rousse était là, quelques pas plus loin, et parlait avec une telle volubilité qu'entre ses mots elle avait à peine le temps de reprendre son souffle. Maxime n'aimait pas particulièrement les rousses. Pourtant, celle-là avait retenu son attention. Il lui trouvait un certain charme avec ses grands airs comiques et son rire cristallin.

Maxime s'était appuyé, dos à un kiosque, pour mieux l'observer. La rousse allait et venait d'un pas élastique. À un moment donné, la jeune fille, s'étant sentie observée, avait levé sur lui des yeux pleins de candeur.

Quand Maxime l'avait abordée pour lui demander son nom, ses yeux et sa bouche riaient encore.

Elle avait répondu d'une traite, histoire de rigoler un peu :

— Je m'appelle Victorine, j'ai eu dix-sept ans le 13 mai. Mon père est Félicien Gaudet, pis ma mère, Marquise Préville.

— Woh! avait dit Maxime, vous vous moquez de moé? Je vous demandais pas votre baptistaire, avait-il dit, amusé.

Cette fille était vraiment drôle. Il avait ajouté :

— Moé, c'est Maxime Beauséjour.

— Vous voulez deviner ce qui se cache dans mon panier, monsieur Maxime? dit-elle en levant la corbeille à la hauteur de ses yeux. Pour cinq sous, vous courez la chance de gagner le contenu.

— Laissez ce machin, pis venez avec moé.

— Je peux pas; je me suis engagée à…

Maxime ne l'avait pas laissée aller au bout de sa phrase. Il lui avait enlevé la corbeille des mains et l'avait déposée sur le box voisin, où deux femmes vendaient de gros sacs de maïs soufflé.

— Je vous emmène au kiosque des fers à cheval, avait dit Maxime en tirant sa main douce comme du satin.

Victorine s'était laissé conduire sans résister. Maxime la traînait et ils couraient entre les musiciens, les amuseurs publics et les promeneurs. Victorine riait de l'audace du garçon. Ils s'étaient arrêtés au kiosque des fers à cheval.

Deux petits polissons, qui n'avaient pas plus de sept ou huit ans, se poursuivaient et tournaillaient, se servant d'eux comme bouclier. Maxime avait saisi les petits effrontés par les poignets et les avait regardés dans les yeux.

— Mes petits verrats! Que je vous reprenne pas, parce que vous allez passer un mauvais quart d'heure.

Maxime les avait relâchés. Les gamins n'étaient pas de taille à se défendre; le plus petit avait tiré la langue, et tous deux avaient couru à toutes jambes pour s'arrêter une centaine de pieds plus loin. Lui et Victorine, mine de rien, avaient échangé un regard et pouffé de rire.

Maxime tirait les rênes pour mener sa bête au pas. Puis il s'abîmait dans ses pensées.

Victorine avait entendu son nom dans le cornet qui servait de porte-voix. Maxime lui avait dit, en retenant son bras :

— Faites la sourde.

Au kiosque des fers à cheval, l'enjeu était des pots de marinades, des tapis crochetés, de la verrerie, un set de vaisselle, des tuques, des mitaines, etc.

Il y avait queue à ce stand. Victorine et Maxime allongeaient la file quand ils avaient entendu quelqu'un derrière appeler :

— Ohé! Victorine.

Victorine s'était retournée vivement, croyant qu'on la cherchait pour lui faire des remontrances à cause de son panier laissé en plan. Mais non, c'étaient ses sœurs, Blanche et Léonie, qui s'ajoutaient au peloton! À leur arrivée, les rires avaient redoublé.

— Si on double la mise, avait dit Maxime, on a droit au set de vaisselle.

C'était un magnifique service de huit couverts en fine porcelaine blanche, dont chaque pièce était ourlée d'un filet d'argent. Il faisait l'envie de toutes les jeunes filles qui préparaient leur trousseau.

— Quelle merveille! avait dit Victorine, emballée. Je le veux, mais comme j'ai le portefeuille plate, je dois demander des sous à mon père.

Maxime avait serré son poignet pour l'empêcher de s'échapper.

— Attendez, Victorine! Si on s'éloigne, on va perdre notre rang. Je m'en occupe.

Quand leur tour était arrivé, le set de vaisselle était toujours là pour tenter Victorine. Maxime lui avait tendu un fer.

— Allez-y, Victorine, lancez-le sur le piquet, avait-il dit. Si vous y arrivez, le set de vaisselle est à vous.

— Non, moé, j'ai pas de visou. En plusse, vu que c'est votre argent, je m'en voudrais ben gros si je manquais mon coup.

Maxime s'était aligné sur la cible, avait plissé les yeux un moment pour bien se concentrer et avait lancé le petit cercle à deux pouces du piquet.

— Sarpent! avait-il maugréé. C'est raté.

Blanche et Léonie frappaient des mains et, pliées en deux, elles riaient et criaient « Bravo ! » pour se moquer du garçon.

Soudain, Léonie avait cessé net de rire.

— Regarde, Blanche, le pauvre vieux appuyé sur une canne.

Parmi les rires, sous les lumières blafardes, un vieil homme, aux dents jaunes, au crâne dégarni, suivait le groupe des yeux. Il portait un chapeau, des lunettes et une pipe, en plein été, quand la chaleur était écrasante, comme s'il ne vivait pas dans le temps présent. Il devait retrouver les émotions de sa jeunesse ; il souriait quand les jeunes riaient. Être témoin du bonheur des autres semblait suffire à rendre ce vieillard heureux.

— Y ressemble à pépère Préville, avait dit Léonie. Y doit ben avoir cent ans.

Blanche était plus intéressée par ce qui se passait au stand de fers à cheval.

— Y te reste encore un tir, mon gars, s'était écrié le kiosquier.

Maxime avait raté sa seconde chance aussi. Il s'était tourné vers Victorine qui s'amusait de sa déveine.

— J'aurais pas fait pire, avait-elle dit, la bouche rieuse.

— Allez-y, avait dit Maxime en retenant un sourire, moquez-vous, comme vos sœurs, mais c'est vous la perdante. Vous êtes pas trop déçue ?

— Tout le monde peut pas gagner, avait répondu Victorine, qui s'intéressait davantage au garçon qu'au set de vaisselle.

Le kiosquier avait invité Maxime à revenir plus tard. Penché au-dessus du comptoir, il lui avait dit sur le ton du secret :

— Juste avant la fermeture, je vais tripler et quadrupler les chances.

— Quand le set de vaisselle sera pus là ? avait répliqué Maxime.

Il avait repris la main de Victorine.

— On va aller manger un cornet, avait-il proposé.

Victorine s'était laissé conduire à une petite voiture ambulante, couverte d'un auvent rayé vert et jaune. Ils avaient dégusté leur crème glacée, assis sur un long banc de bois et, sur ce banc, Maxime avait observé Victorine de profil. Elle était fragile de corps. Il la trouvait jolie avec sa bouche faite pour le rire et son regard changeant dont la couleur allait du bleu au vert. Et il souriait de la voir si belle.

— Restez-vous au village ?

— Non ! je reste dans le Deuxième Rang, qu'on appelle le « Versailles ».

— Le Versailles, c'est pas à la porte ! Moé, je reste dans le Dixième Rang, dit Maxime, le rang des Venne.

Tout en se remémorant cette soirée, remplie de rires et de plaisir, Maxime souriait seul, sans s'en rendre compte. Il revivait ses belles émotions tout en surveillant les noms des résidants sur les boîtes aux lettres.

* * *

Le même soir, chez les Gaudet, un couple dans la quarantaine se berçait tranquillement pieds nus, sur son perron, en sirotant un café. À l'intérieur, les filles de Marquise et Félicien, devenues de grandes adolescentes, s'occupaient de laver la vaisselle du souper et de balayer la place. Ainsi, ils pouvaient se permettre de penser un peu à eux. Quelques années plus tôt, Marquise n'aurait pas pu relaxer ainsi ; les enfants demandaient alors toute son attention.

Félicien tira un harmonica rouge métallique de la poche de son veston et se mit à jouer la grande valse. Marquise fredonnait le même air qu'elle rythmait d'un mouvement de la tête.

À l'intérieur, Victorine promenait un torchon sur la table de cuisine. Il était sept heures, l'heure des cartes. Jouer au brelan, après le souper, était comme un rituel chez les trois sœurs. Blanche, un crayon jaune en travers de la bouche, cherchait une feuille de pointage.

— Fouille dans le tiroir de la table, dit Léonie. Y a un calepin noir.

— Y est pas là ; je viens juste de regarder.

Léonie attendait debout, en battant les cartes.

— Si tu le trouves pas, on va écrire les points au dos du calendrier.

Blanche décrocha le calendrier du mur et y inscrivit les noms.

Les filles s'installèrent autour de la table. Blanche s'assit la jambe droite repliée sous sa fesse gauche, le buste penché en avant, comme prête à l'assaut. Elle trichait juste pour rire, et elle ne réussissait qu'à faire fâcher ses adversaires ; on aurait dit des écolières indisciplinées.

Les cris emplissaient la maison et s'échappaient des fenêtres ouvertes pour arriver aux oreilles de leurs parents.

— Tu les entends, Félicien?

— Quoi donc, madame la marquise? dit son homme d'un ton enjoué.

— Écoute ça! Le yable est encore poigné en dedans, dit Marquise. Moé qui pensais avoir la paix asteure que nos filles ont un peu vieilli.

Elle tourna la tête vers la fenêtre:

— Qu'est-ce qui se passe en dedans?

— Une affaire de filles, répondit Blanche.

La femme gronda d'une voix basse et sourde:

— Voulez-vous ben vous tenir tranquilles? Les voisins vont vous entendre vous chamailler.

— C'est Blanche qui triche, riposta Léonie.

Après un bout de temps, Marquise se plaignit de nouveau à son mari:

— Écoute-les; c'est comme si je leur avais rien dit. Elles vieilliront donc jamais!

— Laisse-les s'obstiner, dit-il. Quand elles seront parties de la maison, on s'ennuiera d'elles pis de leurs chamailleries.

— Je m'ennuierai peut-être de mes filles, mais de leurs chamailleries, jamais!

Félicien, davantage intéressé par ce qui se passait au loin, plissait les yeux. Un attelage venait au trot et faisait lever la poussière du chemin.

— Ah ben! Regarde-moé donc ça, Marquise: un cabriolet comme j'aimerais en avoir un! Si je me trompe pas, c'est la pouliche grise à Ti-Toine Beauséjour, ça.

C'est pourtant pas lui qui tient les cordeaux. Ça doit être un de ses gars.

— C'est qui, Ti-Toine Beauséjour ? demanda Marquise.

— Un colon du Dixième Rang, le rang des Venne. Tu sais qui c'est ; à l'église, sa femme porte tout le temps des grands chapeaux. Elle est toujours assise dans le deuxième ou le troisième banc d'en avant.

Comme l'attelage arrivait à leur hauteur, Maxime cria « hue ! » et la bête entra dans la cour des Gaudet.

— Woh, bèque !

Marquise regarda le garçon descendre de voiture dans une tenue impeccable. Pendant qu'il attachait son cheval au piquet, elle le détaillait. C'était un jeune homme de belle prestance, au regard sage, sans doute un parti intéressant pour une fille.

Elle se pencha vers son mari et chuchota :

— C'est un garçon ben smart de corps. Je me demande ben ce qu'y s'en vient faire icitte.

— Je sais pas, mais j'ai idée qu'on tardera pas à le savoir.

* * *

Au même moment, à l'intérieur, les filles, en entendant crier « Woh, bèque ! », tournèrent les yeux vers l'extérieur.

— C'est Maxime ! s'écria Victorine, tout excitée.

Elle se leva précipitamment. Ses mains tremblantes échappèrent son jeu, et toutes les cartes s'éparpillèrent sur le tapis de table devant ses sœurs déconcertées.

Maxime était là, très droit, très élégant dans son cabriolet. Victorine s'approcha de la fenêtre et le vit sauter de sa petite voiture à deux roues et attacher tranquillement sa bête au piquet. Il se mit à parler à son père. Une immense joie lui monta au cœur. Si Maxime était venu jusque chez elle, c'était donc qu'elle lui plaisait un peu. Elle replaça ses cheveux et passa les mains sur sa robe brune, sa vieille robe laide qui ferait fuir un singe. Soudain, sans perdre un instant, elle courut à sa chambre, décrocha sa robe à pois verts de la penderie et laissa la brune tomber au fond de la garde-robe, sur de vieilles savates éculées. Victorine, pressée de s'habiller, était tellement nerveuse qu'elle éprouvait de la difficulté à boutonner sa robe, comme si elle avait les doigts engourdis et que les boutonnières étaient trop petites pour la taille des boutons. Allait-elle enfin y arriver? Finalement, elle mesura des mains sa taille fine, son ventre plat. Elle devait se presser de descendre avant que Maxime s'en retourne. Comme elle arrivait au bas de l'escalier, le garçon monta sur le perron et demanda à lui parler.

Marquise entra et appela:

– Victorine! Quelqu'un pour toé.

– J'arrive, m'man!

En apercevant Victorine, vêtue de sa toilette du dimanche, sa mère lui recommanda sévèrement:

– Je te défends de partir avec ce garçon.

– Je pars pas!

– Je veux pas que tu sortes de la cour sans amener un chaperon. Tu m'entends?

– Ben oui, je vous entends; je suis pas sourde.

— Bon! Asteure, tu peux y aller, y t'attend sur le perron.

Victorine invita Maxime à entrer et à passer au salon. Elle prit soin de laisser ouverte une des deux grandes portes, par souci de convenance. Sa mère ouvrit l'autre pour mieux surveiller leur comportement.

— Excusez-moé de venir vous surprendre comme ça, un soir de semaine, mais craignez pas, je serai pas long-temps. Si je suis venu jusqu'icitte, c'est pour m'assurer que vous serez à la kermesse en fin de semaine.

— C'est ce qui est prévu, répondit Victorine, dont le cœur palpitait d'émotion.

— Cette fois, acceptez pas de responsabilités; comme ça, nous pourrons passer la soirée ensemble, sans vous attirer des remontrances.

— Promis!

Tout en parlant, Maxime posa la main sur le genou de Victorine. Elle la repoussa avec douceur pour lui imposer le respect.

Sur ce, Maxime se leva.

— Samedi, dit-il, je vous attendrai près du comptoir de crème glacée.

— Vous allez pas partir tout suite, asteure que vous avez fait tout ce chemin? Attendez-moé icitte.

Victorine disparut un moment et revint avec une petite assiette chargée d'épais carrés de sucre à la crème moelleux. Qu'est-ce qu'elle ne ferait pas pour retenir Maxime? «Il ne pourra pas refuser une friandise aussi tentante.»

Après avoir mordu dans le petit carré crémeux, Maxime demanda:

— C'est vous qui l'avez fait?

– Non, c'est m'man.

– Vous y direz qu'y est bon.

– Oui, mais le mien est ben meilleur ; moé, j'y ajoute des noix.

– M'y ferez-vous goûter ?

– Quand vous reviendrez.

Soudain, Maxime étira la main.

– Je peux ?

– Ben oui, m'man l'a fait pour la visite.

– Asteure, je dois partir avant que vos parents me mettent à la porte.

Maxime se leva prestement.

– On se revoit samedi ?

– Comme entendu ! dit-elle.

Victorine aurait aimé retenir Maxime, mais elle n'osa pas insister davantage. Il avait l'air pressé de s'en retourner et, de son côté, elle ne voulait pas avoir l'air d'une sangsue.

Le garçon étira le nez à la cuisine et adressa quelques mots au père de Victorine, puis il sortit. Victorine l'attendait dehors, assise au haut du petit escalier. Comme il allait descendre, elle étendit les bras, formant une barrière, comme pour lui défendre de passer. Elle riait. Maxime, qui n'attendait qu'une invitation à rester, prit place à son côté. Victorine aurait aimé qu'il s'assoie plus près. Peut-être était-elle trop émotive ?

Au coucher du soleil, alors que le serein tombait sur la campagne, Victorine sentit une fraîcheur sur ses épaules. Elle fit mine de grelotter et frotta vigoureusement ses bras. Maxime allait sans doute s'approcher davantage et glisser un bras autour de ses épaules. Mais non ! Aucune marque d'affection. Ils bavardèrent agréablement jusqu'à la brunante.

Alors, Maxime se leva et lui dit simplement :

– Bon ! Cette fois, je pars pour de vrai. À samedi.

Chapitre 2

C'était le temps de la fenaison.

Cette année-là, la pousse était forte. Le foin, fauché de la veille et ramassé en vailloches, attendait d'être engrangé.

De la fenêtre qui donnait sur le chemin, Prudentienne vit approcher trois hommes et cinq adolescents, le chapeau de paille sur le nez. Les voisins armés de fourches à trois dents venaient échanger du temps avec les Beauséjour.

La cour de l'étable s'agitait. Antoine et Maxime attelaient les chevaux aux charrettes et, pendant ce temps, les voisins jasaient entre eux en attendant le départ. Les garçons retroussaient leurs manches de chemise jusqu'aux coudes afin d'être plus à l'aise pour travailler.

Quelques minutes plus tard, deux waguines vides quittaient la cour de l'étable et montaient aux champs par l'allée des vaches qui séparait la terre en deux.

Les hommes, assis sur le même côté de la charrette, faisaient pencher dangereusement la plateforme.

* * *

À la maison, Prudentienne, pas trop vaillante, devait préparer le repas du midi pour tout ce beau monde. Elle cherchait un moyen de se faire aider quand une idée géniale lui effleura l'esprit : inviter Estelle Bordeleau chez elle dans le but de l'intéresser à Maxime. « Voilà la belle occasion de lui faire oublier la petite-fille de Manchot », se dit-elle. Jouer le rôle d'entremetteuse plaisait à Prudentienne au point de lui arracher un sourire de satisfaction. C'était bien simple : elle n'avait qu'à demander son aide[3].

— Noé, dit-elle, cours chez les Bordeleau et demande à Estelle si elle peut me donner un coup de main pour le dîner. Tu y diras que si elle peut venir tout suite, ça ferait ben mon affaire.

— Estelle ? Pour quoi cé faire ? Les autres années, vous vous débrouilliez ben avec madame Lepage pis madame Gariépy.

— On sera pas trop de quatre pour servir la gang d'hommes. Va ! Fais ce que je te demande pis arrête de questionner comme un enfant.

— J'accours, m'man, j'accours, dit Noé en se levant lentement.

De la fenêtre qui donnait sur le chemin, Prudentienne regarda Noé s'en aller à pas allongés, le chien sur les talons. Quelques minutes plus tard, il revint avec Estelle qui le dépassait d'une tête.

* * *

---

3. Au début du XXe siècle, les gens se rendaient service, les uns, les autres, gratuitement.

Pendant qu'Estelle attachait son long tablier de toile sur ses hanches, Prudentienne déposa devant elle une grande casserole, un seau et un couteau fraîchement aiguisé.

— Tenez, dit-elle en lui présentant aussi une chaudière vide. Allez à la cave me remplir ça de patates. Et, tant qu'à y être, apportez aussi des carottes pis des navets.

— J'y vais drette là, madame Beauséjour.

— Vous prendrez garde à vos doigts, le petit couteau coupe comme un rasoir. Pis oubliez pas d'enlever les yeux des patates.

— Voulez-vous que je remplisse le chaudron à ras bord ?

— Oui ! Ensuite, vous gratterez les carottes.

Pendant qu'Estelle travaillait comme une fourmi, la femme se versa une tasse de café noir et s'assit en face d'elle. Prudentienne, fine et rusée, devait profiter du peu de temps qui restait avant l'arrivée des voisines pour faire à Estelle certaines confidences mensongères, sujettes à détourner l'intérêt de Maxime pour la petite-fille de Manchot.

— Vous savez que mon Maxime vous trouve ben de son goût, dit-elle avec un large sourire. Je l'ai entendu vous louanger à l'occasion.

Prudentienne espérait voir sur la figure d'Estelle une petite flamme intérieure s'allumer, un premier soupir. Cependant, elle ne vit rien.

— Qu'est-cé qu'y disait de moé ? demanda Estelle, curieuse d'en savoir plus.

— Je me rappelle pas exactement les mots employés, mais ça exprimait clairement l'admiration qu'y vous porte.

Estelle ne quitta pas son travail des yeux. Dans sa main, le petit couteau se faisait plus rapide.

— J'ai entendu dire que Maxime a déjà une amie, Victorine Gaudet, du Deuxième Rang.

«Cette nouvelle a déjà fait le tour de la paroisse», pensa Prudentienne qui ne laissa pas voir sa déconvenue.

— Je sais ben, on a beau jaser, c'est rien de sérieux, dit-elle. Si Maxime s'intéresse à vous, c'est qu'y doit pas avoir ben gros de sentiments pour cette fille.

— Moé, madame Beauséjour, c'est Noé que je trouve de mon goût, osa avouer Estelle, sans quitter sa patate des yeux. Mais je veux pas que vous y répétiez ce que je viens de vous dire, ça me mettrait ben mal à l'aise vis-à-vis de lui.

À la suite de cette confidence, le visage de Prudentienne s'allongea de dépit.

— Celui-là, y aime mieux jeunesser plutôt que penser à son avenir. Vous feriez mieux de faire une croix dessus.

— Je sais ben, mais c'est plus fort que moé. Les sentiments, ça se commande pas.

— Noé a toujours dit qu'y resterait garçon. Y a pas une fille qui l'intéresse. Même chose pour le travail; à quinze ans, y fait rien de ses dix doigts. Y donne comme raison qu'y aime pas la ferme, même chose pour les chantiers. Mais qui aime travailler? On le fait parce que la vie nous y oblige, si on veut manger! Regardez-le, je vous conte pas d'histoires, y passe ses journées dans la balancigne pendant que ses frères, eux, triment du matin au soir, sans jamais se plaindre.

Estelle se mordit les lèvres pour ne pas dire le fond de sa pensée. «Y est comme sa mère», pensa-t-elle. Depuis son arrivée dans cette cuisine, la femme la regardait travailler. Elle n'avait pas levé le petit doigt; elle n'avait fait que parler.

– C'est pas que je veux le dénigrer, continua Prudentienne, c'est juste que je tiens à vous ouvrir les yeux. Noé est un bon garçon, y se conduit comme y faut pis y ferait pas de mal à une mouche, mais y a pas d'ambition. Peut-être qu'y est pas ben fort.

– Quand vous dites que Noé est pas trop vaillant, je veux ben vous croire, mais comment cé qu'y va faire pour gagner sa vie quand vous serez pus là?

– Celui qui héritera de la terre héritera de Noé avec.

– Pauvre lui! Y va faire une vie ben plate. C'est dommage; un si beau garçon!

Les femmes de Lepage et de Gariépy montaient sur le perron. Leur arrivée mit fin aux magouilles de Prudentienne.

* * *

À dix heures, les deux charrettes descendaient du champ avec leur première charge. Sitôt les attelages arrivés dans la basse-cour, Maxime sauta sur ses pieds et courut ouvrir les grandes portes de la grange pour y faire entrer une waguine débordante de foin. Son père détela le cheval de la charrette et l'attela à un grand câble qui se trouvait à l'extérieur. Ce câble était attaché à une poulie fixée à une poutre. Antoine, d'un bon coup de talon, planta la grosse fourche dans le foin et l'enclencha solidement. Puis, il cria à s'époumoner: «Allez-y!»

Les hommes s'éloignaient de la charrette pour éviter d'être blessés si le câble se brisait. Gariépy commanda le cheval qui avança lentement. Le câble se raidit et la pauvre bête, le ventre à terre, avança péniblement en soulevant l'énorme meule de foin qui, accrochée à la grande fourche, roula sur le rail, de la charrette jusqu'au grenier à foin. Les garçons, juchés dans le fenil, le dos courbé sous la charpente, se tenaient prêts à recevoir la meule. On entendait des craquements. En haut, Léopold et François Lepage recevaient le chargement et plaçaient le foin en commençant par remplir les ravalements sous les tournisses et les poutres. Après trois meules, la charrette était vide. Léopold fit avancer la charrette suivante.

* * *

L'ombre du chêne marquait midi. Dans la torpeur du milieu du jour, la cigale stridulait.

Les hommes moissonneurs en manches de chemise et chapeaux de paille montaient sur le perron, fatigués, les cheveux collés aux tempes, le dos courbé, comme s'ils traînaient sur leurs épaules une charretée de foin. La sueur leur pendait au bout du nez. Les garçons suivaient, droits comme des chênes. Ils s'assirent sur le bord du perron et vidèrent leurs bottes en les secouant. Des fétus de paille brillants tombaient au sol. On les entendait jaser de l'intérieur.

Ils entrèrent dans la cuisine inondée de lumière dorée. Sur le poêle, des chaudrons laissaient échapper des parfums de viande et de sauce qui se mêlaient à la bonne odeur de foin coupé. À tour de rôle, les travailleurs savonnaient leurs mains jusqu'aux coudes, les essuyaient sur le rouleau en toile accroché au mur et prenaient place à la table.

— Ça avance, le travail? demanda Prudentienne.

– Ouais! dit Maxime, à toute nous autres, on vaut ben un bon cheval, hein les gars?

Les femmes attendaient qu'Antoine Beauséjour trace une croix sur le pain avant de servir aux hommes un nourrissant repas de petit lard bouilli accompagné de patates jaunes. Estelle retira du four une marmite remplie de fèves au lard et la déposa au centre de la table. Elle y plongea une louche.

– Allez-y, servez-vous, y en a pour tout le monde, dit-elle avec un sourire insignifiant sur les lèvres.

Maxime murmura :

– On s'est fait chauffer la couenne aux champs tout l'avant-midi, asteure on va respirer un peu avant de manger.

– Si vous attendez, rétorqua madame Gariépy, les plats vont refroidir.

Chacun y allait à pleine écuelle. Antoine coupait d'épaisses tranches de pain de ménage qu'il lançait à droite et à gauche. Estelle ouvrait des pots de marinades et les déposait au centre de la table. Les hommes mangeaient dans le grand silence des appétits ouverts. On n'entendait plus que les dents des fourchettes piquer les assiettes.

Maxime s'empiffrait sans faire aucun cas d'Estelle.

* * *

À une heure, après quelques rots indiscrets de bonne digestion, les hommes retournèrent aux champs, sous un soleil d'enfer. Ils ne rechignaient pas à la besogne. L'après-midi ressembla à la matinée. Vers cinq heures, les voisins retournèrent chez eux, fourbus.

Au souper, Prudentienne profita du fait qu'elle était seule avec les siens pour s'acharner à intéresser Maxime à Estelle :

— T'as vu comme la belle Estelle te regardait ? Tout le temps du repas, elle te dévorait des yeux.

Estelle, d'une extrême maigreur, était longue comme une ombre. Ses lèvres rentrées et son menton en galoche la faisaient passer pour une vraie laideronne aux yeux de plusieurs.

Maxime leva sur sa mère un regard indifférent.

— Je me demande ce que vous y trouvez de beau.

— C'est une bonne fille, un grand cœur qui possède la beauté de la bonté. Y faut savoir voir l'âme à défaut de la figure.

— Ouache ! ajouta Noé en grimaçant. Quand elle était à l'école, on la surnommait la « grande saucisse ». C'est un vrai paquet d'os. Quand elle marche, on entend claquer ses os. Ta Victorine est ben plus belle.

Noé s'en donnait à cœur joie. Ses frères riaient.

— Ta, ta, ta ! Toé ! intervint sa mère avec une sécheresse dans la voix. On t'a pas demandé ton opinion.

— En tout cas, moé, j'en veux pas comme belle-sœur. Heureusement, Maxime voit clair. Pas si imbécile, mon frère !

— Les filles de Félicien Gaudet sont de la graine de quêteux, ajouta Prudentienne.

Noé, en bon observateur, voyait bien le petit manège de sa mère. Celle-ci faisait tout pour briser les amours de Maxime, mais elle n'y arriverait pas, à moins que Maxime en décide autrement. Il ne se laissait pas diriger facilement.

*   *   *

Les semaines passèrent, et le dimanche, après la grand-messe, Maxime prit l'habitude de reconduire Victorine chez elle. Une fois à la maison, celle-ci l'invitait à se joindre aux invités pour le dîner de famille. Lors de ces repas répétés de semaine en semaine, Maxime apprit à connaître toute la parenté de Victorine. Le soir, Félicien Gaudet sortait son accordéon, et les filles chantaient en lavant la vaisselle. Les Gaudet étaient des gens de plaisir. Maxime n'était pas habitué à ces divertissements.

— Y a de la joie dans votre maison, dit-il.

— Pas chez vous ? demanda Victorine.

— Chez nous, c'est différent ; mes parents sont plus âgés que les vôtres.

*   *   *

Après un an de visites assidues, un de ces dimanches, Victorine ne vit pas Maxime dans le banc des Beauséjour. L'inquiétude lui mordait le cœur. À sa dernière visite, il l'avait pourtant quittée comme d'habitude en lui disant : « À dimanche prochain ! » Était-il malade ? Était-il ailleurs, peut-être dans une autre paroisse ? Victorine ne se sentait pas à l'aise de s'informer à ses parents. C'était à Maxime de la prévenir. « Si je connaissais mieux ses frères, se dit-elle, je leur demanderais la raison de son absence. » Mais de quel droit ? Maxime ne s'était engagé à rien envers elle ; il ne lui avait jamais déclaré son amour. Mais pour elle, c'était tout autre. Elle s'était éprise de Maxime au point que son absence la faisait cruellement souffrir. Il ne s'était donc pas aperçu que, depuis le début de leurs fréquentations, elle l'aimait à la folie ?

Elle passa le temps de la messe à ressasser la dernière visite de Maxime chez elle. Avait-elle dit ou fait quelque chose qui lui aurait déplu ? Maxime avait-il une autre fille dans l'œil ? Si c'était le cas, il serait quand même à la messe ce matin.

* * *

Après l'office, quand Victorine et ses sœurs montèrent dans la voiture de famille, Blanche se tassa sur Léonie pour laisser une place à Victorine, puis elle s'informa :

— Aujourd'hui, Maxime te ramène pas ? Ce serait-y que vos amours sont finies ?

— Mêle-toé pas de ça, dit Victorine, ça regarde rien que moé pis Maxime.

Blanche voulait connaître le pourquoi. Elle insista :

— Vous êtes-vous chicanés ? T'as la mine basse aujourd'hui.

— Tais-toé, Blanche, trancha sa mère qui souffrait pour sa grande. Victorine a raison ; ses affaires de cœur, ça regarde pas les autres.

— J'ai le droit de savoir. C'est ma sœur pis ça m'intéresse.

Blanche était déjà éprise de Noé Beauséjour et elle comptait sur l'intervention de Maxime pour encourager une relation amoureuse entre elle et son frère.

— Non, ajouta Marquise, pis à midi, je te défends ben de faire allusion à Maxime devant la parenté.

— Ça va ! dit Blanche d'un ton sec.

Et, plus bas, elle ajouta : « Maudit ! »

Marquise sursauta et tourna la tête en arrière.

— Qu'est-ce que j'entends, Blanche? Je te défends de dire des gros mots.

Le reste du chemin fut silencieux.

* * *

Sitôt arrivée à la maison, Victorine fila directement à sa chambre.

Dans la cuisine, Marquise alluma le poêle et s'affaira vivement au repas, tandis que Félicien bourrait sa pipe.

— Blanche, lui dit sa mère, voudrais-tu dresser la table?

Blanche se posta au bas de l'escalier et s'écria:

— Léonie pis Victorine, descendez! M'man a besoin d'un coup de main pis c'est pas juste à moé d'aider dans cette maison.

Pas de réponse.

En voyant deux attelages entrer dans la cour, Félicien s'exclama:

— Tiens, la visite arrive; deux pleines voiturées!

Tous les dimanches, comme un rituel, les sœurs de Marquise, Louisa et Marie, et leurs petites familles s'amenaient pour le dîner.

Comme la parenté entrait, on entendit des pas dans l'escalier. Victorine suivait Léonie, et sans que leur mère insiste davantage, les filles s'empressèrent de dresser la table.

Victorine ne parlait pas.

— Qu'est-cé que tu nous mijotes, Marquise, qui sent si bon? demanda Louisa.

— Ça doit être mon rôti de lard. À moins que ce soit ma soupe aux pois.

— Pis toé, Victorine, s'informa sa tante Louisa, ton beau Maxime est pas icitte à midi?

Victorine, ne pouvant retenir ses larmes, courut à sa chambre.

Aussitôt, Blanche prit le parti de sa sœur.

— Victorine pis Maxime sont pas des siamois, à ce que je sache.

Les hommes éclatèrent de rire, mais Marquise était mal à l'aise vis-à-vis de sa sœur Louisa.

— Voyons, Blanche! dit-elle sur le ton du reproche.

— Vous voulez savoir? C'est à cause d'une vache qui est sur le point de vêler. Maxime devait la surveiller, mentit Blanche, c'est pour ça qu'y était pas à la grand-messe.

Le repas reprit sa tournure normale.

Plus tard, la visite partie, Marquise reprit Blanche.

— Qu'est-cé que t'avais affaire à parler de Maxime devant la visite? Je t'avais pourtant avertie.

Félicien intervint aussitôt.

— C'est ta sœur Louisa qui a couru après avec ses questions indiscrètes. T'as pas à reprendre Blanche pour ça. Si tes sœurs viennent icitte juste pour mémérer, ben qu'elles aillent péter dans le trèfle.

Blanche et Léonie éclatèrent de rire.

— C'était sans méchanceté de la part de Louisa, ajouta Marquise, qui prenait la défense de sa sœur.

Et elle ajouta, amère:

— Avec tout ça, ma sauce a brûlé.

* * *

La semaine fut longue à n'en plus finir pour Victorine qui ne reçut aucune nouvelle de Maxime. Dans son temps libre, elle brodait des petits oiseaux sur une taie d'oreiller, des oiseaux si vrais qu'ils semblaient sur le point de s'envoler. Tout en piquant l'aiguille dans la toile fine, Victorine ruminait sa déception. «Des oiseaux joyeux! Pour qui?» Le cœur n'y était pas. Elle tirait lentement le fil en pensant que Maxime ne poserait peut-être jamais sa tête sur ses belles taies d'oreiller.

Blanche surgit par-derrière et appuya son menton sur l'épaule de sa sœur.

— Si tu me dis ce qui se passe avec Maxime, je vais t'aider à broder.

Victorine s'inclina sur son travail et l'encercla de ses bras, comme si elle craignait une profanation.

— Arrête de m'achaler avec ça! Je suis pas sur le piton; c'est toute!

— Tu devrais me remercier d'avoir remis matante Louisa à sa place.

— Ben oui! Mais j'en sais pas plus long que toé.

* * *

Le dimanche suivant, Maxime était de nouveau debout dans la grande allée. Victorine se demandait si elle devait se réjouir. Elle lui gardait rancune de son silence.

Après la messe, comme si rien ne s'était passé, Maxime colla son attelage aux marches de l'église. Victorine passa à côté, sans lui adresser un regard. Maxime sauta de la voiture.

Comme Victorine allait monter dans celle de son père, une main ferme tira son bras.

– Venez, Victorine ! Je vais vous expliquer.

Victorine ne pouvait pas refuser ; déjà, l'attelage de son père avait pris le chemin de la maison. Elle monta dans la voiture, le corps raide, la tête haute et s'assit au côté de Maxime en respectant une certaine distance que celui-ci remarqua.

– Je m'excuse pour dimanche passé, dit-il.

– Vous avez pas à vous excuser. Vous m'avez jamais rien promis. Vous êtes libre de faire ce qui vous plaît, sans rendre de comptes à personne.

– Arrêtez-moé ça, Victorine. Je reconnais mes torts. Samedi passé, j'étais ivre mort. J'ai été malade toute la nuit. Le dimanche matin, je vomissais encore. C'est pour ça que j'ai manqué la messe.

– Vous buvez souvent ?

– Très peu. C'est la seule fois que j'ai fait un excès. J'étais à la forge pis, tout en jasant, le forgeron Larochelle nous versait une tasse pis une autre. On est tous partis avec un mal de bloc. Mais là, j'ai eu ma leçon. Pis je peux vous dire qu'en plus j'ai eu droit à un sermon de ma mère pour avoir manqué la messe du dimanche. J'avoue que c'était mérité.

– Vous auriez dû m'avertir, peut-être par un de vos frères ; je vous aurais pas attendu toute la journée. Je me demandais…

– J'y ai pensé, mais y a des explications qu'on est mieux de donner soi-même. Asteure, j'aimerais qu'on tire un trait là-dessus. Êtes-vous prête à oublier ça ?

– Disons que la semaine a été longue.

Le cœur de Victorine se remit à battre gaiement.

– M'invitez-vous quand même à dîner ? osa Maxime.

– Vous le savez ben.

– Approchez un peu, dit-il.

Victorine retrouva son sourire charmeur.

* * *

Les semaines et les mois qui suivirent, Victorine s'appliqua à ses broderies, à ses courtepointes, à son tissage. Lentement, le vieux coffre en cèdre, qu'elle nommait son « coffre d'espérance », se remplissait de tapis, de draps et de nappes tissées.

Maxime continuait de fréquenter Victorine régulièrement et, même s'il ne lui parlait jamais d'avenir, elle attendait patiemment des mots d'amour qui ne venaient pas. Et si elle donnait un coup de pouce à la chance en lui montrant son trousseau ? « Si y est pas fou, il va comprendre que je l'ai préparé en vue d'une vie de ménage. Dimanche prochain », se promit-elle.

Mais le jour venu, Victorine hésita. Si Maxime n'était pas sérieux, s'il ne la fréquentait que pour passer le temps, elle aurait l'air de quoi ? D'attendre désespérément un mari ?

Chapitre 3

Chaque dimanche, à la sortie de la messe, les femmes en toilettes d'automne jacassaient sur le parvis de l'église, en attendant la criée. Le parvis était l'endroit où se propageaient les nouvelles et les bobards pendant que les enfants s'amusaient à sautiller gaiement sur les marches.

Un peu en retrait, des adolescents, regroupés en cercle, reluquaient les filles. Maxime se tenait à l'écart. Il attendait son père parti chercher l'attelage à l'écurie.

Le curé Chagnon, un gros prêtre bedonnant, sortit par les grandes portes, ce qui attira l'attention de Maxime ; habituellement, les prêtres empruntaient la porte de la sacristie, ce qui était le chemin le plus court entre l'église et le presbytère.

La foule se fendit pour laisser passer le curé qui fit signe à Maxime de s'approcher.

Maxime se demandait bien ce que lui voulait le curé. Celui-ci aurait-il quelque chose à lui reprocher ? Le garçon détestait les confrontations ; elles le rendaient mal à l'aise.

— Moé ? dit-il, hébété.

— Oui, vous ! Passez donc au presbytère un moment, qu'on jase un peu entre hommes.

Maxime jeta un regard autour de lui. Il s'imaginait d'avance être la cible de railleries et peut-être aussi de critiques acerbes. Il haussa les épaules et accorda son pas à celui du curé.

Sitôt entré au presbytère, le jeune homme enleva sa casquette et suivit le prêtre à son bureau.

Quelques années plus tôt, le curé l'avait invité chez lui de la même manière. Maxime se rappela sa rencontre. Dans le temps, il devait avoir quatorze ans, l'âge un peu rebelle.

Ce jour-là, le curé lui avait demandé :

— N'avez-vous jamais pensé à vous instruire ?

— Non, pas vraiment, lui avait répondu Maxime.

— Je sais que vous apprenez facilement ; je me suis laissé dire que votre dernière année d'école a été un succès. Il ne faudrait pas qu'un si beau talent se perde.

— J'aime mieux les chantiers pis la ferme que les études.

— Laissez ce travail aux petits esprits. Je vous propose de fréquenter le séminaire de Joliette. Des gens à l'aise, des âmes généreuses m'ont dit être prêts à prendre un séminariste à leur charge. J'ai aussitôt pensé à vous. Peu de jeunes ont cette chance.

Maxime s'était senti pris de court. Dans le temps, il n'avait pas l'âge d'imposer ses idées. Toutefois, il savait faire la différence entre ce qu'il aimait et ce qu'il n'aimait pas. Il aurait voulu fuir sans être impoli. Il avait cherché à défendre son choix, mais le prêtre était revenu sans cesse sur sa foi. Il ne lui avait pas laissé le temps de placer un mot.

— Là-bas, vous apprendriez le latin, lui avait dit le curé. Vous avez là une belle occasion de mettre votre vie au service de Dieu, en devenant prêtre.

— J'ai pas la vocation.

— Tous les jeunes portent en eux le germe de la vocation, avait insisté le curé. Dieu vous appelle par votre nom, Maxime, et, toujours, il attend votre réponse.

— C'est pas comme ça que je vois mon avenir. J'aimerais avoir une ferme à moé pis une famille.

— Vous êtes encore jeune pour décider de votre avenir.

— Le sacerdoce m'intéresse pas, avait dit bêtement Maxime pour clore la discussion. Moé, j'aime les filles.

— Les filles sont des occasions de pécher ; fuyez-les comme la peste.

Plus le curé s'était acharné, plus le regard de Maxime s'était durci.

— Donnez-vous un peu de temps pour réfléchir à ce que je viens de vous proposer. Une vocation ne se décide pas sur un coup de tête.

— C'est non, avait répété sèchement Maxime, qui ne supportait plus de voir le curé s'acharner.

— Je vais prier le bon Dieu afin qu'il sensibilise votre âme à son appel. Et rappelez-vous que sans lutte, il n'y a pas de mérite.

Évidemment, le curé n'avait pas lâché prise, mais Maxime, qui avait voulu en finir pour de bon avec cette histoire, s'était levé et, malgré tout le respect qu'il vouait au curé, avait rétorqué :

— Gardez vos prières pour vous.

Le prêtre avait sourcillé avant de poursuivre :

— Mauvaises paroles, mon fils.

— C'est les miennes !

— Un païen ne parlerait pas autrement.

Le curé, mécontent, s'était levé brusquement.

— Allez! Je ne vous retiens plus.

C'était sa manière de lui montrer la porte.

Maxime avait remis sa casquette d'aplomb, avait adressé un petit coup de tête au prêtre, en guise de salut, mais ce fut pour rien; déjà, le curé n'était plus là. Maxime avait filé à son tour.

Mais aujourd'hui, à vingt et un ans, comme il n'était plus à l'âge des études, que lui voulait au juste le curé? Encore se mêler de sa vie?

Le curé Chagnon lui donna une bonne poignée de main et lui désigna un siège.

— Parlez-moi donc de vos amours avec la fille de Félicien Gaudet, dit-il.

Décidément, le curé savait tout.

— C'est que j'ai pas grand temps, monsieur le curé, dit Maxime dont les mains tortillaient une casquette à carreaux. Mon père est allé chercher l'attelage dans la shed à chevaux, y va ben se demander où je suis passé.

Le garçon glissa ses fesses sur le bout de sa chaise, comme prêt à bondir. Il poursuivit.

— Ça serait-y que vous auriez quelque chose à me reprocher, monsieur le curé?

— Pas encore, pas encore! Êtes-vous certain que cette fille vous convient?

— Ben oui! Sinon, je la fréquenterais pas. Victorine est mon amie.

— Vous connaissez ses antécédents? Il y a quelques années, son grand-père mendiait dans la place. Vous êtes issu d'une famille bien; vous risqueriez de la rabaisser avec des fréquentations déshonorantes. Vous savez, les enfants traînent les tares des parents pendant des générations.

Maxime avait l'impression d'entendre sa mère.

— Je comprends pas où vous voulez en venir, monsieur le curé. Si vous alliez droit au but.

— Tantôt, dans mon sermon, j'ai dit que je condamnais les fréquentations qui s'éternisent et qui exposent les jeunes au péché. Un accident est si vite arrivé.

— Soyez sans crainte, monsieur le curé. Victorine est une fille ben à sa place.

— On dit ça, mais je sais ce que c'est; quand les filles sont en amour, elles foutent tous leurs bons principes en l'air; quand elles en ont, naturellement.

— En amour, dites-vous? Je sais même pas si Victorine a des sentiments pour moé.

— Depuis le temps que vous fréquentez mademoiselle Gaudet, vous ne connaissez pas encore les sentiments qu'elle ressent pour vous? Savez-vous que vous lui faites perdre son temps? Ces fréquentations, qui ne mènent nulle part, empêchent cette demoiselle de rencontrer un parti sérieux. Tenez, je connais un garçon qui s'intéresse à elle pour le bon motif.

Maxime se sentit attaqué, mais rien encore n'était clair dans l'intervention du curé.

— Moé, je suis ben sérieux, monsieur le curé. J'ai pour mon dire que si Victorine me reçoit au salon, c'est qu'elle doit avoir des sentiments pour moé. C'est juste que moé, les mots d'amour pis tout ça, c'est pas mon fort; je sais mieux parler aux animaux qu'à une femme.

— Continuez sur cette voie et vous allez devenir bête comme eux.

Maxime sourit.

— Tant qu'à moé, monsieur le curé, je serais prêt à marier Victorine demain matin, mais je trouve pas les fonds nécessaires pour m'acheter une terre.

— Mon garçon, quand on attend d'avoir de l'argent, on ne se marie jamais.

— Y faut quand même mettre du beurre sur notre pain.

— Votre père est en moyens ; demandez-lui de vous aider. Ça revient au père d'établir ses fils.

— Y veut pas. Y dit qu'y est pas pour découper sa terre en carrés pis qui donnerait pas son argent de son vivant. Si vous y parliez, peut-être qu'y vous écouterait, vous ?

— Si c'est son idée… Vous connaissez votre père, il ne répondra pas.

Maxime ne lui dit pas que, chez lui, son père ne prenait aucune décision sans l'assentiment de sa femme et que celle-ci en avait contre les Gaudet.

— En attendant, insista le curé, vous n'allez pas éterniser vos fréquentations indéfiniment. Cessez de fréquenter mademoiselle Gaudet ; si elle vous est réellement destinée, vous renouerez plus tard, quand vous serez en mesure de vous établir et de faire vivre une famille.

Maxime, irrité, hors d'état d'articuler une parole, se leva prestement. « Laisser Victorine ? Jamais ! se dit-il. Le curé ne va pas me dicter ma vie. » Toutefois, il garda sa réflexion pour lui.

Le prêtre se leva et ouvrit la porte.

— Allez, mon fils, et réfléchissez bien à ce que je viens de vous dire.

Deux femmes attendaient son départ pour entrer dans la pièce. Maxime les écarta en avançant une épaule et sortit. L'entretien avait été long et pénible.

* * *

Maxime courtisait Victorine depuis deux bonnes années et jamais il ne lui avait parlé de mariage parce qu'il n'avait rien à lui offrir. Toutefois, ce matin, le curé venait de lui secouer les puces.

Chose curieuse, ses parents l'attendaient devant le presbytère. Comment avaient-ils pu deviner qu'il était là ? Cette rencontre avait-elle été orchestrée par sa mère ? C'était bien ce que Maxime croyait.

Il s'accrocha les mains à l'arrière de la voiture et, d'un saut, il se retrouva debout derrière le siège.

Désormais, il ne supporterait plus que personne se mette en travers de son chemin.

— Qui cé qui vous a dit que j'étais icitte ?

Sa mère s'empressa de répondre :

— On te trouvait nulle part.

Maxime pinça les lèvres et laissa sa mère continuer son petit jeu.

Celle-ci s'informa :

— Qu'est-ce que le curé t'a raconté ?

— Vous auriez dû entrer, rétorqua Maxime, encore vexé de sa rencontre avec le prêtre. Le curé trouve qu'y serait temps que je me marie.

— Pas avec cette petite sotte ? Comment tu la nommes, déjà ?

Maxime répondit à sa question par une autre question.

– Ce serait pas vous qui seriez allée vous lamenter au curé pour y demander de mettre fin à mes fréquentations avec Victorine?

– Non! En allant payer une messe, j'ai seulement jasé avec lui de mes garçons, pas plus de toé que des autres.

– Ah oui! dit Maxime avec une pointe d'ironie mordante. C'est ben ce que je pensais. Et lui avez-vous fait un don généreux en retour de son intervention pour qu'y me conseille de laisser tomber Victorine?

– Tais-toé, Maxime! Oublie pas que tu parles à ta mère.

– Vous avez jamais digéré que je fréquente une Gaudet, hein?

– C'est pas ce que tu penses. Je trouve seulement que cette fille-là convient pas à mon garçon. Elle manque un peu de classe. Tu sais que, dans le temps, son grand-père quêtait de porte en porte?

– Oui, je le sais! Vous me l'avez répété mille fois. Y fallait ben que le pauvre homme survive; sans bras, y pouvait pas travailler. Moé, je trouve que c'était un homme de cœur pour s'être humilié à quêter pour faire manger sa famille.

– Quêter est un vice, une tare.

– Pis ma sœur Clara, elle est pas née avec une tare héréditaire, elle aussi?

– Tais-toé! Je me demande ce que vous avez tous à vouloir monter cette histoire en épingle.

– Vous avez beau essayer de la cacher, tout se sait.

– Je veux pas entendre un des miens ramener cette affaire sur le tapis; c'est une histoire du passé.

— En tout cas, je vous avertis, c'est ni le curé ni vous qui allez décider de mon choix.

— Si t'aimes cette fille plusse que ta mère! rétorqua Prudentienne en pinçant le bec.

Le reste du chemin se fit en silence. Maxime était impatient d'arriver chez lui; il devait déposer ses parents et repartir aussitôt pour le rang Versailles, où Victorine l'attendait à dîner.

* * *

Sur le long chemin qui le menait à sa belle, Maxime ruminait les paroles du curé: «Un garçon qui s'intéresse à Victorine...» Elle était si jolie. Mais qui ça pouvait bien être? «Et si c'était une invention? Impossible! Un curé ne ment pas», se dit-il. Il avait pourtant raison sur un point: Victorine était son amie et, après deux ans de fréquentations, il ne connaissait pas encore les sentiments qu'elle ressentait pour lui. Il se disait que Victorine devait l'aimer; ça allait de soi, sinon elle ne lui aurait pas ouvert sa porte. Les grands mots étaient-ils indispensables?

Ce soir-là, au salon, Maxime, préoccupé, parlait peu. Il regardait Victorine d'un autre œil, comme s'il la voyait pour la première fois. Elle était plus belle que jamais. Ce n'était pas surprenant que d'autres garçons lèvent les yeux sur elle; nul ne pouvait faire sa connaissance sans tomber amoureux d'elle. Puis, il l'imagina dans son rôle de femme, qui rôderait dans sa cuisine en fredonnant une chanson douce ou encore en égayant la pièce de son rire. Il s'imagina surtout elle et lui dans son lit, à s'aimer sans pudeur. Et pour la première fois, il craignit de la perdre.

Victorine coupa court à ses réflexions.

– Vous êtes ben sérieux, Maxime. C'est-y moé qui vous coupe le sifflet ?

Maxime se ressaisit et lui sourit.

– Racontez-moé votre semaine, dit-il.

– Comme dans toutes les maisons, la vie à l'intérieur reprend. On a fait des conserves pis des marinades. M'man pis Blanche ont défait le jardin, pis moé, pendant ce temps-là, je cuisinais. Là, on va respirer un peu avant de commencer le tissage.

Maxime n'écoutait Victorine que d'une oreille. Il voulait lui dire qu'il tenait à elle, mais les mots ne sortaient pas. Et toujours ce prétendant mystérieux qui excitait sa jalousie. Il se demandait s'il pourrait trouver une ferme à vendre.

* * *

Maxime entreprit le chemin du retour, un peu déçu de ne pas avoir parlé de ses appréhensions avec Victorine. Arrivé chez lui, il s'enferma à clef dans sa chambre et s'allongea sur son lit, tout habillé. Il glissa ses bras sous sa tête et, d'un coup d'orteil, il envoya valser ses souliers.

Maxime était un indépendant. Il ressentait le besoin d'être seul pour réfléchir sans pression à ce qu'il ferait de sa vie. Il n'avait pas besoin de l'opinion de sa mère ni de celle du curé ; ils s'opposaient à ses amours. Encore troublé par les événements de la journée, il repensa à sa visite au presbytère. Hier encore, il ne pensait pas au mariage et voilà qu'aujourd'hui, c'était sa première préoccupation. Il devait, s'il voulait garder Victorine, la demander en mariage. Mais quelle serait sa réaction? Et si elle acceptait sa proposition, qu'aurait-il à lui offrir? L'année était trop avancée pour acheter une ferme. Et si ses parents acceptaient de leur faire une petite place dans leur maison? Il en doutait; sa mère n'aimait pas beaucoup Victorine. Mais elle changerait peut-être d'idée quand elle la connaîtrait mieux; Victorine était si attachante et puis elle égaierait la maison de son rire sonnant. Ce soir, il tirerait les choses au clair avant de s'ouvrir à Victorine. Ensuite seulement, il prendrait une décision.

* * *

Maxime attendit que ses frères montent se coucher pour causer en privé avec ses parents. Après avoir préparé son entretien, il glissa les pieds dans ses chaussures et descendit.

Comme il arrivait au bas de l'escalier, son père allait souffler la lampe. Maxime l'arrêta.

— Attendez, p'pa. J'ai à vous parler.

— Je peux aussi ben t'écouter dans le noir.

Antoine se rassit dans la berçante. Prudentienne, curieuse de savoir ce que Maxime raconterait à son père, prit la chaise voisine.

— J'ai l'intention de me marier cet automne, dit-il. Tous les gars de mon âge sont déjà en ménage, mais moé, j'ai pas de place où demeurer. Si vous étiez d'accord, on pourrait, Victorine pis moé, rester avec vous autres pour quelques mois, le temps de me trouver une terre. D'icitte là, je continuerais de vous aider au train pis à remettre votre ferme en ordre. Hier encore, vous parliez de refaire le toit de la grange ; ça va vous prendre des bras.

Antoine réfléchissait. Prudentienne bouillait. Elle craignait que son mari n'accepte cet arrangement avant qu'elle intervienne.

Antoine savait très bien ce que sa femme pensait des Gaudet et les conséquences qui s'ensuivraient s'il agissait contre son gré ; elle le mettrait en quarantaine de coucheries pour se venger.

— Prends le temps de ben réfléchir, lui dit sa mère, avant de t'engager dans un mariage que tu pourrais ensuite regretter ; la vie est longue, tu sais.

— C'est tout réfléchi. Pis y a personne qui va m'en empêcher ; vous êtes mieux de vous y faire.

— Tu me déçois, tu peux pas savoir à quel point.

Maxime n'en démordait pas. Sa mère ajouta :

— En tout cas, moé, je veux pas d'une Gaudet dans ma maison. C'est clair ?

Maxime sentit une épine le piquer au cœur ; sa mère, sa propre mère, était contre lui, contre son bonheur. Cependant, il garda son sang-froid.

— Oui, c'est clair. Vous êtes chez vous icitte, pis vous avez le droit de décider. Mais si vous refusez de laisser entrer Victorine dans votre maison, je n'entrerai pas moé non plus. J'irai rester ailleurs. Peut-être chez les parents de Victorine. Y a personne qui va m'empêcher de choisir moé-même celle qui sera ma femme.

— T'as ben beau, lui dit sa mère en gardant le nez haut et le corps raide, une posture qui en imposait, qui signifiait qu'elle resterait maître dans sa maison.

Mais Maxime avait plus d'une corde à son arc. Il menacerait ses parents de s'exiler. Il verrait bien si sa mère changerait de refrain, quitte, au pis aller, à mettre sa menace à exécution.

– Y a encore une autre solution à envisager, ajouta Maxime d'un ton dégagé tout en surveillant discrètement la tête que ferait sa mère. Victorine pis moé, on pourrait faire comme Pauline pis Achille Lafrenière : aller travailler aux États, dans les factries de coton. Paraîtrait qu'y a du travail en masse là-bas. Quelques années plus tard, après avoir fait le motton, on déciderait si on revient par icitte ou ben si on reste là-bas.

Sur le coup, Prudentienne se figea. Puis, horrifiée, elle s'écria :

– Mon garçon, s'exiler ! Jamais !

Elle porta la main à son cœur qui ne pourrait pas supporter une pareille épreuve.

Elle repensait au départ, encore tout frais, du fils de sa cousine, Achille Lafrenière, qui avait remué toute la population. À son départ de Saint-Côme, le garçon avait trente ans et sa jeune femme, dix-sept. À la suite de cet exil, les gens avaient craint le début d'un exode vers les États.

Deux mois plus tôt, presque toute la paroisse avait assisté au départ du jeune couple et, depuis, l'événement était encore sur toutes les lèvres.

* * *

Ce jour-là, tout le village était rassemblé sur la place de l'église, y compris Prudentienne, la mère de Maxime.

Mariés depuis le matin, Achille Lafrenière et sa jeune femme se tenaient près de la voiture d'un certain Mireault, du rang Bel œil. La veille, Achille avait demandé à son cousin de les conduire à Joliette. Après avoir juché les valises derrière le siège, il était monté attendre sa jeune femme qui causait avec les siens. Ce départ était tout un événement. Les gens étaient tristes. On entendait renifler et sangloter. Des parents et des curieux, rassemblés autour du couple, venaient leur faire leurs adieux. On cherchait à accaparer la jeune femme de tous les côtés, comme si elle avait été une vedette, mais, loin de là, Pauline était plutôt une victime. C'était la crainte de ne plus la revoir qui préoccupait ses proches. Sa mère avait mis discrètement un chapelet dans sa main et l'avait refermée sur l'objet sacré.

— Tiens, je te le donne. Quand ça ira mal, tu le serreras dans ta main.

— Inquiétez-vous pas, m'man, tout va bien aller, avait dit Pauline, que l'amour rendait aveugle.

Achille avait tiré sa main pour l'aider à monter dans la voiture. Derrière eux, sa pauvre mère criait :

— Là-bas, tu feras attention aux coups de soleil !

Sitôt le jeune couple installé sur la banquette, le charretier avait commandé sa bête qui avait pris le trot. Les proches parents, restés sur place, pleuraient. La mère d'Achille était du groupe. Les mains et les mouchoirs volaient, et déjà la voiture s'éloignait en emportant son fils unique.

— Oublie pas de m'écrire ! avait hurlé la pauvre mère désespérée. Toutes les semaines ! Tu m'entends ?

Chacun était retourné à son occupation, sauf Prudentienne, qui observait la scène en retrait.

La mère d'Achille était restée sur place, triste, comme Marie au pied de la croix. Son regard avait suivi l'attelage jusqu'à ce qu'il disparaisse de sa vue. Puis, elle était tombée à genoux et avait pleuré, comme une Madeleine.

Prudentienne souffrait de voir sa cousine désespérée. Elle s'était approchée d'elle, avait pris son bras et l'avait aidée à se relever.

— Y a pas de quoi pleurer, Julienne, avait-elle dit, tu devrais être débarrassée. Depuis qu'y est au monde, ton Achille t'a toujours causé des inquiétudes.

Achille était un homme de haute taille aux yeux globuleux comme ceux des grenouilles. Son humeur changeante allait d'une douceur extrême à de violentes crises de colère dès qu'un rien lui passait devant le nez.

— C'est mon enfant, avait dit la femme, le visage éploré.

— Un enfant dur comme ça, tu serais mieux de pas en avoir.

— Et si c'était le tien ?

— Viens, avait insisté Prudentienne, reste pas là.

Mais la pauvre Julienne avait continué de se lamenter en rendant sa bru responsable de leur exil.

— Mais qu'est-ce que cette fille lui a donc fait pour se l'attacher, pour qu'il la suive comme un petit chien ?

— C'est plus fort qu'eux, c'est l'amour.

— C'est pas de l'amour, c'est de la pure démence d'agir ainsi. Pis y faut que ces choses se passent dans ma famille.

Prudentienne avait tiré son bras.

— Viens chez moé, avait-elle dit, la voix doucereuse.

— Je connaîtrai pas mes petits-enfants.

— Viens. Antoine pis Maxime nous attendent dans la voiture.

* * *

Ce départ avait ébranlé Prudentienne. Et voici qu'aujourd'hui, c'était au tour de son propre fils de vouloir partir. Elle se rappelait les paroles de sa cousine : « Et si c'était le tien ? »

Prudentienne leva le ton :

— Je veux pas voir un de mes gars s'exiler aux États. Jamais ! Non, non et non !

Prudentienne ne le lui dit pas, mais elle pensa : « J'en mourrais de chagrin. »

— Si vous pensez garder vos gars sous votre jupe toute votre vie, dit Maxime, vous vous trompez. En tout cas, moé, je vais décider de mon avenir comme je l'entends.

— Je suppose que c'est cette petite sotte, encore, qui t'a mis cette idée en tête ?

— Victorine est pas une petite sotte. C'est moé qui cherche un moyen de me caser pis de faire vivre une famille.

— Tu veux faire mourir ta mère ? dit Prudentienne.

Maxime restait de glace. Son petit manège allait-il fonctionner ?

— Vous pouvez pas m'en empêcher, je suis majeur, c'est à moé seul de décider de ma vie.

Comme d'habitude, son père ne disait rien. Il réfléchissait en attendant le verdict de sa femme. Maxime lui en voulait un peu de ne pas avoir de colonne vertébrale.

Maxime se leva.

— Je monte me coucher. Dimanche prochain, je vous dirai ce qu'on a décidé, Victorine pis moé.

* * *

Le lendemain matin, pendant que Maxime aidait son père au train, celui-ci lui dit :

— Ça va aller, vous pourrez rester avec nous autres en attendant que tu te trouves une ferme.

— M'man est-y d'accord ? En avez-vous parlé avec elle ? demanda Maxime avant de se réjouir. Vous savez qu'elle peut pas sentir Victorine.

Antoine passa sous silence les paroles de Prudentienne qui avait ajouté : « En tout cas, je t'avertis, je vais rester maître dans ma maison ! »

— Ta mère fera ce que j'y dis.

— Allez-vous séparer la maison pour qu'on ait chacun notre côté ?

— Y en est pas question.

Maxime retint un sourire. Chez lui, c'était sa mère qui décidait de tout et son père avait avantage à se soumettre à ses décisions. Ce jour-là, elle passait ses messages par lui, pour ne pas perdre la face devant les siens. Maxime pouvait maintenant déclarer son amour à Victorine.

Il sortit de l'étable en sifflant un air joyeux.

* * *

Le soir était clément, en dépit de quelques nuages sombres qui se déplaçaient doucement dans le ciel.

Après le souper, Victorine s'assit sagement sur le perron en attendant la venue de Maxime. Depuis qu'elle le connaissait, elle rêvait à ce que pourrait être sa vie avec lui. À son dire, Maxime était le plus beau garçon de la place ! Malheureusement, il ne lui avait jamais dit qu'il l'aimait ni n'avait jamais tenté de lui démontrer son attachement. Pourtant, il était là, fidèle à ses visites du dimanche et elle en déduisait qu'il l'aimait un peu. Elle n'osait pas lui déclarer son amour ; la gêne l'en empêchait. Elle aurait l'air d'une fille qui se pend à son cou. Si Maxime allait se moquer d'elle ou encore se vanter aux garçons de la place de l'avoir à sa merci, elle deviendrait la risée de la paroisse. Elle n'avait pas d'autre choix que d'attendre que Maxime se décide le premier à lui avouer ses sentiments.

Victorine regarda Maxime descendre de voiture. Il sauta sur ses longues jambes, la casquette à carreaux un peu de travers. La semaine avait été longue pour Maxime, qui avait hâte de faire sa grande demande à Victorine. D'autant plus qu'aujourd'hui, après la grand-messe, il n'avait pas pu aller chez elle, lui qui devait aider son père sur la terre. Le soir venu, comme prévu, il avait attelé Gazelle et était parti pour le Deuxième Rang.

Lorsqu'il arriva chez les Gaudet, Victorine se berçait sur le perron.

Maxime attacha sa bête au poteau, monta les marches par deux et lui dit, comme ça, sans ambages :

— Venez, Victorine, on va aller faire un petit tour de voiture. J'ai à vous parler sérieusement.

Victorine ouvrit encore plus grand ses yeux étonnés. Maxime avait dit « sérieusement ». Était-ce l'heure des déclarations ? Elle eut l'idée de s'élancer, de partir avec lui en se fichant complètement de ses parents. Pourtant, elle ne bougea pas ; sa mère interviendrait. Et si c'était autre chose que Maxime voulait ? Comme l'inviter chez lui ; elle ne connaissait pas sa famille. Elle refréna ses élans.

— J'peux pas, dit-elle, m'man me laissera jamais partir avec un garçon sans amener un chaperon. Restez pas là, Maxime, venez vous asseoir à côté de moé, dit Victorine. Comme ça, on n'aura pas besoin de crier pour s'entendre.

En passant devant la porte à moustiquaire, Maxime étira le cou, salua les parents de Victorine et fila s'asseoir sur le vieux banc de bois, tout près de sa belle. Victorine ne savait pas ce que Maxime avait à lui dire et ça la tracassait.

— Avec un peu de chance, dit Victorine, on pourrait s'échapper pis aller marcher, mais pour ça, y faut attendre le bon moment.

Victorine portait toujours sa même petite robe du dimanche qui tombait sur son mollet : une robe toute simple, à col rond, boutonnée sur le devant.

Du perron, elle surveillait sa mère qui allait et venait dans la cuisine, tout en gardant un œil vigilant sur eux. La jeune fille attendait un moment d'inattention pour échapper à sa surveillance.

Puis, sa mère sortit pour se rendre à la crèmerie derrière la maison. C'était le bon moment.

— Venez vite, dit-elle d'un ton engageant.

Les tourtereaux s'éclipsèrent pour aller marcher du côté du village.

Le temps devenait chargé, mais il ne pleuvait pas. Quand sa mère revint et s'aperçut de leur absence, les tourtereaux étaient déjà loin. Elle se rendit au bout du perron et appela :

— Victorine ? Victorine ?

— Surtout, tournez pas la tête, dit Victorine, faites le sourd.

Les jouvenceaux s'en allèrent sans se retourner.

La femme entra chez elle.

— Blanche, cours chercher ta sœur. Dis-y que j'ai à y parler.

— Non! J'aurais l'air de quoi, moé? Je me ferais juste haïr.

— Léonie, vas-y, toé.

— Que Blanche y aille! Moé, je suis pas un bouche-trou.

— Laisse-les donc tranquilles, dit Félicien, y feront rien de mal dans le chemin.

Marquise ne répondit pas, mais elle resta soudée à la fenêtre du salon, à attendre désespérément le retour de Victorine.

* * *

Les tourtereaux marchaient à pas lents sur le chemin inégal quand Victorine fit un faux pas. Maxime la saisit par la taille pour l'empêcher de tomber et il la reçut dans ses bras. Sa main sentit la chair tendre à travers le tissu de sa robe.

Victorine tressaillit sous l'effet de l'émotion, et comme Maxime allait l'embrasser, elle se ressaisit et recula d'un pas. Elle exerça une surveillance accrue derrière elle.

— Attention! M'man peut encore nous voir de la maison, dit-elle.

C'était raté. Une fois rendu au bas de la côte, Maxime tenterait sa chance de nouveau et, cette fois, il verrait bien si Victorine allait encore le repousser. Dommage, un instant plus tôt, il avait senti son corps contre le sien et il aurait voulu faire durer ce moment merveilleux. Il prit sa main et la serra dans la sienne.

Ils firent encore un bout de chemin en silence. Maxime ne savait pas mettre les mots sur ses sentiments. Il ignorait même qui de la fille ou du garçon devait choisir l'autre. « Comment demande-t-on une fille en mariage ? Si seulement ça s'apprenait dans les livres, pensa-t-il. Comment lui exprimer mon amour sans me rendre ridicule à ses yeux ? » Les mots « je t'aime » étaient gênants pour un esprit encore timide. Comment savoir si Victorine allait accepter ou refuser sa proposition ? Depuis qu'il la fréquentait, ni l'un ni l'autre n'avait exprimé clairement ses sentiments. Victorine lui avait toujours ouvert sa porte, mais jamais son cœur. Maxime craignait un refus de sa part, ce qui serait pour lui la pire humiliation. Son regard guettait le sien dans la pénombre.

À la brunante, les crapauds mélancoliques, sortis de leur marais, accordaient leurs violons verts et offraient une musique aux amoureux, comme un appel à la séduction.

Soudain, un éclair lui traversa l'esprit. Maxime enjamba le fossé, brisa une branche de vinaigrier et s'en servit pour tracer sur le sable du chemin : *Victorine, veux-tu m'épouser ?*

« Quelle demande romantique ! » se dit Victorine. Depuis le temps qu'elle espérait ce moment ! Elle sentit la terre trembler sous ses pieds et un frisson délicieux secouer ses épaules. Elle prit la branche des mains de Maxime et, à son tour, elle dessina un gros *Oui* sous sa demande.

L'émotion les empêchait de parler. Maxime laissa glisser sa main sur la taille fine de Victorine et, à travers sa robe, il sentit le même léger tressaillement que plus tôt. Cette fois, Victorine flanchait.

Maxime l'embrassa à pleine bouche et Victorine s'abandonna dans ses bras. Ils étaient au tournant du chemin et Victorine espérait un chemin qui tournerait toujours.

C'était l'heure des hiboux, un soir sans lune, un soir discret pour voler du bonheur, des baisers. Dans la mare d'eau, les grenouilles, comme émues, émettaient des sons pareils à des applaudissements rythmés, spécialement pour eux.

Puis le jour céda à la nuit.

Les amoureux restaient là, serrés, à sentir battre le cœur de l'autre, sans besoin de se parler. Pour eux, les heures n'existaient plus, les parents non plus.

Le jour avait basculé derrière le faîte des arbres depuis un bon bout de temps quand, soudain, une pluie tiède les surprit. C'était ainsi dans ce pays de montagnes ; au moment où l'on s'y attendait le moins, une averse abondante se mettait à tomber dru. Maxime embrassa longuement Victorine sur la bouche tout en promenant ses mains sur son corps mouillé, ce corps qui lui appartenait déjà à demi depuis son oui récent. Ni l'un ni l'autre ne ressentaient le besoin de se presser, comme s'ils ne sentaient pas la pluie transpercer leurs vêtements.

* * *

À la maison, Marquise, les yeux rivés à la fenêtre, se tournait les sangs. Où pouvaient être Victorine et Maxime ? Certes pas sous cette pluie torrentielle. S'étaient-ils réfugiés chez des gens du rang ? Chez son oncle Urgel, peut-être ? Si c'était le cas, qu'est-ce que sa femme allait penser de voir arriver Victorine, en pleine noirceur, avec un garçon et, pour comble, sous la saucée ?

— Victorine va se faire une belle réputation à traîner la nuit avec un garçon, dit sèchement Marquise. Tu devrais aller la chercher.

— Arrête donc de t'en faire, dit Félicien qui ne bougeait pas d'un poil. Y sont capables de retrouver leur chemin tout seuls.

— Celle-là, marmonna Marquise, aussitôt qu'elle a une chance, elle me passe dans les pattes. Y a pas à s'y fier. Va donc la chercher, le supplia-t-elle.

Quand Marquise s'en prenait à Victorine, elle la nommait chaque fois « celle-là », comme si, à cause de son comportement rebelle, sa fille devenait une chose.

— Tu vois le mal partout, lui dit Félicien.

— Pis toé, tu fermes les yeux sur les dangers qui guettent tes filles. Si tu vas pas la chercher, je vais y aller, moé. L'attelage de Maxime est devant la porte ; il va me servir. Mais je m'en souviendrai quand tu me demanderas quelque chose, dit Marquise, le ton menaçant.

Félicien associait les mots « quelque chose » à « coucheries ».

— Bon ! Ça va, madame la marquise, je vais y aller. Mais si c'était rien que de moé, je les laisserais marcher.

Félicien déplia lentement son grand corps qui semblait peser une tonne. Marquise voyait bien qu'il y allait à reculons. Elle sortit le grand parapluie noir de la penderie et le lui mit sous le nez, mais Félicien passa à côté, comme s'il ne le voyait pas.

Blanche et Léonie, assises sur les berçantes, se balançaient à grands coups. Elles échangèrent un regard entendu. Tantôt, leur mère allait reprendre vertement leur sœur, et quand elle s'en prenait à Victorine, elle profitait chaque fois de l'occasion pour leur faire une morale anticipée comme : « Vois-tu quel mauvais exemple tu donnes à tes sœurs ? J'espère que vous deux, vous prendrez pas modèle sur elle » ou encore « Ce que je dis, ça vaut pour vous deux aussi. » Finalement, toute la famille était coupable. Les filles sentaient déjà venir les réprimandes. Elles préféraient disparaître plutôt que d'entendre les reproches immérités qui s'annonçaient.

Blanche donna un coup de tête vers l'escalier et Léonie lui emboîta le pas jusqu'à sa chambre.

* * *

Tendrement enlacés sous la pluie, Maxime et Victorine débordaient de sensualité. Ils se moquaient bien du déluge ; ils ne sentaient même pas l'eau qui clapotait dans leurs chaussures. Dans ces moments merveilleux, plus rien n'existe, seuls les sentiments comptent. Le ciel aspergea leurs baisers qui s'éternisaient jusqu'à ce que les amoureux fussent complètement trempés. Victorine entendit alors les mots tant espérés : « Je t'aime. » Deux mots plus doux que tous les poèmes. En même temps, la main de Maxime remontait doucement sa jupe.

Avant de se compromettre, Victorine se ressaisit et recula d'un pas.

Comme elle aurait voulu se laisser aller à aimer Maxime sans retenue, aller au bout de sa passion. Sur le point de flancher, elle fut rappelée à l'ordre par ses bons principes. Décidément, l'œil vigilant de sa mère la suivait partout.

— Y faudrait ben nous en retourner, dit-elle à contre-cœur. À la maison, m'man va se faire du mauvais sang.

Maxime, déçu, saisit sa main et, comme ils faisaient demi-tour, ils entendirent non loin des coups de sabot frapper le gravier. Puis, à travers le rideau de pluie, ils virent comme deux étoiles trembler sur le chemin. C'étaient des fanaux de voiture. Un attelage venait à coup sûr.

— Je gage que c'est p'pa qui vient me chercher, dit Victorine.

L'attelage fonçait sur eux. Ils se jetèrent sur la chaussée, à deux pas du fossé. En arrivant à leur hauteur, le charretier tira les cordeaux.

— Woh !

Les coups de sabot sur le sol cessèrent net.

Maxime reconnut son attelage. Le père de Victorine n'avait pas eu à atteler ; Gazelle se trouvait à sa merci devant sa porte. Pendant que Félicien faisait tourner l'attelage, Victorine murmura entre les dents :

— Je gage que c'est m'man qui l'envoie me chercher. Comme je connais mon père, y viendrait pas de son propre chef.

— Comme chez nous, ajouta Maxime sur le même ton.

— Victorine, dit Félicien, ta mère te fait dire de rentrer. Montez !

Victorine baissa la tête. Elle avait un peu honte devant son père d'être restée si longtemps sous la saucée. Celui-ci savait bien qu'ils n'étaient pas là pour réciter un chapelet. Il devait être de mauvaise humeur, lui qui avait dû sortir en pleine noirceur, sous une pluie battante. Il ne parlait pas, il n'aurait su que dire ; il laissait toujours à sa femme la tâche d'éduquer les enfants. C'était chaque fois par elle que passaient les défenses et des permissions, des permissions presque inexistantes.

Maxime s'approcha, forma un étrier en renversant ses mains jointes et dit à Victorine :

– Pose ton pied.

Maxime pouvait maintenant se permettre de la tutoyer. Victorine obéit et, d'un petit élan, Maxime la jucha dans le cabriolet. Il monta à son tour et passa un bras derrière ses épaules.

Et hop ! Gazelle prit le grand trot. Et toujours, la pluie tombait dru. Il n'y avait personne sur le chemin à cette heure de la nuit. Le retour se fit en silence, si ce n'est qu'en passant devant la maison des Marchand, Victorine, les dents serrées de dépit, laissa échapper tout haut :

– Regarde les Marchand, le nez aplati à leurs fenêtres. Demain, toute la paroisse va être au courant que mon père est venu nous chercher.

– Y doivent pas nous voir à la noirceur, dit Maxime.

– Les Marchand, ne pas voir ? Ces gens-là, ça voit tout, ça sait tout ; c'est comme Dieu le Père.

Maxime serra la main de sa belle. Victorine sentit une douce chaleur partir de ses doigts et lui monter au cœur. Que d'émotions en un seul soir ! Avec Maxime, elle était maintenant prête à tout affronter.

Le temps que Maxime attache sa pouliche au piquet, Victorine courut se mettre à l'abri de la pluie, sous la galerie. Pendant l'attente, elle vida ses souliers trempés en sautant sur un pied et sur l'autre. Pour la première fois, elle ne craignait plus les reproches. Maintenant que Maxime lui avait avoué son amour, elle ne se sentait plus seule pour affronter sa mère. Les amoureux entrèrent par la porte du salon pour ainsi se soustraire aux regards condamnables de la maisonnée. Ils étaient tout mouillés, mais ils avaient, dans leurs yeux, une envie de rire.

Victorine n'entendait pas un bruit dans la cuisine, si ce n'était de la pluie qui battait les vitres. L'horloge marquait dix heures dix. Sa mère égrenait un chapelet. Au grincement de la porte, la femme fit disparaître l'objet bénit dans la poche de son tablier et se pointa dans le salon. Ignorant complètement Maxime, elle jeta un regard chargé à Victorine. Des gouttes d'eau dégoulinaient de ses cheveux que la pluie frisait serré. Sa robe mouillée lui collait au corps et galbait ses seins et ses hanches ; elle en était presque indécente.

– Va te changer de robe tout suite, lui ordonna sa mère, le regard sévère.

Et la femme passa à la cuisine.

Victorine prit tout son temps avant de monter. Elle surveillait le retour de son père parti au petit coin, derrière la maison. Dès son retour à la cuisine, Victorine poussa Maxime à petits coups de coude, jusqu'à la porte. Ses lèvres remuaient, comme si elle marmonnait une prière, afin que ses parents ne l'entendent pas :

– Vas-y ! murmura-t-elle, fais la grande demande tout suite. Ça va les calmer.

Sur ces mots, Victorine laissa Maxime en plan et monta à sa chambre, légère comme un petit oiseau.

Maxime passa à la cuisine, se tira une chaise et s'y assit à califourchon devant Félicien Gaudet.

— Victorine pis moé, on envisage de se marier à l'automne, dit-il.

— Quand ça, à l'automne ?

— On n'a pas encore fixé la date ; ce sera à Victorine de décider.

Félicien souriait ; ça se voyait qu'il était content. Il s'attendait depuis un bon moment à cette grande demande ; depuis le temps que Maxime fréquentait sa fille, c'était à prévoir. Maintenant, les choses se concrétisaient.

L'homme leva un rond du poêle, en extirpa un tison et, à gestes lents, il alluma sa pipe. Après un moment de réflexion, il demanda :

— Penses-tu pouvoir la faire vivre honorablement ?

— Je veux m'acheter une ferme. Je vais surveiller les annonces.

— Bon ! On va arroser ça. T'as entendu, Marquise ? Débouche un vingt-six onces. Maxime pis moé, on a ben des affaires à discuter, dit Félicien, sans égard pour l'heure tardive.

Marquise déposa sur la table une bouteille de vin de rhubarbe et deux verres. Rien pour elle et Victorine[4].

Victorine descendit l'escalier dans une robe de semaine brune, en toile de coton assez grossière, qu'elle trouvait laide, mais elle n'en possédait pas d'autres. Ses cheveux, frisés serré, attachés sur sa nuque, laissaient voir un long cou dégagé.

Sitôt arrivée en bas, d'un léger signe de tête, elle invita Maxime à venir la retrouver au salon. Avant de se mettre en ménage, les amoureux avaient un tas de détails pratiques à régler.

---

4. Dans le temps, peu de femmes se permettaient de boire.

— Bon! Asteure que c'est fait, chuchota-t-elle, on va parler de nous deux, de notre beau projet. À moins que de me voir dans mon attirail de semaine te fasse changer d'idée, dit Victorine, le ton enjoué.

— C'est pas les robes que j'aime; c'est la fille qui est dedans. Pis moé, je te trouve belle, même en robe de semaine.

— Nous allons être heureux, tous les deux. Je ferai tout pour t'être agréable. Je tiendrai la maison propre, je mettrai des fleurs aux fenêtres. Nous remplirons notre maison de chansons.

Maxime l'écoutait s'emballer sans participer à sa joie. Il savait qu'après l'avoir rendue heureuse, il allait la décevoir en lui apprenant qu'elle n'aurait pas de maison tout de suite.

— Au début, dit-il, nous devrons passer quelques mois chez mes parents.

Le visage de Victorine s'assombrit subitement, comme si son beau rêve s'évanouissait. Elle ne se voyait pas vivre une lune de miel avec plein de monde dans une même maison.

— Quoi? Commencer notre vie de ménage chez tes parents? dit-elle, déçue. Ça veut-y dire que nous allons tous vivre dans la même cuisine et manger à la même table?

— Au début, oui. Je veux prendre le temps de ben surveiller les fermes à vendre avant de m'installer. L'automne, c'est pas le temps d'acheter parce que, l'hiver, la terre rapporte rien pis on pourrait pas vivre.

— Et si tes parents séparaient la maison en deux? Comme ça, on aurait chacun notre côté. On a besoin seulement d'une cuisine pis d'une chambre ; pis qu'on se sente à l'étroit me dérangerait pas pantoute. Après toute, ce sera juste pour quelques mois.

— J'en ai parlé, pis ç'a pas marché ; comme ce sera pour peu de temps, mes parents disent que ça vaudrait pas la peine de jeter des cloisons par terre et de rebâtir.

— La petite laiterie pourrait pas nous servir de cuisine ?

Maxime, scandalisé, rétorqua :

— Tu verrais ça, asteure, vivre dans une laiterie, sans meubles ? Et pourquoi pas dans l'étable, un coup parti ?

La réflexion fit rire Victorine.

Maxime ajouta :

— Crains pas, Victorine ; m'man est ben accommodante. Tu vas voir, tu vas l'aimer.

— J'en doute pas, mais chez tes parents, on n'aura pas d'intimité, toé pis moé. Les autres familles divisent leur maison quand les jeunes couples vont demeurer chez eux. T'as qu'à regarder autour : les Lepage, les Riopel pis combien d'autres ? Mais reste que tes parents sont maîtres dans leur maison.

Maxime ne parlait plus. Victorine avait perdu son beau sourire.

Cette situation la laissait perplexe. Quand est-ce qu'ils auraient la liberté de se bécoter avec les parents et les trois frères de Maxime dans la même cuisine ? Après quelques minutes de silence, Victorine, un trémolo dans la voix, lui fit part de ses intentions.

— Je préférerais avoir un coin à nous et commencer notre vie de ménage à deux plutôt qu'à sept personnes dans la même maison.

Et consciente que sa proposition pourrait briser ses amours, elle ajouta timidement :

– Quitte à retarder notre mariage de six mois…

En son for intérieur, Victorine craignait que Maxime n'accepte ce délai. Elle avait tellement hâte de partager sa vie avec lui.

Maxime ne lâcha pas prise ; il se remémora les paroles du curé : « Je connais un garçon qui s'intéresse à elle pour le bon motif. »

– C'est un caprice, Victorine, ce sera pour peu de temps, je te dis, à peine cinq mois, et peut-être moins. Dis donc oui.

Victorine ne parlait plus ; elle regarda Maxime, déçue. Elle, qui deux minutes plus tôt s'était sentie soulevée par une force qui la dépassait, perdit tout son enthousiasme. Elle s'était emballée trop vite. Depuis le début de leurs fréquentations, ils étaient étroitement surveillés par ses parents ; ils ne pouvaient même pas se donner un petit bec, et cette période de restrictions s'étendrait encore des mois durant. Victorine s'entêta. Elle répéta, les lèvres serrées :

– Je préfère commencer notre vie de ménage seuls tous les deux.

– Nous serons seuls la nuit.

Victorine baissa la tête. Que pourrait-elle ajouter, quand, dans les couples, c'était généralement à l'homme de décider de tout ? Maxime releva son menton.

– J'aime pas ce petit air maussade, dit-il. Souris-moé !

« Cinq ou six mois, ce ne serait peut-être pas la fin du monde », se dit Victorine, qui s'efforça de sourire. Elle aimait tant Maxime ; elle n'allait pas s'entêter. Elle accepta sa proposition.

— Maintenant que t'acceptes de m'épouser, j'ai un secret à te dire.

— Quelque chose de grave ? demanda-t-elle.

— Oui. Un secret que tu dois jamais répéter.

— Tu me fais un peu peur, mais vas-y, je t'écoute.

— J'ai une petite sœur qui a seize ans et qui vit à l'asile depuis neuf ans.

Maxime lui raconta les faits en détail, puis Victorine demanda :

— Pourquoi tu me racontes ça ?

— Parce que je veux pas de cachette entre nous. Comme tu vas faire partie de la famille, t'as le droit de savoir. Si jamais la même chose nous arrivait, je m'en voudrais de t'avoir caché l'existence de ma sœur.

— Comment elle s'appelle ?

— Clara !

— Pourquoi tes parents l'ont pas gardée ?

— Pour m'man, c'est une honte. Elle la cache. Tu sais comme ma mère est orgueilleuse, ajouta Maxime.

— Pis c'est ta sœur qui paie pour l'orgueil de sa mère ? J'ai de la misère à croire qu'une mère puisse faire ça à son enfant.

— Les derniers temps, c'était presque invivable dans la maison. M'man avait de la misère a en venir à boutte ; Clara voulait pu rester enfermée dans sa chambre. Elle frappait des pieds pis des mains dans la porte pour qu'on la sorte de là. M'man envoyait Germaine pis Catherine l'amuser, mais quand elles se sont mariées, y avait pus personne pour s'en occuper. Clara avait des crises assez fréquemment, pis quand elle tombait sans connaissance, m'man pis p'pa s'affolaient. On allait chercher le médecin. Nous autres, les gars, on savait pas quoi faire.

— Et ton père, là-dedans?

— Il avale la pilule. Au début, il se rebiffait, il s'en prenait à m'man, pis, avec le temps, à force de se faire clouer le bec, il a arrêté d'en parler. J'me souviens qu'au départ de Clara, il a pleuré. Par la suite, j'ai jamais vu m'man sourire. Elle est même devenue un peu agressive. Tu sais, ça ne tourne pas toujours rond entre mon père et ma mère. Tu comprends pourquoi c'est pas trop gai à la maison.

— Je peux pas croire! Clara a l'âge de ma sœur Blanche. Tu sais, je suis ben contente que tu me fasses confiance. Mais moé, si j'avais un enfant comme elle, je le garderais avec nous, à la maison. J'espère que tu serais d'accord?

— Ben oui! T'es ben bonne, Victorine.

— Clara va-t-y venir à notre mariage?

— Tu sais ben que non! Personne connaît son existence.

* * *

Après le départ de Maxime, à la fin de cette journée riche en émotions, Victorine monta se coucher et trouva Blanche, assise à l'indienne sur le grand lit..

— Tu dors pas?

— Je t'attendais. Veux-tu ben me dire où t'étais passée? En bas, m'man s'énervait. P'pa a ben essayé de la calmer, mais c'était pour rien. Y lui reprochait de voir du mal partout.

— C'est vrai, ça? dit Victorine. Ça me surprend que p'pa prenne ma défense.

— Oui, mais m'man était pas de son dire ; elle a assez insisté pour qu'y aille te chercher que, à la fin, elle a gagné son boutte.

— Elle achève de s'en faire pour moé, rétorqua Victorine. Tantôt, Maxime a fait la grande demande. On va se marier cet automne.

— Depuis le temps qu'y vient te voir au salon... je m'en attendais un peu.

— Ben moé, dit Victorine, je m'attendais pas à ça pantoute.

— Tu veux passer ta nuit à chuchoter ou à dormir ?

Victorine poussa Blanche du pied et se roula en boule dans ses draps.

— Asteure, fiche le camp dans ton lit, que je dorme un peu pour ce qui reste de nuit.

Léonie entra dans la pièce à pas feutrés.

— De quoi vous parliez, toutes les deux ? dit-elle à voix basse.

— Je te dirai ça demain, dit Victorine. Va, que je souffle la chandelle, y est l'heure de dormir.

— Tu dis ça pour te débarrasser de moé. Je te connais, tu sais.

Léonie se retira, déçue.

Victorine ne pouvait pas s'endormir sur un si grand bonheur ; quelque chose de beau, de grand semblait tomber des cieux, spécialement pour elle ; sans doute des rêves. Son cœur tressaillait dans la chaleur des draps. Elle poussa la couverture du pied et tourna le dos au lit de Blanche pour repenser tranquillement aux doux aveux de Maxime. Elle avait l'impression que sa vie commençait aujourd'hui. Victorine n'arrivait pas à croire qu'elle se nommerait madame Beauséjour et qu'elle serait heureuse tout le reste de sa vie, avec son Maxime qu'elle adorait. Elle nageait en pleine euphorie. Seul le fait de demeurer chez ses beaux-parents jetait une ombre sur son bonheur.

* * *

Dans le lit d'à côté, Blanche aussi se permettait de rêver à Noé Beauséjour.

Comme son frère Maxime, Noé était beau garçon, grand et mince, mais contrairement à son frère, Noé avait un teint clair, des mains blanches aux doigts délicats et aux ongles propres. Quelqu'un qui ne le connaissait pas aurait pu le prendre pour un professionnel. Blanche le voyait régulièrement le dimanche, à la sortie de la messe, avec son foulard de soie, noué au cou, et ses souliers vernis. Mais lui ne semblait pas la voir. Le mariage de sa sœur serait l'occasion de le rencontrer et peut-être de passer la journée avec lui. Pourvu qu'il ne soit pas accompagné d'une fille ; dans la place, certains disaient qu'Estelle Bordeleau l'avait dans l'œil.

Chapitre 4

Le soleil ouvrait un œil louche à travers la brume d'un matin d'automne.

Le mariage de Victorine mettait toute la maison des Gaudet en effervescence. Sitôt la mariée habillée, Blanche et Léonie s'acharnèrent à défriser ses cheveux. Un gros écrou, chauffé directement sur les tisons du poêle, servait de fer pour grossir les boucles.

— J'espère que tes cheveux vont tenir la défrisure, dit Léonie.

Blanche taquina Victorine.

— Y est temps que tu partes, je vais enfin avoir la chambre à moé toute seule. Toé, Victorine, t'auras jamais cette chance.

— Je l'espère. Je m'en passe avec plaisir.

— À matin, ordonna Marquise qui entendait rire les filles, c'est pas le temps de vous amuser. Rangez vos chambres avant de partir, pis je veux pas voir un pli sur vos couvre-pieds.

— On aura pas le temps, dit Blanche, on doit arriver à l'église avant les autres pour aller déposer un glaïeul à chaque banc.

— C'est ça, les fleurs avant votre mère, ajouta Marquise, énervée par les derniers préparatifs. Laissez-moé tout l'ouvrage sur les bras. Je dois voir à tout dans cette maison.

Léonie se demandait pourquoi sa mère bougonnait un matin de noces, quand la journée s'annonçait si joyeuse.

La porte de la maison s'ouvrit soudain sur la voisine, madame Gauthier.

— Vous allez pas à l'église, madame Gaudet? dit-elle en voyant Marquise, la robe recouverte d'un long tablier à bavette.

— Non, j'ai trop d'ouvrage.

— C'est à vous d'y aller; vous êtes la mère de la mariée. Moé, j'me suis dit que je pourrais être plus utile à la maison qu'au mariage. Si vous avez quelque chose à me faire faire, ça va juste me désennuyer.

— Vous êtes trop bonne, mam' Gauthier. Grâce à vous, je vais enfin pouvoir respirer.

— Si ça peut vous rendre service, j'en profiterai pour dresser les tables. Allez! Passez-moé votre tablier pis pressez-vous si vous voulez arriver à l'église pour l'heure.

* * *

Pour le mariage de sa fille, Félicien Gaudet avait accroché des grelots aux limons de sa voiture, une fantaisie réservée aux voitures d'hiver, et cet agrément faisait rire Victorine.

La foule placotait en attendant la mariée sur le perron de l'église. En entendant les clochettes carillonner, toutes les têtes se tournèrent vers le joyeux ding-ding. À neuf heures, la cloche de la petite église prit la relève avec un son accentué, mais qui n'empêchait pas les gens de s'entendre parler. Quand Victorine descendit de voiture, un silence total tomba sur le parvis. Les femmes et les jeunes filles se bousculaient afin de mieux voir la nouvelle mariée.

Victorine, émue, avançait au bras de son père. Elle portait un costume en fin lainage beige que sa mère avait mis un mois à confectionner. De son chapeau de feutre s'échappaient de beaux cheveux cuivrés, lissés pour l'occasion, qui encadraient son visage. Et la jeune femme arborait toujours ce sourire taquin qui la rendait si charmante.

Maxime, debout à la balustrade, portait un habit gris fer et une chemise blanche à col haut, arrondi. À vingt et un ans, il en paraissait dix-huit.

Félicien Gaudet conduisit sa fille au pied de l'autel pour la confier à Maxime. Celui-ci regardait sa belle Victorine venir vers lui. L'émotion serrait sa gorge. Il n'allait pas s'attendrir ; ça allait lui passer.

Dans le silence de la petite église, on entendait courir un murmure harmonieux, comme un vent d'admiration.

Au pied de l'autel, deux cœurs palpitaient. Les mariés échangèrent leurs promesses devant une assistance émue.

* * *

Dans le rang Versailles, dans la grande cuisine des Gaudet, les tables étaient agrandies pour l'occasion. On avait invité toute la parenté, jusqu'aux cousins et cousines éloignés, ce qui signifiait Saint-Côme au complet. Dans les petites paroisses, tous étaient parents ; les gens se mariaient entre eux. Les tables débordaient de marguerites, de glaïeuls et de roses que les filles avaient cueillis, très tôt le matin même, dans le jardin et sur les levées de fossés.

Avant le dîner, les jeunes, qui ne pensaient qu'à sautiller, invitèrent les violoneux à les suivre sous l'appentis, où ils se regroupèrent pour former un premier set carré. Un vent de folie charriait les danseurs. La danse s'étira jusqu'à midi.

Les invités devaient attendre le curé avant de s'asseoir à la table. Quand tous les invités eurent pris place, le prêtre récita le bénédicité et bénit les tables.

Un peu en retrait, Blanche se disait : « Pourquoi ne pas donner un petit coup de pouce à la chance en m'approchant de Noé ? » Elle se faufila entre les chaises jusqu'à une tablée de jeunes gens et jeunes filles, la plupart des adolescents qui parlaient à tue-tête. Elle s'assit sur le banc, tout près de Noé ; sa hanche touchait la sienne. Blanche éprouvait une sensation agréable qu'elle ne pouvait définir ; elle se sentait à la fois soulevée, émue, palpitante. Noé ressentait-il les mêmes sensations ? Il semblait indifférent. Pourtant, à quelques reprises, elle se sentit regardée.

On servit du chapon en sauce accompagné de légumes du potager, un pouding au suif, des tartes de toutes sortes et un gros gâteau crémé blanc.

Quand Blanche passa la salière à Noé, leurs mains se touchèrent. La jeune fille sentit une chaleur lui monter à la tête et, comme à chaque émotion, elle rougit jusqu'à la racine des cheveux.

Le repas terminé, Noé invita Blanche à danser un set carré.

La jeune fille leva les yeux vers le garçon et lui offrit son plus beau sourire.

Comme les autres couples de danseurs, Noé prit la main de Blanche et l'entraîna au centre de la pièce. Il ne parlait pas, mais il avait l'air heureux. La danse terminée, Noé resta cloué sur place, les mains sur les hanches de Blanche jusqu'à la prochaine danse, qui ne tarda pas.

Blanche se dit qu'au souper chez les Beauséjour, elle tenterait sa chance à nouveau. Chez lui, Noé se sentirait peut-être plus à l'aise pour causer.

* * *

Vers la fin de l'après-midi, la voiture des nouveaux mariés cahotait dans le rang des Venne qui menait chez les Beauséjour. Toute la noce suivait. Assis sur le siège avant, une valise à leurs pieds, Maxime et Victorine allaient confiants, sans savoir ce que la vie leur réservait.

À leur arrivée chez ses parents, Maxime prit la main de Victorine et l'entraîna vers l'escalier.

– Viens, on va aller porter ta valise en haut, dit-il.

La jeune mariée se laissa conduire à l'étage. Maxime tenait la petite malle de Victorine qui contenait peu d'effets. Elle avait laissé chez elle son trousseau qui ne servirait que plus tard, quand ils auraient une maison à eux seuls.

Arrivée au haut de l'escalier, Victorine étira le cou vers les autres pièces. Maxime tira une clef de sa poche et l'introduisit dans la serrure. Il la tourna machinalement, poussa la porte de sa chambre et recula d'un pas pour laisser passer sa jeune épouse.

– Chez nous, les portes de la maison sont jamais barrées, dit Victorine, pis encore moins celles des chambres.

– La serrure était déjà là quand j'ai pris la chambre.

Maxime referma la porte de son pied et ajouta sur le ton du secret :

— C'était icitte que ma mère tenait Clara enfermée.

Maxime ne lui dit pas tout ; il cachait de l'argent un peu partout, dans ses fonds de tiroirs, derrière le cadre du Sacré-Cœur et dans sa paillasse éventrée.

— Ma chambre, dit-il, c'est mon coin pis je veux pas que mes frères y mettent un pied. Mais pour toé, Victorine, c'est pas pareil ; t'es chez toé icitte.

Victorine constata qu'on leur avait laissé la plus petite des trois chambres à coucher. La jeune mariée, déconcertée, se figea sur place. La pièce était meublée d'un chiffonnier et d'un lit simple. Une odeur de moisi flottait dans l'air. Victorine, le nez plissé, fit entendre deux respirations bruyantes.

— Ça sent un peu le renfermé, dit-elle.

Maxime ouvrit la fenêtre.

Tout en promenant son regard autour de la petite pièce, Victorine dit à Maxime :

— Pourquoi tes frères occupent les grandes chambres pis qu'y couchent seuls dans des lits doubles pendant que, nous deux, on va être tellement tassés dans notre lit simple qu'on aura même pas de place pour nous virer de bord sans tomber en bas du lit ? J'me demande comment ce sera quand je serai enceinte.

— Parce que ça vaut pas la peine de tout chambarder pour quelques mois, rétorqua Maxime, mais si tu y tiens, je peux demander à Noé de changer de chambre avec nous.

— Vas-y tout de suite avant qu'on installe nos affaires icitte.

— Je réglerai ça plus tard ; c'est pas le temps aujourd'hui, avec la visite plein la maison.

Maxime, fou de désir, perdit toute retenue. Il enleva ses souliers, dénoua sa cravate et saisit Victorine à bras-le-corps.

— Laisse tes affaires. Ça peut attendre, murmura-t-il en l'embrassant à pleine bouche.

Il la renversa sur le lit étroit. Victorine résistait.

— Laisse-moé d'abord enlever ma robe ; elle va être toute froissée.

Victorine eut à peine le temps de suspendre sa robe dans la penderie que Maxime tira sa main et l'entraîna de nouveau vers le lit. À chaque mouvement, le petit lit craquait.

— En bas, tes parents vont nous entendre, chuchota Victorine. C'est un peu gênant.

— Je vais leur dire de pas s'inquiéter de nous.

— T'es fou !

Maxime tira du lit la paillasse en coutil et la lança au plancher. Il prit la main de Victorine et la tira vers lui.

— Depuis ce matin, on a le droit, dit-il, guilleret.

Il enfouit son nez entre ses seins et découvrit une odeur de miel sucré. Sous les caresses invitantes, Victorine se pelotonna amoureusement contre Maxime.

* * *

Le temps que son cœur reprenne ses battements réguliers, Victorine sauta sur ses pieds. Maxime prit sa main et la tira à nouveau sur la paillasse.

– Non, Maxime; sois raisonnable. La parenté nous attend en bas.

Quand elle parvint à rester debout, Victorine enfila sa robe en vitesse et refit le lit.

– Je dois être dans un bel état.

Elle glissa ses doigts dans ses cheveux lissés et dit à Maxime:

– Madame est prête. Allons-y!

En descendant l'escalier, la jeune femme se demanda si les invités avaient deviné ce qui s'était passé là-haut.

Ils n'étaient pas rendus en bas qu'Hector Mailloux leur dit, à la blague:

– Ça vous en a pas pris, du temps!

Les hommes riaient.

Victorine, mal à l'aise, suivit Maxime, les yeux baissés.

* * *

Avant le repas, Noé étira le bras et saisit une croquignole sur la table. Blanche, qui le surveillait de l'œil, s'approcha en douce et, sans lui toucher, elle se jucha sur le bout des pieds et lui en vola une bouchée.

Ses lèvres touchaient là où celles de Noé avaient mordu et c'était pour elle comme un doux baiser.

Noé ne put s'empêcher de sourire. Il lui tendit la pâtisserie.

– Vous la voulez?

– Non. Je voulais juste prendre une mordée, dit Blanche, à moins que vous ayez dédain de moé.

Il sourit, puis un silence s'installa de nouveau entre eux. À dix-sept ans, Noé n'était pas à l'aise avec une fille, surtout une petite Gaudet. Lui pourtant si bavard. Il regardait les autres couples dialoguer gaiement alors qu'il n'arrivait pas à alimenter la conversation. Il en avait l'air froid.

— Je vais aller aider votre mère à dresser les tables, dit Blanche.

Au passage, elle attrapa Léonie qui parlait avec une cousine.

— Vous deux, venez nous aider ; y manque des choses sur la table : le beurre pis les serviettes de table. Venez ! Vous jaserez en travaillant.

Les odeurs de dinde, de pain chaud, de café et de mokas garnis à la noix de coco embaumaient la cuisine.

Après le repas, Blanche essuya les verres tout en surveillant, mine de rien, le beau Noé. Les musiciens ajustaient leurs violons pour une valse. On saupoudra le plancher d'acide borique pour le rendre glissant. Les mariés s'avancèrent et attendirent que les couples se forment. Antoine s'avança avec sa grosse Prudentienne. Noé se pencha timidement vers Blanche et prit sa main. Blanche ne se fit pas prier pour accepter, elle qui concentrait tous ses espoirs sur cette noce. Noé la conduisit, la main sur la taille, jusqu'au milieu de la place. Rosaire et Noëlla Bordeleau se joignirent à eux. Des couples de cousins s'ajoutaient.

En entendant les musiciens entamer *La chanson des blés d'or*, Félicien, le père de la mariée, s'approcha des violoneux et, sans qu'on l'y invite et pendant que les couples tournaient, il se mit à chanter de sa voix chaude :

Mignonne, quand le soir descendra sur la terre,
Et que le rossignol viendra chanter encore,

Quand le vent soufflera sur la verte bruyère,
Nous irons écouter la chanson des blés d'or.

Sitôt la chanson terminée, Noé allait se retirer quand Blanche retint sa main.

— Venez vous asseoir avec moé, on va jaser un peu.

Noé la suivit sans résister.

— Asteure que Victorine fait partie de votre famille, on va avoir d'autres occasions de se revoir, dit-elle. Je vous connais à peine. Parlez-moé de vous.

— J'ai rien de ben intéressant à dire.

— Vous travaillez sur la ferme ? dit-elle.

— Non !

— Si vous êtes pas cultivateur, qu'est-ce que vous faites, d'abord ? Vous étudiez ?

— Non !

Blanche n'osa plus questionner, Noé la paralysait avec ses réponses brèves et sèches. Il devait la prendre pour une enquêteuse. Elle le regardait discrètement, tentant de lire des sentiments, dans ses yeux, dans son âme. Rien. Noé était-il insensible sous son air impénétrable ?

— On est presque parents, vous pis moé, dit-elle. Nos neveux seront les mêmes.

— Quels neveux ?

— Les enfants que ma sœur pis votre frère auront.

Noé sourit.

— Vu de cette façon ! dit-il.

La chanson douce terminée, les violons se turent le temps de boire une tasse. Théobald Bordeleau s'écria :

— Là, je vais vous câler un set carré. Les jeunes, vous allez pouvoir swingner jusqu'à ce que votre compagnie tombe sur le plancher. Arrivez ! En place tout le monde.

Les jeunes n'attendaient que ce moment pour s'étourdir. Noé prit la main de Blanche. Après trois danses échauffantes, il la remercia et retourna s'asseoir dans un coin du salon où se trouvaient quelques cousins. C'était à qui des garçons raconterait l'histoire la plus salée. On les entendait rire à se tordre jusqu'à ce qu'Antoine Beauséjour surgisse dans la pièce. Les rires cessèrent net. Antoine n'avait pas sitôt quitté la pièce que les histoires reprenaient de plus belle.

Blanche se désolait de ne pouvoir retenir Noé près d'elle.

À la barre du jour, les invités se retirèrent par petits groupes. La famille Gaudet quitta la dernière.

Vers quatre heures, il ne restait plus que les beaux-parents dans la cuisine. Blanche et Léonie s'étaient endormies au salon. Victorine, gênée de paraître pressée, n'osait pas monter avant que Maxime l'y invite. Il grignotait quelques bleuets sauvages pendant que son père remontait l'horloge.

– Viens, lui dit Maxime, en bâillant.

Victorine souhaita le bonsoir à ses beaux-parents, mais sa politesse resta sans réponse, comme si elle n'était personne.

Dans sa chambre, Victorine suspendit sa robe et les vêtements de Maxime, qui désormais serviraient chaque dimanche. Elle tira la couverture et, sitôt la tête sur l'oreiller, les nouveaux mariés, épuisés, s'endormirent enlacés.

* * *

Dans la voiture qui ramenait la famille Gaudet à la maison, Marquise pensait à Victorine qui, désormais, appartenait à la famille Beauséjour. Déjà, sa fille lui manquait, et bientôt ce serait au tour de Blanche et de Léonie de partir. Elle se retrouverait alors seule avec Félicien. Assis sur la même banquette, son homme cuvait son vin. Le cheval prit le trot. Marquise se sentait un peu triste de perdre une fille et elle n'avait personne à qui se confier. Sur le siège arrière, Léonie et Blanche semblaient dormir.

En réalité, Blanche rêvait à Noé. Elle revivait le doux moment où elle avait senti ses mains délicates sur ses hanches et le frisson infiniment agréable qui avait parcouru son corps.

* * *

Comme musique du matin, le coq poussait un cocorico.

Le lendemain de son mariage, Maxime se leva en douceur, enfila ses *overalls*, ses bottes de grange et, comme un matin ordinaire, il fila à l'étable aider les hommes au train.

À son réveil, Victorine, encore entortillée dans les draps chauds de la nuit, tendit le bras pour enlacer son mari, mais celui-ci avait disparu. Elle se tourna sur le côté, chercha, en tâtant l'oreiller de la main, l'endroit où la tête de Maxime avait formé un creux. Finalement, un peu déçue, elle quitta la chaleur du lit. Elle versa dans le bol à mains un gobelet d'eau qui avait tiédi toute la nuit sur la commode et passa une débarbouillette humide sur sa figure. Elle donna ensuite un coup de peigne à ses cheveux et se posta devant la fenêtre où elle s'étira paresseusement.

La chambre qu'elle occupait donnait sur la grange. Vues d'en haut, les montagnes étaient superbes, avec leurs tons de vert, des plus pâles aux plus foncés. On voyait même que les feuilles commençaient à vouloir changer de couleur. Quelques fermes disséminées ici et là bariolaient le décor de taches de rouge et de blanc. Plus près, dans la basse-cour, des poules picoraient le sol. On avait laissé la porte de l'étable grande ouverte sur la clarté du matin, les vitres des fenêtres étant trop encrassées pour laisser passer le jour. De sa fenêtre, Victorine pouvait voir Maxime. Il donnait une tape sur le flanc d'une vache pour se libérer un espace.

Sous le chêne, Noé, le frère de Maxime, se berçait dans la balançoire en bois. Pourquoi celui-là n'aidait-il pas ses frères au train? Victorine revêtit sa robe brune qu'elle achevait d'user et descendit retrouver sa belle-mère qui devait préparer le déjeuner. À son arrivée en bas, tout n'était que silence dans la cuisine. Elle pensa que la vieille pouvait être allée aider les hommes à l'étable. Elle s'avança sur le bout des pieds et jeta un regard furtif dans l'entrebâillement de la porte de chambre; sa belle-mère ronronnait comme une chatte. L'idée d'aller se recoucher la prit, mais elle voulait être présente au retour de Maxime.

Victorine, travaillante comme une abeille, bourra le poêle de petit bois sec et l'alluma. Elle dressa ensuite la table pour toute la maisonnée. Comme elle ne connaissait pas encore les airs, elle perdit un temps fou à trouver les ingrédients nécessaires au déjeuner. Elle se rendit à la laiterie chercher une pinte de lait, puis au poulailler lever les œufs. Au retour, l'eau frémissait dans le ventre de la bouilloire. Victorine démêla une pâte à crêpes avec des œufs frais du jour, comme elle savait si bien la réussir.

Au retour des hommes, la nouvelle mariée s'attendait à ce que son mari l'embrasse ou, encore, pince sa taille. Rien! Même pas un sourire complice. Comme si elle était un meuble ancien ayant perdu son lustre.

– Des crêpes le matin? dit Noé. C'est le grand luxe! Surtout arrosées de sirop d'érable.

Quand la vieille Prudentienne se pointa dans la cuisine avec son bonnet de nuit sur la tête, le déjeuner prenait fin et une odeur de friture persistait dans l'air. Elle s'assit au bout de la table et, sans un mot, elle frappa sa tasse à petits coups de cuillère pour demander qu'on lui serve un café.

Victorine jeta un regard vers Maxime, mais celui-ci semblait ailleurs. La jeune versa un café à la vieille. Après avoir avalé une gorgée, sa belle-mère lui dit:

– Ça sent les crêpes à plein nez. J'en prendrais ben une, moé itou.

Victorine se dit que le premier matin, ce serait plutôt à sa belle-mère de la servir.

Elle remit le poêlon sur le feu, étendit une belle pâte qui, au contact de la graisse fumante, se gonfla de beaux pics dorés, croustillants. Et, de nouveau, la bouteille de sirop d'érable bava sur les crêpes.

Une fois gavée, sans un merci pour sa belle-fille, Prudentienne s'installa dans la berçante et s'endormit, la bouche entrouverte, laissant entendre un léger ronflement.

* * *

Sitôt Victorine arrivée chez ses beaux-parents, la vieille Prudentienne lui abandonna tout le travail de la maison : le ménage, les repas, la lessive pour sept personnes et l'entretien du jardin. Pendant ce temps, sa belle-mère passait ses journées à la commander, à se bercer près de la fenêtre en regardant les feuilles changer de couleur, quand elle ne dormait pas sur sa chaise.

Après des semaines d'esclavage, malgré une amère déception, Victorine se soumit aux caprices de sa belle-mère. Autant accepter les choses qu'elle ne pouvait changer. Elle n'allait pas lui tenir tête ; c'était pour quelques mois seulement.

Chapitre 5

Rien n'arrêtait la course des saisons.

Maxime ne trouvait pas de fermes à vendre. Et le jeune couple demeurait toujours chez les Beauséjour.

Victorine gardait sa taille fine. Le sort jouait en sa faveur. Ça l'arrangeait de voir les naissances retarder ; elle préférait élever sa famille dans sa propre maison. Toutefois, sa belle-mère pensait autrement. Elle comptait les mois et surveillait la taille de sa bru. Comme celle-ci allait étendre la lessive sur la clôture, au printemps, la vieille s'informa.

— Êtes-vous stérile, la bru ?

Sur le coup de la surprise, Victorine resta estomaquée. De quoi sa belle-mère se mêlait-elle, elle qui ne lui adressait la parole que pour le strict nécessaire ? Victorine sortit en emportant son panier. Intérieurement, elle rageait et étendait les vêtements à gestes brusques. Peut-être aurait-elle dû répondre à l'attaque de sa belle-mère, lui clouer le bec ?

À son retour dans la cuisine, sa belle-mère attaqua de nouveau :

— C'est défendu par l'Église d'empêcher la famille, dit-elle.

— J'empêche pas la famille ; à moins que votre garçon soit stérile.

— Y a personne de stérile dans notre famille, rétorqua la femme d'un ton péremptoire.

La vieille quitta sa chaise pour aller s'enfermer dans sa chambre.

* * *

L'automne suivant, l'amour porta enfin ses fruits.

Après une année de cohabitation avec ses beaux-parents, Victorine avait la certitude d'être enceinte. Elle ne supportait plus aucun vêtement qui enserrait sa taille. Sa ceinture restait toujours détachée et son tablier flottait sur ses hanches.

Le bonheur la transfigurait.

La cuisine reluisait de propreté. La bouilloire sifflait sur le feu vif. Victorine prépara deux cafés et poussa le récipient sur le bout du poêle. Elle fit signe à Maxime de la suivre à sa chambre.

— Assis-toé sur la chaise, dit-elle. Moé, je vais m'assire sur tes genoux.

La jeune femme passa ses bras autour du cou de son mari et lui annonça qu'elle attendait un enfant.

— Un enfant à nous, dit-elle, émue aux larmes.

Cette preuve de virilité fit monter l'orgueil de Maxime d'un cran. Tout en embrassant la future maman, il glissa ses mains dans les boucles rousses.

— Ce sera le premier descendant des Beauséjour, dit-il. J'espère que ce sera un garçon qui perpétuera le nom.

— Garçon ou fille, peu m'importe, pourvu que ce soit un enfant en santé, dit Victorine.

— T'as ben raison, ajouta Maxime qui pensait à sa petite sœur Clara enfermée dans une maison de fous. Il craignait que le mal ne se transmette à son enfant, mais il n'en parla pas pour ne pas inquiéter Victorine.

— Je vais avoir besoin de repos, dit la jeune maman. Je m'endors tellement que j'arrive à peine à joindre les deux bouts. J'aimerais ben faire la grasse matinée de temps en temps. Aussi, je suis ben tannée de laver le gros linge de tout le monde ; j'en finis pus de brasser pis, en même temps, de courir à drette pis à gauche, comme une queue de veau, pour arriver à servir les repas à des heures régulières. Le soir, je suis au boutte du rouleau.

— Tu sais, y a pas un travail qui a pas sa part d'inconvénients.

— Quand on sera chez nous, je ferai seulement deux ou trois petites brassées ; pis le lavage sera plus intéressant parce que ce sera nos affaires à nous. Y a autre chose aussi : l'odeur de la pipe me tombe sur le cœur.

— Je peux rien faire pour ça, dit Maxime. Je me verrais mal dire à p'pa de pas fumer dans sa propre maison.

— Y serait grand temps de s'installer chez nous, avec un enfant qui s'annonce.

— Je te promets que ça traînera pas.

— Des promesses ! soupira Victorine qui desserra ses bras du cou de Maxime. J'y crois pus. Au début, nous devions être icitte pour quelques mois, pis, après un an, on est toujours là. Es-tu allé visiter des fermes dernièrement ?

— Non, mais je tends l'oreille à ce qui se dit d'un bord pis de l'autre, pis je surveille les affiches.

Victorine s'en remit à Maxime, même si elle avait perdu tout espoir.

— J'aimerais que nous gardions ma grossesse secrète, dit-elle. Personne a besoin de savoir. Comme on a rien d'autre à nous, ce sera notre secret.

— Comme tu voudras.

— Je veux pas non plus que ta mère m'accouche ; ça me gênerait trop. Tu trouveras une autre sage-femme. J'y tiens.

— Promis !

— Autre chose aussi : j'aimerais ben avoir une chaise berçante à moé.

— Y en a déjà trois dans la cuisine[5].

Victorine regarda Maxime, les yeux humides. Le fait d'être enceinte la rendait extrêmement sensible.

— Je sais ben, mais le soir, dans mon temps libre, toutes les trois sont occupées. Celle-là, ce serait la mienne en propre, pis on pourrait l'apporter dans notre maison plus tard, si jamais on a une ferme à nous.

— Comme tu veux. Après-midi, je dois aller au village acheter une fourche à fumier.

— Tu m'emmènes ? Je voudrais choisir ma chaise.

— T'auras ben beau venir avec moé.

* * *

La vaisselle du dîner terminée, Victorine échangea sa robe de semaine contre celle du dimanche. Maxime portait une veste que l'usure avait lustrée aux coudes.

— Tu viens au village dans cet accoutrement ? T'as l'air d'un guenillou, dit Victorine, taquine.

---

5. Les berçantes régnaient au sein des maisons rustiques.

— Je m'en vais pas à la messe, répondit Maxime en quittant la maison.

Quand la belle-mère aperçut Victorine en grande toilette, elle s'informa :

— Où vous allez comme ça, la bru, checkée sur votre trente-six ? Votre place est icitte. C'est le temps des conserves. Plutôt que d'aller courir à gauche pis à drette, vous feriez mieux d'aller ramasser les dernières tomates avant les gelées.

Victorine resta sourde aux ordres de sa belle-mère. Elle passa la porte sans répondre, monta dans la voiture et s'assit tout près de son mari. Maxime relâcha aussitôt les rênes et Gazelle prit un petit amble sautillant. Victorine venait de gagner un point ; elle était venue à bout de se soustraire à l'emprise de sa belle-mère. Cette sortie était pour elle un bonheur indicible.

— Ta mère voulait m'empêcher de partir. Elle me prend pour son esclave.

— Pis toé, te trouves-tu son esclave ?

— Oui, une esclave avec les chaînes aux pieds, mais ce qui compte, c'est qu'aujourd'hui, je suis venue à boutte de m'échapper pour être avec toé.

Victorine sourit.

— T'es heureuse ?

— Je sais pas. On peut pas dire que votre maison est ben joyeuse. Même moé, j'ai pus le goût de chanter en travaillant, comme je le faisais chez nous.

— La maison est triste depuis le départ de Clara. P'pa parle pus, y pense qu'à sa paix ; y faut jamais le contredire ni le déranger. Y a seulement m'man qui arrive à le mener au doigt et à l'œil. Elle aussi est très stricte ; c'est ben défendu de taper du pied pis de siffler dans la maison.

Victorine cherchait toujours l'occasion de jaser seule avec son mari sans qu'une dizaine d'oreilles soient témoins de chacune de ses paroles. Et pour ajouter à l'agrément de sa sortie, le fait d'être seul avec elle, Maxime parlait plus librement. Ils riaient ensemble, ce qui ne leur arrivait que rarement devant la belle-famille.

* * *

Victorine fit tinter joyeusement la cloche du magasin général.

Elle choisit une énorme berçante, au siège tressé en babiche, trois balles de laine blanche et un petit sac de chocolats qu'elle se promettait de cacher aux yeux des Beauséjour pour les déguster le soir quand elle voudrait attirer Maxime dans leur chambre. Ces petites douceurs étaient d'une grande importance pour Victorine qui ne possédait rien d'autre que ses vêtements.

– Quelle belle sortie ! On dirait que la route nous sourit.

Tout en causant avec Maxime, Victorine tournait sans cesse la tête.

– Qu'est-ce qui se passe de si intéressant derrière ; y a-t-y une voiture qui veut nous dépasser ? demanda Maxime.

– Non ! Je regarde ma belle chaise berceuse. Si tu savais comme j'ai hâte de m'en servir !

* * *

Dans son peu de temps libre, Victorine confectionna des coussins de siège et de dossier. Elle prit le modèle d'une courtepointe puis tailla des petits rectangles dans des restes de tissus. Le tout assemblé, elle remplit les coussins de bourre de laine, ce qui fut bien apprécié de la belle-famille.

Le soir, à l'heure où elle trouvait un peu de temps libre pour se bercer, sa chaise était toujours occupée; elle était la préférée des quatre. Chaque fois que sa belle-mère s'y assoyait, Victorine bouillait d'impatience. Elle compta sur l'intervention de Maxime pour régler ce différend, mais il n'en fut rien; son mari ne s'interposait jamais entre sa femme et sa famille.

Un soir, Victorine insista pour que Maxime monte la berçante à sa chambre. Elle avait besoin de partager des moments de silence avec l'enfant qui prenait forme en son sein. Elle avait beau faire corps avec lui, elle espérait encore plus; peut-être une pensée qui lui ferait sentir son désir de le tenir dans ses bras.

Maxime demanda l'aide de Noé pour la transporter. Victorine précéda les deux hommes dans l'escalier. Arrivés à la chambre, ils eurent beau tourner la chaise en tout sens, l'espace entre le lit et le mur manquait.

— On l'a choisie trop grosse, dit Victorine au bord des larmes.

— On va la ramener à la cuisine, proposa Maxime.

Victorine se sentit revenir au point de départ. Elle n'était pas prête à plier. Elle s'appuya au mur, croisa les bras et dit, la bouche tremblante :

— D'abord que c'est de même, on va la retourner au magasin.

Noé, qui voyait sa belle-sœur sur le point de pleurer, proposa de changer de chambre avec eux.

— Dans la mienne, t'aurais de la place en masse pour te bercer.

— C'est une bonne idée, ça! s'exclama Victorine, qui retrouva aussitôt son sourire radieux. Je suis contente, ben contente!

Maxime proposa:

— Si tu veux, Noé, dans le temps qu'on y est, on va déménager notre linge de corps tout suite.

— Je peux vous aider, intervint Victorine. En même temps, je vais changer les draps.

— Touche à rien avant que je revienne, dit Maxime, qui pensait à son argent caché. Je vais aller chercher un tournevis pour changer la serrure.

Victorine venait de gagner trois points: la grande chambre, un lit double et la berçante.

* * *

Ce mardi, Victorine s'installait à la clarté de la fenêtre pour repasser les chemises des garçons quand elle entendit un boum sourd dans son dos, comme un corps qui s'affaisse au sol. Le temps de se retourner, elle aperçut la berçante renversée sur le côté et sa belle-mère étendue par terre.

— Ayoye! Ayoye donc! se plaignit la vieille en tenant son bras.

— Qu'est-cé qui vous arrive, madame Beauséjour?

— Vous voyez pas? Je me suis endormie sur la berçante.

Victorine dut mordre ses lèvres pour s'empêcher de rire. Elle tenta d'aider la femme à se relever, mais la vieille était trop lourde pour que Victorine puisse la transporter seule. La pauvre se lamentait comme si on l'écorchait vive. Victorine ne prit pas le temps de couvrir ses épaules. Elle courut au bout du perron et là, les bras en l'air, elle fit de grands signes pour appeler à l'aide.

– Votre mère a fait une mauvaise chute ! cria-t-elle. Venez vite !

Maxime et Rosaire fendaient du bois devant la laiterie. Ils accoururent aussitôt.

Malgré mille précautions pour la transporter, la femme hurlait de douleur. Ils la déposèrent sur son lit.

On fit venir le docteur Leblanc de Sainte-Émélie. Celui-ci diagnostiqua une fracture de l'humérus. À l'aide d'un bandage, il installa une éclisse de bois pour maintenir l'os en place. La vieille se lamentait dès que son bras bougeait.

– Je vous ai posé une attelle, dit le médecin. Une fois l'humérus bien fixé, vous ne devriez plus sentir de douleur. Reposez-vous bien. Toutes vos forces vont se concentrer pour guérir votre os fracturé. Vous avez la chance d'avoir votre belle-fille pour prendre la relève. Profitez-en pour vous faire gâter.

« Se faire gâter ! pensa Victorine. La vieille ne fait que ça. Elle passe ses journées assise près de la fenêtre à regarder pousser son potager ou à cogner des clous sur sa chaise. Avant sa chute, elle ne se levait même pas pour aller se chercher un verre d'eau. »

Pour la deuxième fois dans la journée, Victorine retint un sourire.

* * *

Le lendemain, toute la paroisse savait.

Des voisins, connaissances et amis des quatre coins de la paroisse venaient prendre des nouvelles de la blessée. Victorine servait des collations à tout ce beau monde. Bien sûr, elle devait travailler jusque tard dans la nuit pour arriver à préparer des galettes, des gâteaux, des tartes. Elle se donnait toute cette peine en surplus de sa besogne journalière, mais elle y trouvait son content. La cuisine était pleine de vie. Les hommes, dont son père Félicien Gaudet, traînaient à la cuisine et racontaient des faits exagérés, histoire de s'amuser un peu, de ne pas oublier de rire.

Vers la fin de l'après-midi, chacun retournait à ses obligations, laissant dans la cuisine une odeur de pipe.

Chapitre 6

Le soir, dans leur chambre, Victorine et Maxime causaient et, comme chaque fois qu'ils se retrouvaient seuls, l'achat d'une ferme revenait sur le tapis.

— Ça presse pas tant que ça, dit Maxime. P'pa va avoir besoin d'aide pour réparer la couverture de sa grange qui coule. Comme y veut se débarrasser de ça avant l'hiver, y va avoir besoin de moé.

— C'est pas encore fait ?

— Non.

— Vous deviez la couvrir l'an passé. Tes frères sont là pour aider.

— Y a jamais trop de bras pour le gros travail.

— Ça veut-y dire que si t'achètes une ferme, tu seras pas capable de t'en occuper tout seul ?

— J'échangerai du temps avec mes voisins, comme ça se fait un peu partout.

Victorine se demanda si Maxime lui avait fait une fausse promesse. Il ne faisait aucun plan, aucun projet. Il ne s'absentait jamais pour visiter des fermes. Depuis son mariage, il la manipulait adroitement, comme une marionnette, et elle lui en voulait un peu. Elle était surtout très déçue.

— L'an prochain itou, ton père aura besoin d'aide, et les années suivantes aussi. Après la couverture, ce sera les clôtures à refaire, pis quoi encore ? Du travail, on en trouve toujours. Ça veut-y dire qu'on va s'éterniser icitte ?

— Ben non !

— Ton frère Noé pourrait pas se grouiller un peu plutôt que de paresser à cœur de jour dans la balancigne pendant que tu trimes du matin au soir ? Y pourrait se décroiser les bras. Y fait jamais rien de sa peau.

— Celui-là, y a pas de muscles.

Victorine le regarda, hébétée.

— Noé est infirme ?

— Non. Je veux dire qu'y est pas trop vaillant, la corrigea Maxime. Des fois, y s'amuse à redresser des clous rouillés dans la remise ou ben y ramasse des vieilles briques qu'y empile. Y répare les escabeaux boiteux pis les portes qui ferment mal. À part ça, on peut jamais compter sur lui. Ah, j'oubliais, y est bon pour les commissions ; ça, pour trotter d'un bord pis de l'autre, y est toujours prêt. Y déteste la terre. Comme c'est le plus jeune, les parents l'ont gâté pourri. Asteure, c'est tant pis pour eux autres.

— Tu veux dire : tant pis pour nous.

— Y a aussi m'man qui pourra pas rester toute seule avec son bras cassé.

Cette fois, c'en était trop. Victorine se mit à déblatérer sur le fait que la vieille ambitionnait sur ses forces.

— Je suis pas responsable de ta mère, moé, Maxime Beauséjour, malgré que ça en a l'air. Depuis que ta mère s'est cassé un bras, elle marche pus ; un bras, c'est pas une jambe, à ce que je sache. Je dois la soigner comme une infirmière : y apporter ses repas au lit, y installer la bassine, vider la bassine, la tourner de côté, pis, comme mercis, elle grogne après moé. On dirait que tu m'as mariée pour servir de bonne dans cette maison ; c'est toujours moé qui fais toute icitte. Tes sœurs restent pas ben loin ; elles auront qu'à prendre la relève chacune leur tour.

— Voyons, Victorine, on doit ben ça aux parents pour nous avoir gardés pendant des mois sans nous demander un sou.

— Et eux ? rétorqua Victorine, rouge comme un coq. Ils nous doivent combien en salaire, en retour de notre travail ? Moé, comme bonne, pis toé, comme homme à tout faire ?

— Parle pas si fort ! On entend tout en bas. Quand tu te berces, le plafond fait cric-crac.

Victorine se fit plus douce.

— Je le sais, dit-elle, amère. D'icitte, j'entends ton père secouer sa pipe dans le cendrier. Si on avait un chez-nous, on n'aurait pas à se surveiller continuellement.

Maxime ne parlait plus. Victorine regrettait presque de l'avoir acculé au mur. Ils en étaient rendus au point où ils ne se parlaient plus sans se quereller. Elle qui aimait tant Maxime. Elle se mit à pleurer sans bruit. Maxime entoura ses épaules de son bras musclé.

— Je te reconnais pus, Victorine ; toé qu'as toujours été d'un comique irrésistible !

— Moé non plus, je me reconnais pus. C'est la vie que je mène qui agit sur mon caractère. J'aime pas ça, rester icitte ! Tu m'avais promis…

— Dors ! dit-il, on reparlera de tout ça demain.

— Demain ! Pour encore revenir au point de départ ?

Maxime ne répondit pas. Victorine se sentit seule avec sa déception.

Dormir! Comme si elle le pouvait. Tant de pensées se chevauchaient dans son esprit. Le jour, en plus de supporter sa belle-mère, elle travaillait comme une forcenée, et soir après soir, c'étaient des chamailleries continuelles avec Maxime, toujours au sujet de la supposée ferme ou encore de sa belle-mère. Chaque fois, Victorine se trouvait perdante. C'était une vie bien loin de ses rêves. Ce soir-là, elle sentit que toutes ses espérances glissaient hors d'elle. Avec le temps et les déceptions accumulées, un nœud se formait dans son cœur.

* * *

Chaque dimanche, Victorine recevait la famille Beauséjour au complet, ce qui signifiait plus de vingt-cinq personnes en comptant les enfants. Les belles-sœurs aidaient à la vaisselle, mais la charge du repas restait la responsabilité exclusive de Victorine.

Un de ces dimanches, Victorine demanda à Maxime d'aller visiter ses parents dans le Deuxième Rang, la semaine suivante. Pour les sorties, Maxime était toujours prêt.

– Le Versailles, c'est toute une trotte, dit-il, mais si ça te tente, pourquoi pas!

Le samedi précédant la sortie, Victorine prépara un gâteau et un sucre à la crème onctueux. Elle occupa le reste de sa journée à organiser sa sortie du lendemain.

* * *

Ils partirent tôt après la messe. Victorine s'assit tout contre Maxime, heureuse comme le matin de son mariage. Et hop vers le rang Versailles, le cher rang de sa jeunesse, de ses jeux d'enfant, le rang du rêve!

— Si tu pouvais trouver une terre à vendre par icitte, dit-elle, je serais au ciel. Ça grouille dans ce rang.

Maxime lui donna raison; dans le Versailles, les maisons étaient plus rapprochées que dans les autres rangs et on pouvait voir des gens à pied et un va-et-vient continuel de belles voitures qui croisaient des charrettes bringuebalantes.

Maxime prit la main de Victorine, la porta à ses lèvres et l'embrassa. Pendant tout le trajet, Victorine jasa, s'amusa, et quand elle riait, c'était le rire franc d'une écolière. Elle se sentait heureuse, libre comme l'air.

— Dire que j'ai parcouru ce chemin-là, beau temps, mauvais temps, pendant les deux ans de nos fréquentations, dit Maxime. Fallait que je t'aime pas pour rire! Le plus ennuyant était le retour à la noirceur; c'était long et plate. Y faut qu'un gars tienne à sa blonde en sarpent!

Victorine prit sa main et la retint sur ses genoux.

— Dire qu'aujourd'hui, c'est si agréable de nous retrouver seuls.

* * *

Chez les Gaudet, les hommes sortirent s'asseoir dans la balançoire de bois. Maxime avait d'excellents rapports avec son beau-père qui était un bon vivant, un raconteur d'histoires drôles.

Dans la cuisine, Victorine profita du fait qu'elle était seule avec sa mère pour se plaindre de ses relations tendues avec sa belle-mère.

— Je pense que la vieille s'amuse à m'intimider. Si vous l'aviez vue se scandaliser un de ces vendredis où, sans y penser, j'ai servi de la viande au dîner. Je me suis pressée de tout enlever, mais j'ai quand même eu droit à un sermon à n'en pus finir; le curé aurait pas fait mieux. La vieille chipie a pas assez de me commander à cœur de jour, même si je reçois sa famille tous les dimanches. Elle critique tout ce que je fais, comme si j'étais une servante, pis ça, c'est tout le temps quand Maxime est pas là. J'ose pas trop y en parler; comme c'est sa mère, c'est assez délicat. Qu'est-ce que vous voulez; y l'aime. Et puis je suis sûre que Maxime prendrait son parti pis que ce serait moé la méchante.

Sa mère, préoccupée par ses états d'âme, lui répondit:

— Fais comme elle, remets-la à sa place quand ton mari est pas là. Profites-en à ton tour.

— Je suis pas capable, m'man, c'est pas dans ma nature d'être bête. Je préfère me taire.

— Si t'aimes mieux te laisser marcher sur les pieds…

— Vous m'avez toujours dit de respecter les vieillards. Vous m'avez élevée trop faible. Moé, je veux pas me chicaner; je veux juste avoir la paix.

— C'est pareil dans toutes les maisons: quand la belle-mère et la bru vivent sous le même toit, le caractère le plus fort l'emporte et l'autre en souffre, lui dit sa mère. Mais laisse-toé pas humilier.

— Je crains de blesser Maxime.

— Blanche, elle, aurait foncé.

— C'est facile à dire quand on est hors de question.

— D'abord, fais la sourde. La vieille parlera pas toute seule ben longtemps.

— Je suis pas heureuse dans cette maison, sauf que tous les soirs, après le souper, je monte à ma chambre, je m'installe dans ma berçante pis je tricote. Pour quelques heures, j'ai la paix, mais j'ai pas mon mari ; Maxime dit qu'y aime pas ça veiller enfermé dans une chambre.

Sa mère la regarda avec compassion.

— Si je regarde autour, dit Victorine, les autres femmes ont pas ces problèmes ; elles crouleraient sous le poids de la besogne.

— Quand on est pas heureux, ma fille, c'est qu'y est temps de faire des changements. Maxime t'a promis d'acheter une ferme, rappelles-y sa promesse. Après tout, t'as marié un bon gars ; y devra finir par comprendre.

— J'y rappelle sans cesse, mais ça sert à rien ; ça vire toujours en chicane. Ensuite, on passe des journées complètes sans se parler. Je dois construire mon bonheur à partir de petits riens.

— Comme je vois, c'est pas le bonheur total !

— Asteure que c'est fait, je vais tenir le coup.

Marquise ajouta :

— Une fois mariés, on fait pas l'échange ; la femme est prisonnière de son serment.

— Ben voyons, m'man, on est pas rendus là. Maxime pis moé, c'est du solide.

Marquise regarda sa fille avec compassion. Une douleur traversait son cœur de mère.

— Tu dois être au boutte du rouleau pour parler de même ! Ça me fait mal, Victorine, je voudrais tant que tu sois heureuse.

— Mais non, m'man! Faites-vous-en pas pour moé; après toute, c'est pas si pire; c'est juste que raconter mes bouttes de misères, ça me fait du bien, pis comme je savais pas à qui, ben c'est tombé sur vous. Des fois, vider son sac, ça libère.

Victorine ajouta, le ton bas pour ne pas être entendue de ses sœurs:

— Si ça peut vous rassurer, j'ai jamais regretté d'avoir épousé Maxime. Je vis aussi des grands bonheurs. Je vais vous dire un secret. Je suis en famille

— Moé, grand-mère! Quelle belle nouvelle! Si tu savais comme je suis heureuse!

— Quand Blanche pis Léonie vont apprendre qu'elles seront tantes...

— Surtout pas un mot là-dessus; tes sœurs connaissent rien des mystères de la vie.

— Léonie, peut-être! Mais Blanche est pus une gamine.

— Le moins tes sœurs en sauront, le mieux elles se tiendront. Surtout qu'elles vont bientôt atteindre l'âge inquiétant des amours.

Victorine retint un sourire. Convaincre sa mère de revenir sur ses principes était impensable. Combien de fois elle leur avait répété qu'embrasser un garçon ou se tenir la main étaient des péchés mortels?

— La langue va ben me démanger, ajouta Victorine.

— Tu vas avoir besoin de davantage de repos. J'espère que tu vas penser un peu à toé.

— Comme si je pouvais, avec toute la maisonnée sur les bras!

— Où vas-tu trouver du temps pour t'assire pis tricoter?

— Je veux pas m'assire, je veux juste joindre les deux bouttes.

— Tiens, j'ai une proposition à te faire. Si vous veniez passer vos fins de semaine icitte, Maxime pis toé, ça vous donnerait un lousse. Ta belle-mère serait obligée de reprendre le collier, ça lui ferait apprécier ton aide. Pis nous deux, on préparerait ta layette de bébé.

— Vous me tentez, mais pour le moment, comme la vieille est estropiée, faudrait quelqu'un pour prendre la relève.

— Raison de plus, Victorine ; c'est pas à toé d'y trouver une aide. Y a assez de monde dans cette maison-là pour s'en occuper. Pense à mon offre ; ton lit est toujours à ta disposition dans la chambre bleue.

— Pis Blanche, elle coucherait où ?

— Crains pas, je vais m'arranger avec les filles.

* * *

Maxime accepta l'invitation de sa belle-mère. Victorine venait de gagner un gros point.

— C'est oui, m'man !

Sa mère se réjouit de la bonne nouvelle.

— Si ça vous va, vous pourrez arriver le vendredi et repartir le lundi.

— Comme ça, on va avoir du temps pour parler du bébé.

L'arrivée de Blanche interrompit leur conversation.

— Ça te dérangerait, Blanche, si on empruntait ta chambre les fins de semaine ?

— Ben non ! Au contraire, ça me ferait ben plaisir. Mais on va devoir sortir le lit simple qui est sous les combles. Y me servira dans la chambre de Léonie

— Pauvre Blanche, toé qui avais tellement hâte d'avoir ta chambre à toé toute seule !

Blanche sourit.

Les filles se réjouirent du séjour du couple et voulurent déjà préparer les chambres.

Leur mère avertit discrètement Victorine en chuchotant :

— Toé, tu touches à rien, compris ? Dans ton état, je veux pas te voir forcer après les meubles.

Les filles avaient l'oreille fine. En entendant les mots « Dans ton état », Blanche et Léonie en comprirent le sous-entendu. Elles échangèrent un regard complice. Elles en savaient plus long au sujet des naissances que leur mère s'imaginait.

Victorine se tint en retrait, en haut de l'escalier, pour ne pas nuire à Blanche et à Léonie qui déménageaient le lit afin de lui libérer une pièce. Les filles riaient comme des folles ; elles se poussaillaient sur les paillasses, les jambes en l'air, comme des gamines. Léonie faisait des culbutes et retombait debout sur ses pieds. À la suite de tant de pirouettes, les filles s'assirent par terre et rirent jusqu'à épuisement. Elles retrouvèrent ensuite leur aplomb pour reprendre de plus belle.

— Les filles, calmez-vous.

Mais l'avertissement de leur mère ne servait à rien, Léonie persistait. Et sa mère insistait :

— Bon ! Assez d'enfantillages ! Débarrassez-vous de tout ce barda avant le souper.

Léonie faisait la sourde.

— Ça se peut-y, m'man, qu'une fille meure de chagrin à cause d'un garçon?

— T'auras ben le temps de savoir. Pourquoi cette question?

— C'est Blanche qui est en amour.

— C'est pas vrai ça, Léonie Gaudet!

Blanche poussa Léonie sur la paillasse.

Avec ses sœurs, Victorine réapprenait à rire.

— Ton beau-frère Noé, demanda Léonie, y a-t-y une amie de cœur?

— Noé? dit Victorine. Y t'intéresse?

— Ben non, tu le sais ben, moé, je vais rentrer chez les sœurs, tout le monde sait ça. C'est Blanche qu'y est en amour avec lui.

Blanche rougit. Elle jeta un regard furieux à Léonie qui venait de toucher sa corde sensible. Les sentiments qu'elle entretenait pour Noé Beauséjour, c'était son secret à elle.

— C'est pas vrai, ça! Mêle-toé de tes affaires, Léonie Gaudet. Moé, je t'ai rien demandé.

— La vérité choque, insista Léonie, moqueuse. Tu te vois pas? dit-elle en la pointant du doigt. Tu rougis.

— Je rougis parce que tu m'énerves. Arrête donc tes agaceries.

Blanche ne portait pas son nom, on aurait mieux fait de la nommer Chaperon rouge; elle s'empourprait à la moindre émotion, que ce soit l'embarras, la pudeur, la chaleur et tout ce qui était d'ordre affectif.

— T'es ben pointilleuse aujourd'hui, Blanche Gaudet! ajouta Léonie.

Qui aurait pu croire que Léonie, si sage en public, puisse être aussi taquine avec ses sœurs ? On disait de cette fille aux jambes de gazelle et au long cou qu'elle avait l'air d'être en prière avec ses paupières à demi baissées, ses yeux d'une extrême douceur et sa bouche fine, légèrement tordue.

Quand Léonie agaçait Blanche au sujet de Noé, chaque fois, celle-ci s'emportait. Blanche aurait voulu garder ses émotions tendres enfouies au tréfonds de son âme. Comme si, au grand jour, les sentiments risquaient de s'éparpiller comme la cendre au grand vent et peut-être de se perdre à tout jamais.

— De toute façon, intervint Victorine, Noé ferait pas un bon parti. Ce gars-là, y a pas d'ambition. C'est un paresseux. Y passe ses journées dans la balancigne. Comme y est parti là, y ferait mieux de rester garçon. Pis y doit se connaître, y répète que les filles l'intéressent pas. Pourtant, tous les soirs, y va veiller en quelque part. Demande-moé pas où, je le sais pas. Tout ce que je sais, c'est que le matin, y est pas levable.

Blanche fit la sourde.

À dix-sept ans, le cœur s'éprend, sans encombre, sans raisonnement, sans exigence aucune.

De son apparence, de sa propreté, de sa gentillesse, de toutes ses qualités qui plaisaient tant à Blanche, Victorine ne parlait pas.

Blanche refusa d'en écouter davantage. Elle coupa net aux défauts de Noé.

— Ce garçon-là, y doit ben avoir une ou deux petites qualités ? En tout cas, y est diablement beau.

— Ben oui, Blanche, ben oui ! la nargua Victorine.

Le ton que prit Victorine déclencha le rire chez les filles.

— Attendez-moé, dit Blanche, je vais chercher des galettes aux raisins dans la dépense, pis je reviens.

— Un coup partie, intervint Léonie, apporte-nous aussi un verre de lait.

Blanche à peine disparue, Léonie baissa le ton.

— Je pense que Blanche a un penchant pour ton beau-frère Noé. Va pas y dire, mais j'ai trouvé une feuille dans son tiroir, sous son linge de corps : Blanche avait écrit les noms de Noé et le sien à côté, entourés d'un grand cœur.

— Pauvre Blanche ! la plaignit Victorine. Elle se prépare une grosse déception.

Au bruit de pas dans l'escalier, Victorine détourna la conversation.

— Pis toé, Léonie, t'as jamais été amoureuse ? Je veux dire des amourettes.

— Non, pis je voudrais pas ; juste à écouter vos petites misères, ça m'enlève le goût du mariage ben raide.

— On a pas juste des petites misères, on vit aussi de grandes joies, de belles émotions. La vie est faite comme ça, de hauts et de bas. Si tu crois que la vie en communauté aura pas ses travers, tu peux être surprise.

À quatorze ans, Léonie faisait déjà tourner les têtes.

— Moé, ajouta Blanche, je pense que le jour où un garçon va te taper dans l'œil, tu vas faire une croix sur la vie religieuse.

— Ma décision est prise.

* * *

Deux ans plus tôt, une sœur missionnaire, venue du Sénégal, avait visité les écoles dans le but de recruter de futures religieuses et d'amasser un peu d'argent pour ses lépreux. La veille, la maîtresse avait demandé aux élèves de se présenter endimanchés à l'école et d'apporter quelques sous au profit des missions. Léonie avait écouté la religieuse avec attention. Des enfants malades de son âge devaient marcher des milles pour se rendre à la léproserie où on soignait, rééduquait et opérait les lépreux. Ils venaient par tous les chemins, épuisés, affamés. Arrivés à la ville, ils quêtaient leur nourriture. L'argent amassé au Canada servirait à acheter des machines à coudre pour confectionner des chaussures à semelles adaptées à chaque type de handicap des lépreux. Léonie avait été très touchée par le discours de la religieuse.

Ce jour-là, au souper, la fillette avait raconté la visite de la religieuse et sa décision de se faire missionnaire. Sa mère avait senti comme un coup d'épée au cœur. « L'Afrique, c'est loin, ça », avait-elle dit, espérant que Léonie change d'idée. Le visage de son père s'était empourpré d'indignation. « T'es trop jeune pour décider de toute une vie. Laisse-toé sécher le nombril. » La phrase avait fait rire Victorine et Blanche, mais elle avait fait pleurer Léonie. Ce soir-là, elle avait laissé son assiette à moitié pleine sur la table et avait filé à sa chambre.

Le temps coulait et la vocation faisait son petit chemin dans la tête de la fillette.

* * *

Le samedi matin suivant, les deux sœurs se retrouvèrent dans la balançoire. Victorine jaugea sa sœur cadette d'un coup d'œil.

Tout était juvénile chez Léonie : la fraîcheur de sa peau, son œil clair et ce petit air d'innocence qui, comme un restant de vertu, la rendait adorable.

— Quand est-ce que tu pars pour le noviciat ?

— Dans sept ans ; un siècle, dit Léonie, d'un ton amer.

— Y a le temps d'en couler de l'eau sous les ponts ! T'as ben des chances, d'icitte-là, de tomber en amour pis de changer d'idée.

— Je serais prête à partir tout suite, mais p'pa veut pas en entendre parler. Y me trouve trop jeune pour décider de ma vie. Donc, je vais attendre d'être majeure.

* * *

Le dimanche, dans le rang des Venne, pendant l'absence du jeune couple, Prudentienne raconta à ses filles que Victorine était enceinte. À son âge, la vieille savait détecter les grossesses par les seins gonflés, la figure arrondie, les nausées et, maintenant, la ceinture dénouée.

— Pauvre m'man ! la plaignit Germaine, vous allez pas être obligée de la servir ? Si vous commencez ça, après, Victorine va compter sur vous pour élever ses enfants. Vous devriez séparer la maison ; comme ça, vous auriez la paix.

— Non, ça va ben comme c'est là. À chaque jour suffit sa peine.

— Ah ! s'exclama Germaine, si vous aimez mieux la torcher…

— Assez! reprit Noé, le ton ferme. Vous passez votre temps à placoter dans le dos de Victorine quand c'est elle qui fait tout l'ouvrage ici dedans. C'est elle qui vous reçoit tous les dimanches, qui vous prépare des petits desserts la veille, pis, pour une fois qu'elle est pas là, vous en profitez pour la dénigrer.

Un silence plana dans la cuisine. Les fourchettes restées en suspens, les filles se regardèrent, bouche bée.

Noé se leva et sortit.

— Coudonc! s'exclama Germaine. Qu'est-ce qui y prend à celui-là? Y a-t-y mangé de la vache enragée? Y est p't'être amoureux de Victorine?

— Tais-toé, Germaine! dit sévèrement la vieille. Va pas partir des ragots pour noircir la famille aux yeux des gens. Noé a raison. C'est vrai que Maxime a marié une fille ben travaillante. Faut y donner ce qu'elle a.

— On sait ben, reprit Germaine, vous allez encore donner raison à votre petit chien-chien.

— Toé, essaie pas de me rendre coupable! Noé est pas mon chien-chien; je traite tous mes enfants sur un pied d'égalité. Mais reste que Noé est le dernier, pis le dernier, on voudrait l'empêcher de vieillir. Tu comprendras quand ce sera le tien.

* * *

Tout au long de la semaine, chez les Gaudet, les filles comptaient les jours, impatientes de recevoir à nouveau Maxime et Victorine à coucher. Ces visites étaient pour Blanche et Léonie une attente indéfinissable, une joie sans cesse renouvelée. Chacune pour des raisons qui lui étaient propres. Blanche retrouvait chez Victorine une complice aux réparties vives, tandis que la sage Léonie trouvait son bonheur à voir la famille réunie autour d'une table bien garnie.

Un vendredi, Victorine eut tout juste le temps d'entrer que Léonie se hissa sur le bout des pieds et l'étreignit en criant sa joie.

– Du calme, lui dit sa mère, tu vas jeter ta sœur à terre.

Maxime et Victorine étaient tout aussi radieux. Cette relâche leur permettait de refaire le plein d'énergie.

Depuis le début de ces visites, le temps qui passait était plus agréable. Pour Maxime, c'était congé de ferme. Et dès qu'elle montait dans la voiture, le cœur de Victorine se remettait à battre. Elle se collait tout contre Maxime et ses sensations redevenaient les mêmes que ce fameux soir de pluie alors que Maxime l'avait demandée en mariage. Victorine éprouvait chaque fois une joie sans borne. Elle ne se plaignait plus de sa belle-mère. Elle profitait de chaque moment passé avec les siens.

Chapitre 7

Les mois se marchaient sur les talons. Après un an et demi de cohabitation, malgré la promesse d'acheter une ferme au printemps, le jeune couple demeurait toujours chez les Beauséjour.

Victorine ne croyait plus aux belles promesses de Maxime. Elle s'était fait trop d'illusions par le passé, des illusions qui entraînaient leur lot de souffrances. Elle s'abandonna à son sort ; n'avait-elle pas un mari qu'elle adorait ? Toutefois, elle se réservait le droit de rêver à ce que serait sa vie si un jour elle se retrouvait chez elle avec Maxime et son enfant.

* * *

Le mois d'avril filait doux. Chez les Beauséjour, le temps de la naissance approchait et la venue prochaine du bébé occasionnait des petites dépenses comme des couches, des jaquettes, des couvertures, des biberons. À chaque besoin, Victorine devait demander de l'argent à son beau-père.

— Y faudrait acheter une suce et des biberons pour le petit, dit-elle.

– Ça coûte combien ?

– Environ vingt sous.

Le beau-père déposa le montant exact sur la table, avec un air récalcitrant. Même si sa femme était autoritaire, chez lui, c'était l'homme qui tenait les cordons de la bourse.

– Ça prendrait aussi des couches pis des vêtements de bébé, renchérit Victorine.

– Les filles peuvent pas vous en passer ?

– Non. Germaine pis Catherine aussi vont avoir besoin de leur butin.

– Vous pouvez en tailler dans les vieux vêtements, comme nos mères le faisaient autrefois.

– Où je prendrais le temps, avec tout le travail de maison ? Y va falloir que Maxime se trouve un travail au plus vite, ajouta Victorine sans un regard pour son beau-père.

Après un silence, l'homme demanda :

– Combien ça coûte ?

– Je sais pas exactement.

Victorine se sentait humiliée de quémander de l'argent, sou par sou, devant la belle-famille. Elle qui détestait parler devant les hommes de tout ce qui se rapportait à son état, elle décida de s'en remettre à son mari pour toutes ses nécessités. Mais celui-ci lui conseilla tout naturellement :

– Demande à p'pa.

Victorine soupira, les yeux pleins d'eau :

– C'est ce que je fais, mais je suis pas à l'aise de quémander de l'argent à ton père pour notre bébé pis pour mes affaires personnelles, comme mes sous-vêtements pis tout le tralala. Ça devient gênant à la longue. À l'avenir, je demanderai à m'man.

— Non! C'est pas à eux de subvenir à nos besoins.

— Je suis ben tannée de pas avoir une cenne noire. Si on peut finir par avoir notre chez-nous! Quand je t'ai marié, j'aurais jamais pensé en arriver à quêter pour habiller nos enfants.

— Ça achève, Victorine, ça achève.

— Encore des paroles en l'air, dit Victorine en haussant les épaules. En attendant, j'ai pas une cenne.

— À soir, je vais parler à p'pa. Pis demain, on ira au village acheter tout ce que t'as besoin pour le petit.

* * *

Un lundi, vers le début de l'après-midi, Victorine ressentit de légères crampes au ventre. Elle se demanda si c'était des contractions. Elle n'allait pas questionner sa belle-mère; elle préférait la laisser en dehors de sa vie privée. Elle attendrait Maxime; les hommes entraient toujours boire un gobelet d'eau au milieu de l'après-midi. Elle monta un pot d'eau à sa chambre, se fit une toilette et changea ses draps.

Les douleurs augmentaient en force. À chacune, Victorine grimaçait. Elle comprit que son temps était arrivé, que le bébé s'annonçait. Elle se mit à trembler de nervosité. À chaque contraction, elle mordait ses lèvres pour ne pas crier. La gêne l'empêchait de se laisser aller devant la belle-famille. Comme elle aurait aimé se retrouver seule avec son mari!

En bas, la porte battait. Les hommes devaient entrer à la cuisine; c'était leur heure habituelle.

Victorine appela Maxime.

– Le travail est commencé, dit-elle, va chercher m'man. Pis fais ça vite, j'ai mal au ventre.

– Je vais envoyer Noé. Moé, je vais rester avec toé.

De sa chambre, Prudentienne entendit un va-et-vient inhabituel. Elle attrapa Noé au passage.

– Qu'est-ce qui se passe en haut ?

– Victorine est malade, Maxime m'envoie chercher sa mère.

– J'aime ben savoir ce qui se passe dans ma maison. Va plutôt chercher madame Zabeth.

– Madame Zabeth ? Qui c'est ça ?

– Élisabeth Marchand, la sage-femme.

En haut, Maxime tenait la main de Victorine. Les douleurs augmentaient en durée et en force, accompagnées de lamentations. Quand les plaintes se changèrent en hurlements, les hommes quittèrent la maison ; Antoine se rendit à l'étable, Rosaire et Léopold, à la forge. Seul Maxime resta auprès de sa femme.

* * *

À son arrivée, madame Zabeth laissa tomber son manteau sur une chaise et fila directement à la chambre du bas. Habituellement les beaux-parents laissaient la chambre du bas aux jeunes couples. Chez les Beauséjour, c'était le contraire ; Prudentienne agissait en reine dans sa maison.

La sage-femme soupira :

– Madame Victorine a pas choisi son temps pour accoucher, dit-elle. Les chemins sont défaits. Noé avait beau commander sa bête, la pauvre pouvait à peine avancer ; la voiture s'embourbait jusqu'aux essieux. J'avais peur de pas arriver à temps.

Les cris de Victorine traversaient maintenant le plafond.

— Bon, assez parlé. Je veux voir la petite maman.

— Vous pouvez monter ; elle est en haut.

La sage-femme remplaça Maxime au côté de Victorine. Le futur papa descendit au salon ; il devait patienter jusqu'à la naissance de son enfant.

* * *

Chez les Beauséjour, la nuit du 23 avril, alors que les premiers rayons de soleil frisaient les toits de tôle, naissait un petit garçon. La sage-femme déposa l'enfant sur le sein de sa mère. Victorine ne cessait de le regarder.

— Allez dire à Maxime que c'est un garçon.

La sage-femme lui prit l'enfant des bras et descendit. Maxime l'arrêta au passage et, ému comme un grand sot, il resta sans voix. Toutefois, il ne put réprimer un sourire où on pouvait voir tout l'amour du monde. Il passa un doigt tremblant sur la joue de velours. L'enfant se laissa cajoler, comme si l'affection lui était due. Un certain attendrissement saisit Maxime ; son cœur sautait dans sa poitrine. Mais il était inconvenant qu'un homme laisse voir ses émotions. Il monta embrasser Victorine.

— Le nom de Beauséjour va continuer sa marche, dit-il. Là, je vais demander le baptême au curé, pis un coup rendu au village, je vas me rendre avertir tes parents.

* * *

À l'autre bout de la paroisse, chez les Gaudet, le bonheur était palpable. C'était impensable ce que l'arrivée d'un petit enfant pouvait apporter de joie chez les grands-parents. Blanche chantait. Son père tapait du pied. Marquise avait un sourire permanent accroché à ses lèvres. Seule Léonie gardait ses émotions cachées, mais celles-ci n'étaient pas moins présentes.

Félicien revêtit son habit de mariage vieux de plus de vingt ans. Grâce à un bon pressage, Marquise en fit disparaître les faux plis et l'âge n'y parut plus.

— Marquise, viens m'aider ; j'arrive pas à faire mon nœud de cravate, dit-il.

Marquise n'arrêtait pas. Elle allait de l'un à l'autre des siens afin que tous soient impeccables devant les Beauséjour.

Félicien sortit la charrette de la remise et y attela Coquette.

Quand vint le tour de Marquise de se préparer, l'attelage attendait devant la porte. Coquette, forcée de patienter, piaffait. Félicien devait tenir les cordeaux à deux mains.

— J'me demande ce que ta mère brette en dedans, dit-il. Blanche, va y dire de se dépêcher.

Blanche ne bougea pas.

— M'man peut pas aller plus vite que les violons, dit-elle.

Peu de temps après, la porte s'ouvrit toute grande devant Marquise, qui courut dans le petit escalier.

— Bon, y est temps que tu t'amènes ! dit Félicien. J'arrivais pu à tenir Coquette.

— J'me sus dépêchée tant que j'ai pu, dit Marquise, essoufflée. Je cherchais une boîte pour le cadeau du bébé.

Sitôt Marquise installée sur la banquette, la pouliche s'engagea sur le chemin bourbeux.

* * *

À peine entrée chez les Beauséjour, Blanche demanda à voir le bébé.

Madame Zabeth s'approcha des arrivants. Une petite chose bougeait et bâillait dans ses bras. Blanche retira la petite couverture et embrassa le bébé sur le front. Il dégageait cette odeur douce, particulière aux nouveau-nés, qu'aucun parfum n'arrivait à égaler. Blanche, émue, avait la larme à l'œil.

— Y me ressemble, dit-elle.

Sa réflexion amusa tout le monde.

Marquise eut tôt fait d'arracher Blanche à sa contemplation.

— Y est beau comme un ange, dit-elle. Je peux le prendre?

— Vous aurez ben le temps plus tard, dit madame Zabeth, là, je dois y mettre son ensemble de baptême, pis y faut que je fasse vite si vous voulez pas être en retard à l'église.

— Moé, je monte voir Victorine, dit Blanche.

Marquise ne trouvait pas convenable que les siens envahissent la maison.

— Laisse donc ta sœur se reposer. Sa chambre est pleine de monde; les sœurs de Maxime sont déjà là avec leurs enfants.

Marquise frappa à la chambre de Prudentienne pour lui dire un bonjour obligé. Blanche la suivit sur les talons. Elle étira le cou.

— Comment va votre bras, madame Beauséjour?

— C'est lent, c'est lent! Mais le docteur dit que c'est normal vu mon âge. Vous savez, cette naissance amène un surplus de travail ici dedans. Pis moé, avec mon bras cassé, je suis pas capable de rien faire.

— Après un bon six mois, vous êtes pas encore guérie? s'étonna Marquise.

— Le docteur m'a dit que la guérison serait longue. Si votre fille pouvait rester une dizaine de jours pour les relevailles de sa sœur…

Le reste de la phrase mourut sur ses lèvres.

Marquise n'allait pas se mettre à genoux devant la Beauséjour qui menait Victorine par le bout du nez. «Encore un moyen de se faire servir, pensa-t-elle. Après Victorine, ce serait au tour de Blanche de la torcher, quoique Blanche serait ben capable de la remettre à sa place.»

— C'est à Blanche de décider, répondit Marquise qui, par son air fermé, ne semblait pas d'accord.

— Vous, mademoiselle Chose, dit la vieille, si vous acceptiez de remplacer votre sœur qui peut pas faire son ouvrage, vous y rendriez ben service. Victorine peut pas compter sur l'aide de la sage-femme; elle peut être demandée à tout moment pour d'autres accouchements.

Marquise détestait cette manière bête de demander de l'aide: «Remplacer votre sœur qui peut pas faire son ouvrage.» Elle raisonnait comme si Victorine était la seule responsable de cette maison.

Mais Blanche n'allait pas refuser. Pensez donc! Elle jubilait! Elle aurait la chance de côtoyer Noé pendant dix jours. Elle accepta d'emblée.

— Je peux-tu rester, m'man?

La vieille continua, sans attendre l'assentiment de Marquise Gaudet.

— Madame Zabeth va vous dire quoi faire, dit la vieille.

Blanche retourna à la cuisine. Marquise la suivit.

— Madame Zabeth, dit Blanche, c'est moé qui va remplacer Victorine.

— Que vous êtes gentille! Vous pourriez prendre un peu d'avance, comme éplucher les patates.

— Dites-moé où les trouver.

— Le carré de patates est dans la cave. Pis, par la même occasion, montez donc des carottes pis des oignons.

La sage-femme sortit deux chaudrons et les déposa sur la table.

— Le plus grand est pour les patates, pis l'autre, pour les carottes, dit-elle. Moé, pendant ce temps-là, je m'occupe de trousser la volaille.

Blanche ne bougea pas.

— Je m'attendais à voir Victorine installée dans la chambre du bas, dit-elle à la sage-femme. Ma sœur trouverait ça moins ennuyant si elle avait un œil sur la cuisine. Pis ce serait plus près pour que j'y serve ses repas.

Elle ajouta sur le ton du secret:

— Mais la vieille est ben trop malcommode.

Devant son four, madame Zabeth pinça les lèvres pour ne pas rire, mais Marquise avait vu son sourire contenu. Elle serra le bras de Blanche et la regarda d'un œil sévère.

— Tais-toé! chuchota-t-elle. Cesse de dire tout ce qui te passe par la tête.

— Ça va, mais j'ai raison; quand Victorine va avoir besoin de quelque chose, elle va être obligée de crier, insista Blanche.

— J'ai dit: tais-toé! Commence à préparer tes légumes comme on te l'a demandé, dit Marquise.

Madame Zabeth ajouta, sans se retourner:

— Votre fille a ben raison.

— Peut-être, mais on y a pas demandé son avis. Celle-là, j'me demande où cé qu'on l'a prise, dit Marquise en haussant les épaules.

Blanche attacha son tablier sur ses reins, descendit à la cave et remonta avec un seau de patates, de carottes et d'oignons plein à ras bord. Elle pela les patates et les déposa dans un grand chaudron rempli d'eau froide qu'elle transporta péniblement jusqu'au poêle. Elle exécutait chaque tâche devant Noé qui se berçait près de la fenêtre.

Dès que Blanche eut terminé son travail, madame Zabeth continua de lui demander poliment mille petits services. Blanche ne se plaignait pas; le fait de savoir Noé dans la même maison lui donnait des ailes.

* * *

Les cloches sonnaient gaiement le baptême de Jacob et le vent portait sa musique jusqu'à la maison des Beauséjour. Victorine, attendrie, versa une larme.

Au retour de l'église, Marquise déposa l'enfant dans les bras de sa mère.

— Tiens, dit-elle, le curé l'a fait enfant de Dieu. Tu peux maintenant l'embrasser.

— J'espère qu'y a pas pris froid.

— Non, j'en ai pris ben soin. Quand le prêtre y a mis du sel sur la langue, t'aurais dû le voir grimacer, dit Marquise en souriant. T'as un bébé adorable. Tout le monde en est fou.

* * *

— Approchez, tout le monde, cria la sage-femme. Blanche, vous pouvez commencer à servir le potage.

— Germaine vient de dire qu'elle va le servir.

— Bon ! D'abord, pilez les patates.

Germaine servit le potage puis s'assit avec les invités.

Blanche dut s'occuper de servir le reste du repas. Elle allait et venait, légère comme l'air, pendant que la sage-femme montait un cabaret à Victorine.

Après le repas, Blanche s'occupa de débarrasser la table. Sa mère la voyait ralentir.

— Je vais te donner un coup de main. Toé, Léonie, essuie la vaisselle.

* * *

À l'heure du coucher, Blanche était épuisée, mais elle s'efforça de ne pas le laisser paraître. Une fois la cuisine déserte, Maxime lui désigna le banc-lit.

— Tu dormiras là, dit-il. C'est pas ce qu'y a de plus discret, mais c'est seulement pour dix jours.

— Ça va !

Presque toutes les maisons des rangs possédaient, près de leur porte, un banc-lit destiné aux mendiants et, tout près, un morceau de pain et un gobelet d'eau. Les portes n'étant jamais verrouillées, les pauvres étaient libres d'entrer à toute heure de la nuit. Le jour, les hommes s'y allongeaient pour de courtes siestes, en rentrant des champs.

Blanche craignait qu'un mendiant ne la surprenne en pleine nuit. Au coucher, elle poussa le banc de quêteux contre la porte.

* * *

Le premier matin, Blanche, gênée de se montrer au lit devant les grands garçons, se leva très tôt. Elle se pressa ; elle voulait être présentable devant Noé. Elle glissa vivement la main dans le ventre de la paillasse, étendit uniformément la paille puis secoua son oreiller pour lui redonner sa forme. Ensuite, en prenant soin de ne pas faire de bruit, elle toucha la bouilloire du bout des doigts. Le poêle s'était éteint au cours de la nuit et l'eau avait tiédi. Blanche évita d'actionner le bras de la pompe qui, à chaque effort, émettait un bruit strident ; elle risquerait de réveiller toute la maisonnée. On lui en voudrait. Avec mille précautions pour ne pas faire de bruit, elle versa un peu d'eau tiède de la bouilloire dans le bol à mains et replaça en douceur le canard sur le rond de fonte. Après avoir fait un brin de toilette, elle se cacha à demi derrière le poêle et échangea sa jaquette contre sa robe de semaine qu'elle recouvrit d'un tablier en grosse toile.

Blanche aurait bien aimé posséder une robe de chambre en fin lainage comme celle de sa mère, mais celle-ci disait que ce n'était pas une nécessité. « Vos maris vous en paieront une », avait-elle ajouté.

Devant le petit miroir qui dominait le poêle, Blanche, les épaules rondes, le cou gracieux, farda légèrement sa peau claire et attacha ses longs cheveux dorés sur sa nuque. Elle lécha ensuite le bout de son doigt et le passa sur ses longs cils. À partir de ce jour, Blanche, qui, plus tôt, se préoccupait peu de son apparence, s'arrêtait discrètement chaque fois qu'elle passait devant le miroir.

Le cadran marquait six heures quand la jeune fille entendit des pas venus de la chambre du bas. Monsieur Beauséjour se présenta à la cuisine le premier. Sa chemise ouverte laissait voir une combinaison grise, et ses bretelles de pantalons flottaient sur ses hanches. Il passa près de Blanche, sans en faire de cas, comme si elle était invisible. Il se rendit au bas de l'escalier et, sans égard pour les femmes et le nourrisson qui dormaient, il s'écria :

– Les gars, levez-vous, c'est l'heure du train.

À son appel, la maison prit aussitôt vie. Les garçons martelaient le plafond avec leurs gros souliers. La pompe à eau, manœuvrée par une main à la poigne de fer , se mit à grincer. Le bébé se mit à pleurer. Blanche, attirée par les cris du nourrisson, se pressa de monter. Elle rencontra Maxime dans l'escalier.

Sitôt arrivée en haut, Blanche ouvrit la mauvaise porte et se retrouva dans la chambre de Noé qui, d'un mouvement rapide, tira le drap sur sa nudité.

Blanche se figea net. Elle n'avait jamais vu un homme en costume d'Adam. Elle détourna le regard et, à l'étroit dans la pièce exiguë, elle se sentit comme un petit animal pris dans un filet. Une chaleur lui montait au front. La respiration lui manquait, les mots aussi. Quand elle put reprendre ses esprits, elle bafouilla :

— Je me suis trompée de chambre.

Noé semblait rendormi. Blanche tourna les talons.

Elle referma la porte et, stupéfaite, elle resta un moment dans le passage, à se mordre les lèvres, à se détester, le temps de reprendre ses esprits. Dieu qu'elle s'en voulait !

Le bébé pleurait toujours. Il fallait y aller. Cette fois, Blanche ouvrit la porte de droite. Elle se présenta devant Victorine, encore toute rouge de confusion.

Victorine avait cru entendre battre les portes, à travers les vagissements de l'enfant.

— Tu t'es trompée de chambre ? se moqua-t-elle.

— Ben oui ! Si tu savais comme je m'en veux ! Tu m'avais pourtant dit que tu couchais dans la chambre qui donnait vue sur l'étable.

— Oui ! Avant que j'accouche, on a changé de chambre avec Noé parce que la sienne était plus grande.

— T'aurais dû me le dire ; j'ai fait une belle dinde de moé !

Victorine éclata de rire.

— Chut ! Noé va nous entendre, pis y va croire qu'on s'amuse à ses dépens.

— C'est ça aussi ! ajouta Victorine en égrenant son petit rire clair.

La pièce était sombre. Blanche écarta les rideaux et s'occupa de consoler l'enfant. Elle changea sa couche, l'embrassa et le déposa en douceur dans les bras de Victorine pour la tétée. Elle saisit le seau à couches qui se trouvait près de la sortie et dit :

— Asteure, je vais devoir faire face à Noé, pis si tu savais comme ça me gêne ! J'ai juste envie de m'en retourner à la maison.

— Mais non. Tout ça est de ma faute.

En bas, une porte se ferma, puis la pompe à eau fit entendre de nouveau son bruit discordant.

— Le déjeuner est pas prêt, dit Blanche, je reviendrai plus tard.

Elle referma la porte en douceur et descendit.

Arrivée à la cuisine, Blanche constata que Maxime et son père avaient eu le temps de disparaître. Rosaire et Léopold ne tardèrent pas à se pointer le nez au haut de l'escalier, les yeux collés, les cheveux hirsutes, le pas traînant. Ils portaient leurs vêtements les plus durs à la misère. En passant, mi-endormis, devant Blanche, ils lui adressèrent un petit coup de tête presque obligé, et filèrent à l'étable.

Seul Noé manquait à l'appel. Blanche se demanda bien pourquoi. Tantôt, elle devrait lui faire face. Comment allait-elle arriver à contrôler sa gêne après sa méprise indécente ? Elle alluma le poêle et mit la bouilloire sur le feu vif. Après avoir passé un torchon sur le bois de la table, elle grimpa sur une chaise et retira de l'armoire une pile d'assiettes dépareillées qu'elle éparpilla sur la table. Ensuite, elle compta sept couteaux, autant de fourchettes et de cuillères et les plaça de chaque côté des assiettes. Tout en surveillant discrètement l'escalier, elle voyait à ce que le déjeuner soit prêt pour le retour des hommes. Elle démêla une pâte à crêpes et, tout en combinant le lait à la farine, elle se rappela ses premières danses, dans les bras de Noé, au mariage de Victorine. Par la suite, le garçon ne lui avait plus donné signe de vie ; elle se disait qu'elle ne devait pas être désirable. Dommage ! Noé était si séduisant.

Des piétinements au plafond dérangèrent ses pensées. Les pas s'engagèrent dans l'escalier. C'était lui, c'était Noé. Blanche sentit ses jambes mollir et un feu ardent lui monter au visage. Elle devait encore rougir ; elle détestait afficher ses états d'âme.

En passant devant Blanche, Noé, complètement à l'aise en dépit de ce qui s'était passé plus tôt, lui adressa un clin d'œil amusé et s'assit à la table. Blanche répondit par un sourire timide. Au même instant, la vieille cria de sa chambre :

— J'ai faim ! Quelqu'un, apportez-moé mon déjeuner.

Blanche n'allait pas se mettre à genoux devant la vieille comme le faisait sa sœur.

— Quelqu'un ? insista la vieille Prudentienne.

— Oui, oui ! J'arrive.

Sans se presser, Blanche prépara son repas, puis le lui porta.

— Mon nom, madame Beauséjour, c'est pas « Quelqu'un », c'est Blanche, trancha-t-elle.

— Aidez-moé donc à m'assire dans mon lit.

— Vous êtes malade ? Vous pouvez pas vous lever ni venir manger à la table avec les autres ?

— Votre sœur vous a pas dit que je me suis cassé un bras ? dit la vieille d'un ton plaintif.

— Un bras, pas une jambe ! Si je me trompe pas, ça doit faire un bon six mois de ça. Y est pas encore guéri ?

— Oui, mais y est encore sensible. Vous savez ce que c'est, pleurnicha la vieille ; à mon âge, les os sont lents à se ressouder. Pis après le coup, je suis restée faible.

— Vous pouvez marcher ? C'est pas à rester couchée que vous allez reprendre des forces. À matin, je vous apporte votre déjeuner au lit, mais à l'avenir, vous vous rendrez à la table ou ben vous vous passerez de manger.

Blanche ne se gênait pas. Elle n'était pas payée pour servir la belle-famille de Victorine. Au pis aller, on la mettrait à la porte et la vieille serait perdante. Au fond, Blanche savait très bien qu'elle avait le gros bout du bâton.

Elle déposa le cabaret sur une petite chaise qu'elle colla au lit et sortit.

Elle entendit la vieille bougonner : « Votre sœur a plus de cœur que vous. »

Blanche fit la sourde.

* * *

Le temps passait trop vite pour Blanche qui vibrait d'amour pour le beau Noé. Que le garçon soit paresseux, peu lui importait ; à dix-sept ans, les sentiments l'emportaient sur le raisonnement. Noé était le premier garçon à faire battre son cœur et elle n'en voyait pas d'autres.

Le dixième jour, Blanche aida Victorine à se lever.

— C'est mon dernier jour icitte. Je pars demain matin. C'est ben dommage ! Je vais tellement m'ennuyer de ton petit Jacob.

De Noé, Blanche ne parla pas.

Le matin, à la table du déjeuner, Blanche demanda qu'on la reconduise chez elle le lendemain.

– Je peux y aller, moé, proposa Noé, si p'pa me laisse atteler Gazelle au cabriolet.

Gazelle était une bête magnifique, elle faisait l'orgueil des garçons.

Son père ne répondit pas, ce qui signifiait qu'il ne s'y opposait pas ; Noé n'était bon que pour les commissions.

* * *

Le lendemain matin arriva trop vite.

Noé déposa sous le siège du cabriolet un sac d'avoine pour sa bête et, sur la banquette, une couverture de laine à carreaux rouges et noirs.

Blanche attendait le départ sur le seuil de la porte. Même si tous ses sens tendaient vers Noé, elle ne mettait que peu d'espoir dans ce trajet de retour.

Dans la cour de l'étable, Noé faisait reculer la pouliche de quelques pas pour attacher les traits au bacul.

Du perron, son père lui cria :

– Tiens ben ta pouliche. La véreuse essaie d'entrer à toutes les portes. C'est à croire qu'elle a été dressée par un boulanger.

C'était un matin merveilleux. Il avait plu la veille et la nature sentait le frais. Une belle promenade s'annonçait. Blanche monta et s'assit près de Noé, comme s'ils formaient un vrai couple. D'un œil discret, elle considérait le garçon avec une sorte d'adoration.

– Allez, hue, Gazelle ! commanda Noé.

La pouliche, les oreilles dressées, le cou en arc, prit le trot.

Ils partaient après le déjeuner. Une délicieuse odeur de pin embaumait l'air. Blanche jubilait. Elle en aurait pour plus d'une heure à se promener de colline en colline, assise auprès de Noé.

Son père resta là, un moment, à regarder disparaître l'attelage jusqu'à ce qu'il ne vit plus que deux traces de roues qui disparurent au loin.

Après un bout de chemin sans un mot, Noé tira la couverture et, d'une main maternelle, il la posa sur les genoux de Blanche, en prenant soin de bien la rentrer de chaque côté. Blanche se laissa dorloter. Elle aimait se sentir sous la protection de Noé.

— Dommage que vous partiez, dit-il, vous faisiez de bonnes tartes.

— J'ai appris ça de ma mère.

Il y eut un silence pendant lequel Blanche pensa : « Je serais ben prête à lui en faire toute ma vie. »

— Je suis morte de fatigue ; je suis pas habituée à servir tant de monde. Mais le petit Jacob va me manquer, dit-elle. C'est drôle comme on s'attache à ces petits êtres.

Un autre silence. Blanche ne savait plus que dire. Pourtant, elle s'y était préparée toute la nuit, une nuit étrange, remplie d'émotions, où elle s'était imaginée dans une chaumière cachée. On n'en apercevait qu'une porte et une fenêtre, et derrière cette porte, Noé et elle qui s'aimaient..

Mais la réalité était tout autre et elle n'y pouvait rien. Devant eux, le paysage changeait. C'était comme si la vie disparaissait et que la campagne dormait entre les monts. Le chemin était crevassé d'ornières profondes remplies d'eau, seul signe que le rang n'était pas désert.

Sur leur chemin se trouvait une maison en deuil, une affreuse maison à un étage, à la porte placardée où il était écrit « Défense d'entrer ».

– Je me demande de quoi vivent les gens sur ces terres pauvres.

Noé parlait peu, mais il lui sembla soudain qu'il pouvait dialoguer avec Blanche de lui, de ses projets. Sa figure s'anima.

– Y doivent aller aux chantiers. À Saint-Côme, y a pas autre chose que des fermes pis des chantiers pour gagner sa vie. Mais moé, j'ai aucune attirance ni pour la terre ni pour les chantiers. Dommage! Mon père veut pas comprendre ça. Comme je suis le plus jeune, y m'a offert de prendre la relève sur la ferme, mais j'y ai dit que j'en voulais pas. Qu'y la passe à Léopold ou ben à Rosaire.

Une voiture les croisa. Il y avait donc un peu de vie sur ce chemin perdu, ce chemin défait par les pluies du printemps? Soudain, la voiture pencha dangereusement sur le côté. Blanche s'agrippa des mains à son siège et retint un cri. Le cabriolet reprit sa place sur le plat du chemin.

– La lune est blanche, dit Noé. C'te nuite, y va geler. Au retour, le chemin sera plus solide.

Le danger passé, Blanche reprit la conversation là où elle l'avait laissée.

– Qu'est-ce que vous aimeriez faire d'autre dans la vie? Vous devez ben avoir des goûts, des projets.

– Je sais pas trop. Peut-être construire des belles maisons. Pour ça, y faudrait que je m'éloigne un peu, mais, sans argent, on va pas loin. À Joliette, y a des menuisiers qui engagent, mais y exigent de l'expérience.

— Y a un commencement à tout. Et si au début, vous travailliez à salaire plus bas, le temps d'apprendre le métier ?

— Comme apprenti ? Peut-être !

Blanche n'écoutait qu'à moitié. Elle espérait que, sur le pont couvert, Noé profiterait du fait qu'ils seraient à l'abri des regards pour l'embrasser. Il tira les cordeaux afin de ralentir l'allure du cheval.

« Ça y est, se dit-elle, Noé va m'embrasser. »

— Sur le pont, dit-il, c'est défendu de laisser trotter les chevaux. C'est une loi que le conseil a votée.

Noé ne lui accorda aucune marque de tendresse. Blanche était un peu déçue.

Ils avaient devant eux deux rangs : le Versailles et le chemin de la ferme. Noé n'hésita point. Il tira la rêne à droite.

— Je crois que vous vous trompez de chemin, dit Blanche, étonnée. Y fallait tourner à gauche pour prendre le rang Versailles.

— J'étire un peu la promenade, dit-il, on va aller faire un petit tour à la Chute-à-Bull.

— J'ai jamais été par là. C'est-y loin d'icitte ?

— Un peu, mais comme y fait beau pis que j'ai rien d'autre à faire...

— Vous devez vous ennuyer à rien faire de vos journées ? dit-elle.

— Non. Je trouve toujours quelque chose pour me désennuyer. Pis le soir, je vais souvent veiller au village.

Noé prenait la vie comme un cadeau.

— Vous avez une amie au village ? lui demanda-t-elle.

Blanche sourit et ajouta vivement :

— Vous êtes pas obligé de me répondre.

– Non! Quelle fille accepterait de se laisser fréquenter par un garçon qu'y a rien devant lui?

«Moé», pensa Blanche.

– Pis je comprends ça! continua Noé. J'aurais rien d'intéressant à offrir à une fille sérieuse.

Blanche, qui ne demandait rien d'autre à la vie qu'un cœur et une chaumière, pensa: «Si Noé savait que je serais prête à tout accepter par amour pour lui.»

Mais elle garda pour elle ses pensées secrètes.

Blanche, une rêveuse à la recherche de tendresse et de grandes émotions, raisonnait en adolescente, beaucoup plus sensible aux beaux sentiments qu'aux pensées pratiques. Elle hésitait à lui avouer ses sentiments. Si Noé levait le nez sur elle, quelle honte et quels regrets elle éprouverait par la suite! N'empêche que plein de belles pensées tourbillonnaient dans son cerveau, mais c'était comme si un fil de fer spiralé les barricadait toutes.

Le soleil montait dans le ciel, et la température grimpait aussi. Blanche avait chaud. Toutefois, elle ne repoussa pas la couverture que les mains de Noé avaient touchée; pour elle, ç'aurait été un peu comme repousser le bonheur.

Ils ne voyaient rien d'autre sur ce long chemin qu'un vieillard poussant une brouette à demi remplie de cailloux. Un chien le suivait, la tête basse comme s'il flairait le chemin.

– Un homme pis un cabot, dit Blanche, y a pas trop de civilisation par icitte.

– Le chemin est défait; je ferais mieux de tourner.

Ils reprirent la route en sens inverse. Noé se signa de nouveau en passant devant la croix du chemin. Tous les hommes avaient le même geste.

— Dommage ! Vous verrez pas la Chute-à-Bull.

— J'ai quand même fait une belle promenade, moé qui sors seulement pour la messe du dimanche.

Les fermes se rapprochaient. Après avoir passé l'hiver encabanés dans leur maison, les gens sortaient sur leur perron. Tout le village bougeait. Dans la rue principale, le forgeron ouvrait toute grande sa porte ; quelques maisons plus loin, l'arracheur de dents attendait ses clients sur son perron. Les enfants envahissaient la cour d'école. On voyait des femmes et de jeunes enfants prendre la rue. Midi sonnait au clocher et nos voyageurs n'avaient pas mangé depuis le matin, mais ni l'un ni l'autre ne se plaignait de la faim.

— Vous, Blanche, vous avez un ami ?

— Non. Pour moé, c'est ben différent. Ça revient aux garçons de faire les premiers pas, pis nous autres, les filles, on a rien qu'à attendre qu'un d'entre eux nous remarque ; je dirais plutôt : nous choisisse. C'est notre sort. Quand on reste au fond d'un rang, on est oubliées. On passe nos veillées à la maison. Ce qui revient à dire que c'est la liberté pour les garçons et la solitude pour les filles.

— Vous dites « oubliées » ? Vous autres, les petites Gaudet, des belles filles aux cheveux d'or ? Je vous cré pas pantoute.

Blanche rougit. Son cœur battait à grands coups dans sa poitrine. Elle se retenait d'appuyer sa tête sur l'épaule de Noé. Elle se serait contentée d'un simple contact de son corps touchant le sien.

— Vous êtes en train de me gêner avec vos menteries, dit-elle.

Noé lui donna des petites tapes amicales sur la main.

– Y a pas juste moé qui le dit.

Blanche pensa qu'après tout elle était peut-être regardable.

– Y est passé midi pis on n'a pas la moitié du chemin de parcouru.

Noé menait sa pouliche au trot dans le rang Versailles.

Un petit vent courait et le fond de l'air fraîchissait. Blanche releva le col de son manteau et attacha le premier bouton.

Tout le reste du chemin, elle conversa plus à l'aise.

Arrivée chez elle, la jeune fille invita Noé à entrer.

– Non, merci ! Je dois m'en retourner. Le retour risque d'être plus long que l'aller… je veux dire plus ennuyant, vu que je voyagerai seul.

– Cette fois, vous ne ferez pas de détour.

Blanche ne savait pas quoi inventer pour retenir Noé.

– Vous pourriez en profiter pour laisser reposer votre bête. Pis pendant ce temps-là, on pourrait grignoter un petit quelque chose.

– Si vous me tordez le bras, dit Noé en sautant au sol, comme s'il n'attendait que l'invitation.

Il contourna le cabriolet et tendit une main à Blanche qui descendit à son tour.

Le père de Blanche apparut sur le perron.

– Laisse-moé dételer ta pouliche, dit-il. Je vais la lâcher lousse dans le pré.

– Merci ben, m'sieur Gaudet !

Noé suivit Blanche à la maison.

Blanche rentra chez elle un peu déçue. Noé lui avait fait traverser toute la paroisse et il ne lui avait pas dit les mots qu'elle rêvait d'entendre ni accordé aucune marque d'affection. Pas une fois, il ne lui avait fait sentir qu'elle était importante à ses yeux. Elle avait quand même le contentement d'une belle amitié.

Maintenant, elle se demanda bien ce qu'elle allait lui préparer à manger. Elle s'était un peu avancée en l'invitant à grignoter.

Heureusement, dans la cuisine, le souper prévu pour le soir mijotait déjà sur le feu.

— M'man, j'ai invité Noé à souper avec nous, dit Blanche. On n'a pas dîné. Vous auriez pas un p'tit quelque chose pour notre dent creuse en attendant le souper ? Avec la trotte qu'on vient de faire, on a pu rien sur l'estomac.

— Vous arrivez comme un cheveu sur la soupe, j'ai rien de prêt. Mais y me reste quelques beignes dans la crèmerie. On pourrait les réchauffer au four. Va les chercher. Mais avant, descends le plat à bordure verte qu'y est sur la deuxième tablette du garde-manger, tu le rempliras pis t'apporteras un peu de crème fraîche avec ça.

Marquise ajouta deux grosses patates au chaudron.

Elle sortit une miche de pain du four, et la bonne odeur de levain emplit toute la pièce.

— Si vous voulez souper avec nous autres, y faudra vous contenter d'un ragoût de bœuf aux carottes. Si j'avais su que Blanche m'amènerait de la visite, j'aurais tué une poule.

— Chez nous, dit Noé, on a appris à manger ce qu'y a sur la table ; mon père aurait pas enduré de mauvaises remarques sur la nourriture. Mais là, je voudrais pas m'imposer.

— Allez pas penser ça, Noé, vous serez toujours le bienvenu icitte.

– Approche, dit Félicien Gaudet en tirant une chaise à l'intention de Noé. On va s'asseoir sur le coin de la table en attendant le souper.

Tout en parlant, l'homme sortit de l'armoire une bouteille de vin de cerise et un carré de fromage qu'il déposa devant Noé. Il rompit la miche de pain frais et lui en tendit un morceau, puis il remplit deux verres, un pour lui, un pour Noé.

– Santé! dit-il en levant son verre à la hauteur des yeux.

– Santé! répéta Noé qui n'avait jamais bu.

À la première gorgée de vin, Noé se mit à toussoter. Il grimaça en flattant son verre avec la paume de sa main. C'était pourtant un bon vin. À la deuxième gorgée, il vida le verre d'une traite, comme on boit un verre de lait. Félicien le remplit de nouveau et Noé l'avala encore d'un coup.

Les deux hommes jasèrent allègrement. Félicien riait et Noé, un sourire engourdi au coin de l'œil, le voyait légèrement embrouillé.

En voyant Noé un peu gris, Blanche saisit la bouteille et la déposa sur le coin du comptoir.

Un petit coup dans le nez suffit pour mettre Noé parfaitement à l'aise. Tout le temps du repas, il parla beaucoup de choses peu intéressantes pour Blanche. Mais elle ne se lassait pas d'écouter cette voix grave, cette voix adorée.

Finalement, Noé reprit son chapeau sur le dossier de chaise et sortit. On était entre chien et loup. Blanche jeta une petite laine sur ses épaules et le suivit sur le perron.

– On peut dire qu'y a de la vie dans votre maison, pis de la bonne bouffe, dit-il. Je sais maintenant de qui vous tenez pour faire si bon à manger.

— Vous pourrez revenir si le cœur vous en dit.

Noé la remercia.

— Mais où est passée Gazelle ? dit-il.

Tout en broutant l'herbe, sa bête s'était rendue au bout du pré.

* * *

Chez les Beauséjour, la vie reprenait son cours. La vieille grand-mère ne se privait pas pour bercer l'enfant et, de son côté, Victorine ne s'en plaignait pas : elle pouvait ainsi abattre sa besogne sans être dérangée par les pleurs du bébé. Cependant, l'arrivée du petit Jacob apportait un surplus de travail à sa tâche déjà trop lourde : les tétées, le bain, le lavage de couches... Victorine s'efforçait d'oublier sa fatigue qu'elle mettait sur le compte de son accouchement encore récent. Tout en travaillant, elle devait garder constamment un œil sur la vieille, de peur qu'elle s'endorme et chute de nouveau avec l'enfant dans les bras.

Chapitre 8

Victorine servait le souper de fête du premier anniversaire de Jacob quand, soudain, elle tomba comme une masse aux pieds de la vieille Prudentienne. Maxime, fortement secoué, se leva en vitesse et courut s'agenouiller près d'elle. Il croyait sa femme morte. Il prit sa main et répéta son nom. Victorine n'avait aucune réaction.

Les garçons échangeaient entre eux des regards inquiets. De voir une personne vive et jeune comme Victorine se retrouver par terre avait quelque chose de troublant.

Pendant qu'on s'occupait de Victorine, la vieille mit les plats dans le réchaud du poêle.

— Noé, dit Maxime, va chercher le docteur. Fais ça vite.

Maxime souleva difficilement le corps de Victorine, mou comme un chiffon, et le déposa sur le banc-lit qui se trouvait tout près de la porte. Il prit son pouls. Le cœur battait faiblement. Il passa une serviette humide sur son front. Victorine n'eut aucune réaction. Maxime s'assit à son côté et prit sa main. Il tremblait.

Soudain, Victorine entrouvrit les yeux.

– Qu'est-ce que je fais icitte, étendue sur le banc-lit? demanda la jeune femme d'une voix faible.

Elle tenta de s'asseoir, mais Maxime l'en empêcha. Il lui intima de l'index l'ordre de rester immobile.

– Tu t'es évanouie. Noé est parti chercher le docteur.

– Ben voyons donc! J'ai pas besoin du docteur; je suis ben correcte.

– T'es pas correcte. On perd pas connaissance pour rien.

Comme Victorine faisait un nouvel effort pour se lever, Maxime posa une main ferme sur son épaule.

– Tu restes là jusqu'à ce que le docteur t'examine. Tu te vois pas, t'es blême comme une vesse-de-carême.

– Qui cé qui va faire mon ouvrage?

– T'inquiète pas. On verra à ça en temps et lieu.

– Y faut que je nourrisse le petit.

– Pas tout suite.

À l'arrivée du médecin, les garçons sortirent à l'extérieur et les vieux se retirèrent dans leur chambre. Prudentienne se plaignit à son mari:

– Y nous en arrive une belle! Moé, j'ai pas la santé pour soigner ma bru, pas plus pour la servir. Pis là, avec le petit qui demande un surplus d'ouvrage...

– Attends de voir ce que va dire le docteur; c'est peut-être rien de grave.

Le médecin ausculta la jeune femme, prit son pouls et sa température, puis il leva les yeux vers Maxime.

– C'est de l'épuisement. Votre petite dame s'en donne trop, avec toute une maisonnée sur les bras. Vous allez devoir lui trouver une remplaçante pour au moins un mois. Qu'on lui serve du bifteck saignant deux fois par semaine. Je vais lui donner un bon remontant.

— Faites donc ça ! Si ça peut y redonner des forces...

— Avec ça, elle va se sentir mieux et elle va vouloir se remettre à la tâche, mais je lui défends de reprendre la besogne avant que je lui donne mon assentiment. Votre dame devra cesser de nourrir l'enfant et exempter une nouvelle naissance pour au moins un an.

Le médecin tourna le regard vers Victorine.

— Je vous permets d'aller de votre chaise à votre lit, pas un pas de plus. Si vous n'écoutez pas mes recommandations, vous allez traînasser pendant des années.

— Comptez sur moé, docteur, dit Maxime, je vais m'en occuper.

Dès le départ du médecin, tout le monde, curieux de connaître son diagnostic, se rassembla dans la cuisine.

Maxime dit à son père :

— Je vais devoir conduire Victorine pis le petit chez sa mère. À moins d'engager une bonne pour la remplacer. Mais pour cela, ça prendrait des sous pis j'en ai pas.

L'absence de Victorine allait affecter toute la maisonnée. Tout le monde ajouta son grain de sel, sauf Victorine qui laissait les autres décider pour elle.

— Ta belle-sœur pourrait pas revenir pour un mois ou deux ? demanda la vieille à Maxime.

Noé intervint.

— Que Blanche aide sa sœur serait ben normal, m'man, mais qu'elle soit au service de toute la famille, à laver notre linge, à faire notre popote, à tenir maison, ça, c'est une autre histoire.

— Bah! Faire la popote pour deux ou pour dix, ajouta la vieille.

— Blanche nous doit rien, ajouta Noé. Ce serait normal de la dédommager pour ses services.

— Noé a raison, dit la vieille, qui craignait que toute la besogne ne lui retombe sur les bras.

Depuis que Victorine était entrée dans sa maison, la vieille avait perdu la main et elle ne se voyait pas reprendre le collier et servir sa bru en plus.

Le vieux Antoine semblait réfléchir. Il se grattait la tête. Mais c'était sa femme qui menait et celle-ci n'allait pas s'abaisser à servir une Gaudet.

— Ça coûterait combien? demanda-t-il.

— Quelque chose comme un dollar ou deux par semaine.

Le vieux grimaça, calcula, recompta, pour enfin se résigner à extirper quelques dollars de son bas de laine.

— S'il le faut absolument, dit-il.

Maxime espérait que Blanche accepte de revenir. Sinon, Victorine et l'enfant devraient s'éloigner.

— Ce soir, Noé, irais-tu chez mes beaux-parents leur donner des nouvelles de Victorine pis demander à Blanche si elle accepterait de reprendre la besogne? Tu pourrais coucher là-bas pis ramener Blanche au petit matin.

— Je vais faire l'aller-retour d'une traite. J'aime ben coucher dans mon lit. Sinon, j'irai demain.

— Si tu décides d'y aller cette nuit, apporte la carabine au cas où tu serais attaqué par les loups.

Noé décrocha le fusil du mur, le chargea et sortit, l'arme à la main, la couverture de laine quadrillée rouge et noir sur un bras. Il lança le plaid sur le siège du cabriolet et plaça la carabine à ses pieds, à l'avant de la voiture. Avant d'atteler Gazelle à la voiture, il vérifia les deux lanternes fixées au siège. Il les remplit d'huile à lampe puis il ouvrit les petites cages vitrées et alluma les mèches. Ainsi, ils ne passeraient pas inaperçus des autres promeneurs. Il attela la pouliche au cabriolet et fila en pleine noirceur.

* * *

Chez les Gaudet, tout le monde dormait. Félicien ronflait comme un bienheureux quand sa femme secoua son épaule.

— Félicien! Ça cogne à la porte.

— Hein? En pleine nuite?

— Ça doit être Pisseux.

Ce quêteux était surnommé ainsi parce qu'il sentait l'urine.

— Pisseux cognerait pas; y connaît les aises.

Le temps de reprendre ses esprits, Félicien se leva en combinaison et se rendit à tâtons à la cuisine. Il alluma la lampe et la tint devant le carreau, de façon à éclairer le visage du visiteur nocturne.

— C'est moé, monsieur Gaudet, murmura Noé de l'autre côté de la porte, Noé Beauséjour, le beau-frère de Victorine.

Félicien, soucieux, ouvrit.

— Entre! Icitte, la porte est jamais barrée. Tire-toé une chaise pis dis-moé ce qui t'amène à pareille heure! Tu te promènes sûrement pas en pleine nuite pour rien.

Noé lui expliqua brièvement la raison de sa visite.

— Victorine, malade! Y manquait pus rien que ça! Elle en a trop sur les bras; elle avait déjà une grosse besogne, pis là, avec le petit en plus. Bouge pas de là, je vais aller chercher ma femme, tu y raconteras tout ça.

— Pauvre Victorine! s'exclama Marquise. Ce doit être un excès dû à la surcharge de la famille. Si on l'amenait passer un mois icitte avec le petit, je pourrais prendre soin d'eux.

— Elle a son mari, là-bas, dit Noé. Maxime fait demander si sa sœur Blanche accepterait de revenir pour au moins un mois. P'pa serait prêt à y payer des gages.

Marquise monta et secoua Blanche.

— Réveille-toé, Blanche, y a quelqu'un en bas pour toé.

— Pour moé?

Blanche attacha ses cheveux à la diable et descendit vêtue d'une vieille jaquette flottante qui s'arrêtait aux genoux.

Sa mère vit le regard de Noé s'attarder sur les longues jambes droites de Blanche.

Celle-ci s'arrêta net à la dernière marche, à moitié réveillée, et passa une main sur son front.

— Vous? Noé?

Rêvait-elle?

Sa mère la ramena vite à la réalité.

— Ta sœur Victorine a besoin de ton aide. Monte t'habiller pis prépare tes choses à apporter. Tu dois partir pour un mois.

Blanche feignit l'indifférence. Si sa mère avait pu voir ce qui se passait dans son for intérieur, elle ne l'aurait jamais laissée partir.

Marquise suivit sa fille dans l'escalier. En haut, elle lui répéta les faits concernant Victorine et l'avertit sévèrement :

— Là, tu vas pas partir en pleine nuit avec un garçon. Ton père va aller te reconduire.

— Vous voulez dire que l'attelage de p'pa suivra celui de Noé ? J'aurai l'air de quoi, moé, là-dedans : d'une fille qui sait pas se tenir ? que son petit p'pa surprotège ? à qui sa mère fait pas confiance ? Non ! D'abord que c'est comme ça, allez-y, vous ! Moé, je me recouche.

Blanche, avec son talent d'actrice, ajouta :

— Tant qu'à moé, là-bas ou ben icitte, ça me dérange pas pantoute !

Elle s'appuya au cadre de porte, les bras croisés, les yeux mi-fermés, et resta plantée là sans bouger, comme une statue de plâtre, alors que, intérieurement, elle pensait tout le contraire.

— Bon, ça va, ajouta Marquise qui se radoucit. J'espère que t'abuseras pas de ma confiance parce que si tu te conduisais mal, tu me ferais ben de la peine.

Blanche ne répondit pas. Elle frottait ses beaux yeux lourds de sommeil.

Sa mère descendue, elle enfila vivement une robe, puis elle se pressa de remplir sa malle de quelques menus effets.

* * *

Les étoiles pétillaient dans le firmament.

On était à la fin d'avril et les nuits étaient encore froides. Noé enveloppa Blanche dans la couverture avec des gestes maternels, comme si elle était une enfant, et Blanche, sensible à sa prévenance, se laissa choyer.

— Pis vous, dit-elle, vous aurez pas froid ? Je peux vous laisser la moitié de ma couverte.

Noé accepta. Entortillés dans la même couverture, chacun sentait la chaleur de l'autre. Peut-être Noé l'aimait-il un peu ? Personne, autre que Noé, ne pouvait répondre à sa question non formulée. Elle attendrait.

— Vous avez pas peur de voyager en pleine nuit ? demanda Blanche.

— Non ! J'ai une carabine à mes pieds. Au besoin, j'hésiterai pas à m'en servir. Pis vous ?

— Moé, je vous fais confiance.

— Vous savez ben que, s'il arrivait quelque chose, je serais là pour vous défendre.

Noé, la défendre ! Elle, Blanche Gaudet ! Était-ce un sous-entendu ? Au fond, Blanche savait que ces petites attentions n'étaient pour elle que de folles chimères.

Pendant un bon moment, on n'entendit plus que le son des roues sur les cailloux. Blanche bâilla de sommeil.

— Vous pouvez dormir si ça vous le dit. Demain va venir vite, pis à la maison, une grosse journée vous attend.

— J'aurais trop peur de tomber de la voiture ; comme votre mère qui est tombée en bas de sa berçante.

— Pas si vous vous appuyez sur moé ! Approchez. Oui, comme ça !

Noé laissa une main sur la joue de Blanche pour empêcher sa tête de ballotter au gré des cahots et celle-ci interpréta ce geste comme une douce caresse sur sa joue. Noé éprouvait-il la même sensation ?

Blanche, enveloppée de tendresse, ferma les yeux, mais ses sens restèrent en éveil. Elle résistait au sommeil pour mieux sentir le corps de Noé contre le sien et ainsi flotter en pleine euphorie. À certains moments, la monotonie du trot sur le gravier l'endormait, mais ses somnolences étaient chaque fois de courte durée : elle faisait tout pour résister au sommeil.

Arrivé chez lui, Noé aida Blanche à descendre de voiture et porta sa valise à la maison. Toute la maisonnée dormait. Pendant que Noé déposait une bûche sur le feu, Blanche, comme une gamine, se jeta tout habillée sur le banc lit qui se trouvait près de la porte et murmura en fermant les yeux :

— Qu'on me laisse dormir jusqu'à ce que je meure !

Noé, planté devant elle, la regardait en souriant. Blanche avait des lèvres qui réclamaient un baiser. Il se pencha et juste comme sa bouche frôlait la sienne, il se redressa par crainte d'être rabroué. Il allait oublier Gazelle ; la pauvre bête l'attendait devant la porte.

Chapitre 9

Dans le rang Versailles, Blanche partie de la maison, Léonie s'ennuyait, seule avec ses vieux parents. Encore un peu plus de cinq ans et ce serait son tour de quitter la maison pour entrer en communauté.

Léonie ne faisait aucun cas des garçons. Son cœur promis à Dieu, l'adolescente ne voyait pas qu'un nouvel arrivé dans la paroisse avait jeté son dévolu sur elle : le dimanche à l'église, Jean-François Morin, le petit clerc de notaire, attiré par la beauté de la jeune fille, la dévorait des yeux. Léonie était aussi svelte que ses sœurs aînées ; la délicatesse de ses traits, son petit air tranquille, sa pudeur juvénile : tout dénotait chez elle grâce et sagesse. Ses sœurs Blanche et Victorine la surnommaient « sainte Léonie ».

— Achevez donc ! qu'elle répétait en souriant chaque fois que ses sœurs l'étrivaient.

* * *

Chez les Beauséjour, la balançoire ne bougeait que par la force du vent. Blanche ne voyait plus Noé se balancer comme avant sous le vieux chêne. Depuis quelques jours, la remise était devenue son refuge. Il avait sorti de la resserre deux voitures, une brouette, des instruments de jardinage et quelques vieux outils utiles pour la ferme. Dans un coin du local se trouvait un gros établi avec un étau, des mèches, des scies et une équerre.

La porte ouverte sur le soleil du matin, Noé, le crayon sur l'oreille, le pied-de-roi sur la cuisse, trouait un bout de planche au vilebrequin.

Au retour de l'étable, son père fut étonné de voir tout le contenu de la remise se retrouver sous l'appentis, sauf quelques restes de bois appuyés dans un coin de la pièce. Il crut d'abord que Noé y faisait un ménage en règle, comme il lui arrivait parfois quand il s'ennuyait à ne rien faire. Il s'arrêta un moment dans l'embrasure de la porte, à regarder son cadet. Ça sentait bon, le bois de pin frais scié.

Noé mesurait la largeur, la hauteur, vérifiait, comptait sur ses doigts, se grattait la tête.

— Entrez, p'pa. Vous pouvez vous assire icitte si vous voulez.

Son père s'assit sur le quart à clous, les pieds dans le bran de scie.

— Qu'est-ce que c'est que ce papier? dit-il.

— Des calculs.

— Je vois! Et ça? ajouta son père en désignant une grosse boîte en bois.

— C'est le coffre à outils du père Anthime; je l'ai emprunté.

— Pis lui?

— Y est parti aux États visiter son frère.

Son père s'approcha en étirant le cou au-dessus du coffre ouvert. Il était rempli de scies de toutes espèces, de marteaux à tête de bois, de rabots, de ciseaux, de mèches, d'un vilebrequin, d'une varlope, d'une équerre, d'un niveau et, dessous, d'autres outils à moitié cachés.

Noé approcha deux chevalets et y déposa une planche à l'horizontale. Il donna un coup de tête vers son père.

— Venez donc tenir ma planche pour l'empêcher de grouiller le temps que j'y donne un coup de varlope.

Noé posa les deux mains sur son outil et hop! tire, pousse; le bois sifflait sous son rabot qui faisait voler de minces rubans frisottés.

Noé travaillait toute la journée à la lumière du jour et le soir au fanal, pour profiter des outils du père Anthime.

Antoine Beauséjour retint un sourire en voyant son fils scier et équarrir des petites chevilles en pin, un travail qui demandait de la précision. Noé avait le souci du détail.

— J'ai trouvé des planches qui traînaient dans le haut de la grange depuis des années, dit Noé. Je me suis dit que comme elles servaient pas, je pourrais peut-être en faire quelque chose.

— Ça te prendrait un modèle, lui dit son père.

— Je prends modèle sur mon bureau. Toutes mes mesures sont là, sur le papier. Regardez.

— Si tu penses pouvoir te débrouiller avec rien! Pour un début, dit-il, t'as pas choisi le morceau le plus facile. Si j'étais toé, je commencerais par quelque chose de plus simple, comme un banc à traire.

— C'est d'un bureau que le p'tit Jacob a besoin.

Lentement, le meuble prit forme, un meuble aux angles à l'équerre. Le père pensa que son Noé, à bout de patience, abandonnerait au bout de quelques jours. Mais non! Noé n'était peut-être pas un fainéant comme il l'avait toujours cru.

À partir de planches de bois brut, piquées par les vers, que son père avait remisées depuis des années dans la grange, Noé réussit à fabriquer un bureau à trois tiroirs, avec un support à serviettes de chaque côté. Après avoir bouché les trous de vers avec de la pâte à bois, Noé sabla la surface à la main pendant des jours. Il en avait mal aux poignets. Que de patience pour arriver à donner au meuble un fini doux au toucher! Son père, témoin de son talent et de son intérêt pour l'ébénisterie, lui dit en retenant un sourire :

— Je t'aurais pas cru si adrette!

— Vous pensiez que j'avais le cordon du cœur trop long juste parce que j'aime pas les animaux pis la terre, hein?

— Je me demandais juste si t'arriverais un jour à gagner ta vie. D'abord que t'aimes travailler le bois, cette semaine, on ira à Joliette t'équiper d'outils qui ont de l'allure.

Noé s'arrêta un moment pour regarder son père. Lui, si économe, était prêt à lui acheter des outils. C'était impensable!

— En même temps, y faudrait acheter des poignées de métal pis des vis. Si Maxime pouvait se trouver du bois sec pis le faire scier en planches, j'y ferais aussi une table de cuisine pis un banc.

— Parle donc de ça au père Anthime; y a p't'être ben du bois sec qui traîne dans sa boutique.

* * *

De retour de son voyage aux États, le père Anthime passa chez les Beauséjour.

— Je m'en viens voir si t'as pas tout ébréché mes outils, dit l'homme pince-sans-rire.

— J'espère ben que non.

Le père Anthime inspecta le bureau sous tous ses angles.

— T'as fait du beau travail, mais tu vois, les tiroirs résistent; j'ai beau les tirer, le bureau vient avec.

— Je peux leur donner un coup de varlope.

— Ça marchera pas. Va plutôt me chercher un morceau de savon.

Quand Noé revint avec le savon du pays, le père Anthime frotta les rainures, et les tiroirs glissèrent sans résistance.

— Asteure, tu vas appliquer une cire d'abeille. Va chercher une guenille propre, je vais te montrer la méthode.

Chapitre 10

Depuis l'arrivée de Blanche chez les Beauséjour et depuis leur début de baiser avorté sur le banc-lit, Noé se permettait aussi des pauses à la cuisine, de préférence l'après-midi, quand sa mère, Victorine et l'enfant faisaient leur sieste. Les coudes sur la table, les yeux sur Blanche, Noé s'attardait de longs moments à regarder la jeune fille travailler. Il la détaillait de la tête aux pieds. Ses cheveux blonds, attachés sur sa nuque, étaient retenus par un élastique, et un grand tablier blanc cachait sa robe de semaine, devenue trop petite. Blanche avait la peau mince, le teint clair, les yeux cristallins et une bouche aux lèvres légèrement ourlées.

Noé se rappelait la nuit où il était allé la chercher ; ses longues jambes droites dépassaient de sa jaquette. Depuis quelque temps, plus il la regardait, plus il la désirait.

— Vous me faites perdre mon temps, dit-il un jour à Blanche, qui rit de bon cœur.

— Je peux en dire autant de vous. Mais au fond, vous m'amusez avec vos histoires. Un peu de passe-temps peut pas nous faire de tort. Vous autres, les garçons, vous pouvez vous amuser, sortir le soir et rentrer à l'heure que vous voulez, tandis que, pour moé, vous êtes ma seule distraction.

— Si c'est comme ça que vous le prenez, je vais revenir.

— Je vous servirai un morceau de tarte.

— À soir, je vais aller faire un tour à la forge avec Rosaire pis Léopold.

— Qu'est-ce qu'y se passe de si intéressant là pour que les hommes s'y rassemblent tous les soirs?

— Les hommes lâchent leur fou. Si vous les voyiez! Vous connaissez Valmor Gauthier, ce petit homme haut comme trois pommes? Un vrai paquet de nerfs. Ben, celui-là, Théodule le lâche pas, histoire de rire un petit brin. Y s'amène par-derrière lui, en douceur, comme une souris. Les autres font semblant de rien voir quand Théodule s'approche pis l'agrippe aux épaules. Valmor lâche un cri et fait un de ces sauts, haut comme la table. Théodule le fait rouler au sol et le chatouille. Quand le pauvre arrive à se relever, il traite Théodule d'écœurant de cochon pour le regarder aussitôt avec un grand sourire. Un vrai *show*! Les gars se tordent de rire. Ça fait du bien de se lâcher un peu.

— Y en a qui disent qu'y a des combats de coqs assez violents pis que les hommes misent de l'argent.

Noé reprit:

— C'est faux!

— D'autres disent que les hommes racontent des propos de commères souvent scandaleux.

— Ben non. Le plus souvent, ce sont des histoires de peur, de revenants, de loups-garous, de feux follets, quand c'est pas des histoires de diable. Ensuite, quand on revient à la noirceur, on a une peur bleue.

— Y sont pires que des enfants! dit-elle.

— Ben oui! Y en a qui s'apportent un petit flacon pis, des fois, le forgeron Larochelle leur verse un verre de caribou. Moé, comme je bois pas, j'écoute les nouvelles de tout un chacun.

— Quelle sorte de nouvelles?

— Des vraies comme des fausses. La semaine dernière, par exemple, Larochelle racontait qu'un des gars à Origène Lepage va aller étudier à l'Assomption pour devenir prêtre.

— Ses parents ont de l'argent?

— Non, c'est un oncle curé qui lui paie son séminaire. On dit aussi que les Bordeleau viennent d'avoir des jumelles.

— Les chanceux! J'aimerais ça, avoir des jumelles, mais, pour ça, y faut se marier, pis c'est pas pour demain.

— On jase un peu sur le compte d'Achille Lafrenière pis de sa jeune femme Pauline qui sont aux États. On dit qu'y se passe des choses là-bas, mais quelles choses? Icitte, les Marion pis les Lafrenière refusent de donner des nouvelles d'eux, comme si y étaient morts. Y en a qui se demandent si y sont encore ensemble.

En haut, le bébé pleurait.

— Attendez-moé icitte, je vais aller chercher le petit avant qu'y réveille votre mère.

Blanche monta et revint avec le bébé enveloppé dans une couverture de flanelle. Elle le berça à grands coups d'arceau. Noé, qui étudiait ses moindres gestes, se dit: «Blanche fera une bonne mère.»

* * *

Un de ces soirs, Noé se rendit à la forge. Une odeur de cheval et d'acier trempé empestait la pièce. Le père Larochelle, avec sa casquette sale et son tablier de cuir, ferrait un vieux percheron. Il raconta à qui voulait l'entendre qu'à Montréal un commerce nommé Meubles antiques était à la recherche d'artisans capables de le fournir en commodes et en armoires en pin.

Tout ce qui touchait la menuiserie intéressait Noé, qui prêta une attention particulière à ses paroles. Ce renseignement arriva au bon moment dans sa vie, comme une coïncidence inattendue, inexplicable. Son père disait : le hasard sait toujours trouver ceux qui savent s'en servir.

— De qui tenez-vous ça ? s'informa Noé au père Larochelle.

— Le commerçant lui-même est venu s'informer icitte. Y s'en est retourné bredouille, en disant qu'y allait faire le tour des petites paroisses.

Noé, pensif, s'en retourna chez lui. La longue route du village à la maison lui permit de réfléchir aux paroles du forgeron. Quelque chose le poussait à s'informer, lui qui aimait travailler le bois. L'ébénisterie l'attirait. S'il s'informait directement sur place ? Après tout, il n'avait rien à perdre.

Le lendemain, Noé demanda au père Anthime de l'accompagner à Montréal.

Il revêtit son pantalon gris et ses souliers vernis.

* * *

À leur arrivée, Noé et le père Anthime se promenèrent à travers le magasin et examinèrent attentivement chaque meuble. L'attention de Noé s'arrêta surtout aux gravures sur bois, aux pentures de métal en queue d'aronde et aux serrures ouvragées munies de clefs de métal. Ses yeux s'arrêtaient sur chaque détail et s'allumaient comme ceux d'un enfant devant des bonbons.

— Je me demande si je pourrais faire d'aussi beaux meubles.

— Avec des bons outils, j'en doute pas une seconde, dit le père Anthime. Je te regardais travailler dans ton atelier, pis je me disais : Noé a une sensibilité d'artiste. Va, montre ta petite table au marchand. C'est lui qui décidera si t'as le talent nécessaire.

— Je vous ai apporté un échantillon, dit Noé au marchand. Si vous voulez le voir, j'ai une petite table dans ma voiture. Je vous le dis tout suite, elle est ben simple.

Après avoir examiné le spécimen sous tous ses angles, le marchand testa la stabilité. La table résistait aux contraintes normales.

— Si elle est à vendre, on va discuter de prix. Je serais prêt à vous passer une commande de cinq armoires en pin à une ou deux portes, toutes différentes les unes des autres. Elles devront mesurer entre cinq et sept pieds de haut.

Noé cachait difficilement son émotion.

L'homme exhiba des modèles sur papier que Noé examina attentivement. Noé doutait de ses capacités. Il se demandait s'il allait échouer.

— Celle-ci ressemble à un confessionnal, dit-il, avec ses portes vitrées. Me permettez-vous d'apporter vos spécimens ? J'ai pas l'intention de les copier ; c'est qu'ils me seraient utiles pour les dimensions.

— À deux rues d'icitte, vous trouverez une serrurerie. Vous pouvez apporter les modèles. Je me garde le droit de refuser les commodes si je ne suis pas satisfait de votre travail.

— Je vais essayer de vous contenter. Vous voulez ça pour quand ?

— Disons dans trois mois, livrées ici.

Le père Anthime le poussa du coude et murmura : « Dis-y que tu vas lui en envoyer une à la fois. »

— Je pourrais les mettre sur le train, à Joliette. J'aimerais vous les envoyer une à la fois, au cas où vous les refuseriez.

Le marchand accepta. Noé quitta le magasin, heureux comme un roi.

— J'en ai, du toupet, dit-il, mais je suis content, vous pouvez pas vous figurer à quel point !

Sitôt à l'extérieur, le père Anthime lui donna une tape sur l'épaule.

— T'as fait un marché intéressant, mon gars. T'as été parfait sur toute la ligne. À ton âge, tu peux être fier de toé.

— Toutes ces sculptures faites en creux, quel travail d'artiste ! J'espère être à la hauteur. En tout cas, ça me passionne.

— Tu risques pas ta vie. Si jamais t'as besoin de mes services, je serai content de t'aider.

— Je compte sur vous. Je suivrai vos consignes à la lettre.

— Pour commencer, tu vas devoir t'acheter des petits outils : un burin, une onglette, un poinçon. Ensuite, je vais te montrer à affûter tes scies, à donner du fil à la lame, mieux que tout aiguiseur spécialisé.

— Tout ça en plus de la ferronnerie ? Ça va coûter des sous.

— Ben sûr ! approuva le père Anthime, mais le prix payé en vaut la peine. Je peux aller les choisir avec toé si tu veux.

* * *

Noé revint de Montréal, gonflé à bloc. Il n'avait qu'une pensée en tête : l'ébénisterie.

— P'pa a rentré les voitures dans la grange pour me laisser la remise comme atelier, mais à l'hiver, je devrai installer un poêle à bois pour travailler à la chaleur.

— Tu feras pas long que tu vas te trouver trop petitement dans la remise. Si t'arrives à remplir de pareilles commandes, tu vas avoir besoin d'un grand atelier, pis, plus tard, peut-être un apprenti.

Pour Noé, tout devenait possible ; un travail agréable, un peu d'argent, et Blanche.

* * *

Une nuit, après s'être assuré que toute la maisonnée était endormie, Noé descendit sur la pointe des pieds, contourna le banc de quêteux et sortit faire ses petits besoins au bout du perron. Au retour, emporté par la fièvre des sens, Noé devint déraisonnable. Il s'allongea tout contre Blanche. Celle-ci allait abandonner son corps chaud contre celui de Noé quand elle se réveilla en sursaut pour réaliser qu'elle ne rêvait pas. Noé mit un doigt sur sa bouche.

— C'est moé, Noé.

— Vous, Noé ? répéta Blanche, mi-endormie.

— Oui, chut ! Je vous veux pas de mal.

Blanche ne bougea pas ; l'instant était divin. Devait-elle le repousser ? le remettre à sa place ? Elle ne savait pas comment réagir sans peut-être le froisser. Les cheveux en bataille, elle s'assit carré sur sa paillasse. Que lui voulait Noé ? Il ne lui avait jamais avoué ses sentiments. Et s'il la prenait pour une fille qui couche à gauche et à droite ?

— Allez-vous-en, murmura-t-elle.

— Je voulais seulement sentir votre corps contre le mien.

— Non ! Ce sont des familiarités de gens mariés.

— Disons que je veux juste vous embrasser.

— Chut !

Blanche le repoussa, même si elle le désirait à pleins bras, à pleine bouche. Une petite voix intérieure lui disait : « Ne fais rien que tu pourrais regretter. » Et cette voix s'appelait la vertu.

— Allez-vous-en, murmura-t-elle. Si vos parents nous entendent, y vont me mettre à la porte.

— Avant, Blanche, promettez-moé de venir à la messe avec moé, dimanche, vous pis moé, seuls tous les deux. J'ai quelque chose à vous dire.

— Me dire ? À moé !

Noé embrassa le bout de son nez et disparut.

Blanche, troublée, n'arrivait plus à se rendormir. Noé dans son lit! Si près, si près. Qui aurait cru! Elle imagina une nuit complète dans ses bras refermés sur elle. Pourquoi fallait-il qu'il y ait des lois pour ceux qui s'aiment et des temps à respecter? Pourquoi n'y avait-il pas d'endroits secrets où s'embrasser, où s'aimer? Quelle belle occasion elle venait de laisser passer! Cependant, elle ne regrettait pas d'avoir repoussé Noé; si par malheur quelqu'un s'était levé, Noé et elle se seraient fait prendre au lit. Elle aurait perdu sa réputation. Quelle honte elle aurait essuyée! Mais que pouvait bien lui vouloir Noé? L'aimait-il ou voulait-il seulement profiter d'elle? Dimanche, elle le saurait; elle sonderait son cœur. Pourquoi se gêner maintenant qu'elle avait un avantage sur lui? Après tout, Noé s'était bien hasardé à venir la retrouver dans son lit. « Dimanche, trois jours et trois nuits à attendre, une éternité », pensa Blanche.

Pendant ces trois jours, chaque après-midi, Noé s'échappait de la remise une heure ou deux pour courir à la maison. Le jeudi, le temps que Blanche séparait le gros linge de couleur d'avec le blanc, il remplissait la laveuse d'eau chaude. Ensuite, il manœuvrait le bras de la machine à laver: un genou par terre, il tirait de droite à gauche et de gauche à droite, et ce, quinze bonnes minutes par brassée. Il profitait de ce temps pour causer.

Un de ces après-midi, il entra avec dans les mains un petit bouquet de fleurs sauvages. Il l'offrit à Blanche, sans lui avouer qu'il contenait tous ses bons sentiments.

Blanche, émue, sentit un bonheur la traverser comme un courant. « Ça y est, se dit-elle, Noé va me parler d'amour. » Elle avait tellement envie de lui dire qu'elle l'aimait, mais elle n'osa pas. C'était à Noé de lui exprimer ses sentiments.

Puis, Noé se mit à causer avec une familiarité charmante.

– J'ai offert mes meubles à un marchand de Montréal, dit-il. J'y ai apporté une table comme échantillon. Y a eu un bon aperçu de mon travail.

Que les choses prennent une autre tournure déroutait un peu Blanche. Elle sentit en elle un vide inexplicable que seul Noé pouvait combler. Noé l'aimait-il?

– C'est pour ça, dit-elle, que vous êtes disparu une journée complète?

Noé ne lui raconta pas le reste de son voyage à Montréal. Ce qu'il venait de lui dire, c'était du petit lait; il gardait la crème pour le dimanche.

Le lavage fini, Blanche prit le panier d'osier et sortit étendre les vêtements. Elle jeta les morceaux à la diable sur la clôture, ce qui fit sourire Noé qui la surveillait du coin de l'œil.

En entrant, Blanche vit Noé, la serpillière à la main, en train d'essuyer le plancher autour de la laveuse.

– J'ai rarement vu un homme travailler dans une maison. Vous êtes trop bon, Noé; si vous continuez, j'aurai pus rien à faire icitte pis on va me congédier.

– Vous me ferez des tartes.

Chaque fois qu'il lui parlait de tartes, Blanche riait.

– Quand vous aurez le temps, vous passerez me voir à la remise, dit-il.

Noé n'attendit pas la réponse; il sortit, le sourire aux lèvres, le cœur joyeux. Il ne vivait que pour ces minutes de bonheur.

* * *

Le dimanche attendu impatiemment trois jours et trois nuits arriva enfin.

Pendant qu'à l'étable les hommes trayaient les vaches, à la maison, Blanche sautait du lit. Elle resta un moment debout, décoiffée, les yeux à demi ouverts, puis elle se laissa retomber mollement sur le banc-lit. Elle ne voyait pas Noé, au bas de l'escalier, qui riait de la voir agir comme une somnambule.

— Dépêchez-vous, Blanche, la messe est à huit heures. Moé, je vais atteler Picotine.

Blanche lui sourit et sauta sur ses pieds.

Noé brossa le bas de son pantalon avec sa manche de gilet, enroula un foulard de soie autour de son cou et sortit.

Blanche attendit que Noé referme la porte pour faire ses ablutions. Elle monta ensuite porter le déjeuner à Victorine, puis, elle revêtit sa robe à fleurs mauves, jeta une petite laine sur ses épaules et noua un fichu sous son menton.

Quand elle monta dans la voiture, Noé vit plein de soleil dans ses yeux.

Blanche attendait que Noé se décide à parler. Toute la nuit, elle s'était fait un cinéma. Comme il mettait du temps, elle lui dit sans réfléchir, d'un ton amusé :

— Vous aviez pas un secret à me dire, vous ?

Noé menait sa voiture sur le chemin de sable. Après s'être assuré que personne ne le suivait de près, il dit à Blanche :

— D'abord, je veux m'excuser pour avoir été vous surprendre au lit.

Il ajouta, le ton moqueur :

— Mais vous aussi avez osé entrer dans ma chambre à votre arrivée dans notre maison. Asteure, on est quittes, tous les deux.

Blanche sourit.

— Moé, c'était par erreur, dit-elle, sur la défensive.

— Vous pouvez ben parler, ajouta Noé. On peut pas lire dans les pensées de l'autre.

Blanche ne put s'empêcher de rire de nouveau.

— Je vous connaissais pas si taquin.

— Soyons sérieux, dit-il. Je fais des projets pour nous deux. Si vous êtes d'accord, évidemment.

Blanche redevint sérieuse.

— Pour nous deux, vous pis moé ? Quelles sortes de projets ? dit-elle.

— Des projets d'avenir. C'est vous que je veux, Blanche, juste vous. Je pense à vous depuis les noces de Victorine. Avant, j'avais rien à offrir à une fille, mais depuis que j'ai des commandes de meubles, je pense sérieusement à m'installer. Si, ben sûr, de votre côté, vous avez des sentiments pour moé.

Noé posa sa belle main sur celle de Blanche et sentit l'accélération de son cœur qui palpitait à choir d'émotion.

— Moé aussi, je pense à vous depuis que je vous ai vu aux noces de Victorine, mais comme vous sembliez indifférent, j'essayais de vous oublier pour pas trop souffrir.

Toutes les voitures refoulaient dans la cour de l'église.

— Si c'était pas de tout le monde qui nous regarde, Blanche, je vous embrasserais, mais je vais attendre que nous soyons seuls. Je sais me contrôler, ajouta-t-il, tout sourire.

Blanche ne pouvait parler ; l'émotion lui coupait le souffle. Noé l'aimait. Elle en avait maintenant la certitude. Elle allait dorénavant pouvoir rêver à lui, sans craindre d'être désillusionnée.

Noé aida Blanche à descendre du cabriolet et mena son attelage à l'écurie où se trouvaient alignées deux longues rangées de voitures noires, rouges, vertes, toutes bien astiquées. Des étalons cabrés hennissaient à pleins naseaux du côté des juments.

– Allez m'attendre au banc numéro vingt-trois, lui dit Noé. Je tiens à ce que vous soyez à mon côté pour le temps de la messe.

En entrant à l'église, Noé fut surpris de voir Blanche l'attendre dans le portique. Celle-ci se ferait un orgueil de monter l'allée centrale à son côté, au vu et au su de tous les paroissiens.

Quand toute la paroisse fut entrée et agenouillée, les bancs, remplis à craquer, deux charmants amoureux montèrent la grande allée. Arrivée au deuxième banc d'en avant, Blanche devait passer devant les parents de Noé pour se rendre au fond du banc. Antoine sortit un moment dans l'allée, mais Prudentienne, qui rageait de voir une autre Gaudet au bras de Noé, ne bougea pas d'un poil. Elle ne lui accorda même pas un regard.

* * *

Au retour, quand Blanche entra chez les Beauséjour, Prudentienne, dans le feu de la colère, l'attendait ferme.

— Qu'est-ce qui vous a pris d'agir comme une Beauséjour ? Vous êtes rien d'autre qu'une servante icitte. Vous êtes pas mariée, à ce que je sache.

— Vous avez ben raison.

Antoine Beauséjour et son fils Rosaire assistaient à la scène sans prendre parti.

Blanche cessa net de dévisager la femme. Elle n'allait pas se laisser rabaisser comme sa sœur Victorine. Elle ne laisserait pas cette chance à sa future belle-mère. Sans un mot, tout naturellement, elle ramassa ses effets et, la tête haute, elle croisa la femme sur qui elle jeta un regard tranquille. Elle sortit ensuite sans demander son dû, laissant en plan toute la famille Beauséjour.

Trop fière pour s'en remettre à Noé, Blanche entreprit le chemin à pied.

Noé n'avait pas eu le temps de dételer quand il aperçut Blanche qui s'en allait à pied. Il eut une drôle d'impression. Il commanda Picotine et, arrivé à la hauteur de Blanche, il sauta de la voiture et lui prit sa valise.

— Montez, Blanche.

Blanche obéit.

— Qu'est-ce qui vous a pris de partir si vite ? dit-il.

— Rosaire vous expliquera. Vous savez ben que je peux pas prolonger indéfiniment mon séjour chez vos parents.

— Je comprends, mais avec vous, sitôt dit, sitôt fait. Sans même me dire bonjour. Vous mériteriez le fouet.

Blanche sourit tristement.

— Vous seriez puni.

— Il ne pourrait m'arriver pire punition que votre rejet. Tout à l'heure, je parlerai à votre père.

Noé posa sa main sur celle de Blanche et l'étreignit.

– Vous savez, Blanche, votre amour m'est plus précieux que toutes les richesses au monde.

Blanche, émue, resta sans voix, immobile. Depuis longtemps, elle espérait cette déclaration. On ne lui avait jamais dit qu'on l'aimait.

Noé la reconduisit chez ses parents.

* * *

Noé revint tard le soir. Il avait tout pour être heureux : l'amour, un travail agréable et un projet de mariage.

À son retour chez lui, comme il entrait dans sa chambre, son frère Rosaire le suivit et lui rapporta les paroles de sa mère.

Noé était sidéré.

– Imagine quand m'man va apprendre mon mariage avec Blanche !

– Quand vous mariez-vous ?

– Cet automne. J'ai besoin de temps pour fabriquer nos meubles, et Blanche, son trousseau. Faudra aussi nous trouver un logis.

– Dis-le pas à m'man, lui conseilla Rosaire, elle l'apprendra à la publication des bans, quelques semaines avant. Comme ça, on l'entendra pas chialer pendant des mois.

Rosaire ajouta :

– Blanche est partie sans un bonjour pour sa sœur Victorine.

– Si m'man pense m'empêcher de marier Blanche, elle y arrivera jamais.

* * *

Noé travaillait du matin au soir pour remplir les commandes d'armoires. Il se demandait quand il trouverait du temps pour fabriquer ses propres meubles. Pour débuter, ils pourraient se contenter du strict nécessaire : une table, deux chaises, un lit, une commode et une huche à pain. Il discuta avec Blanche de son manque de temps et celle-ci lui proposa de sacrifier ses visites en semaine. Il grugea donc sur le temps de ses fréquentations pour fabriquer son mobilier.

* * *

De son côté, Blanche passait ses journées à tisser au métier : une couverture de lit, des chemins de tapis, des linges à vaisselle, tout en pensant à celui qu'elle aimait. La confection de son trousseau et le travail à l'aiguille allaient occuper tout son temps. Tisser était un art purement mécanique où les mains travaillaient plus que la tête. Sa navette, lancée adroitement, volait plus qu'elle ne glissait et, à chaque aller-retour, Blanche, assise au métier, tirait le peigne qui répétait, des heures de temps : boum, boum, boum. Si elle se levait, sa mère ou sa sœur prenait la relève.

Avant le souper, le métier se taisait et les oreilles se reposaient jusqu'au lendemain.

La vaisselle terminée, Blanche s'assoyait derrière la table avec son panier à ouvrage. Elle coupait un bout de fil à broder, léchait la pointe, passait le fil dans le chas et tirait l'aiguille jusqu'à ce qu'elle soit rendue au bout de son fil. Une aiguillée n'attendait pas l'autre. Tout en travaillant, son cœur rejoignait Noé dans la petite remise du rang des Venne. Elle en était à sa deuxième taie d'oreiller. Lentement, son coffre d'espérance se remplissait.

Chapitre 11

Hôpital psychiatrique Saint-Jean-de-Dieu, Longue-Pointe
Clara avait toujours hâte de terminer ses tâches pour aller retrouver ses compagnes. Elle courait dans les escaliers qui menaient au troisième, où se trouvait la salle des rouets. Il ne restait de libre qu'un grand et un petit métier à filer. Clara s'installa tout contre le petit et, le pied sur la pédale, elle se mit à transformer la filasse en fil de coton.

Clara, qui n'avait rien connu d'une enfance normale, avec sa féerie et ses enchantements, ses jeux et ses caprices, éprouvait un certain bonheur à filer. Chacun prend son plaisir où il le trouve.

Elle venait à peine de s'asseoir au rouet quand la porte s'ouvrit. Toutes les machines à filer se turent en même temps.

Comme Clara se retournait, sœur Béatrice toucha son épaule.

« Pourquoi, se dit-elle, fallait-il que les grandes personnes dérangent brutalement ses rares moments de douceur ? »

— Venez ! dit la religieuse. Laissez tout ça et suivez-moi ; j'ai à vous parler, et ce que j'ai à vous dire ne regarde personne.

Clara suivit sœur Béatrice dans une petite pièce qui ressemblait à un bureau. La religieuse lui désigna une chaise et s'assit en face.

– Vous n'êtes plus à votre place dans cette institution. Nous vous avons gardée longtemps parce que vous nous aidiez et que vous vous êtes mise à travailler. Mais je vous ai maintenant trouvé une chambre à quelques rues d'ici. Ma nièce, Alice, tient une maison de pension où vous serez bien nourrie et bien logée. Vous conserverez votre travail ici et vous rentrerez chez vous chaque soir. Désormais, vous allez pouvoir vivre une vie normale, comme toutes les filles de votre âge.

Clara se sentait désorientée. Après un moment de réflexion, elle dit, d'une voix tremblante :

– Je sais pas si c'est vraiment ce que je veux. J'aimerais mieux rentrer à la maison, dans mon vieux Saint-Côme.

– Ce serait la meilleure solution, mais avez-vous vraiment le choix ? Vos parents refusent de vous recevoir. Si vous êtes d'accord, demain, nous irons visiter la pension en question, et si elle ne vous plaît pas, ensemble, nous trouverons un autre endroit.

* * *

Clara avait hâte de retrouver sa cellule en rideaux blancs pour penser en toute tranquillité à la proposition de sœur Béatrice. Elle regardait son coin familier qui ne comprenait presque rien, une paillasse et un chiffonnier qui ne lui appartenaient pas en propre, et déjà elle se sentait étrangère là où auparavant elle se croyait immuable. L'hôpital ne voulait plus d'elle, ses parents non plus. Elle se sentait seule, sans toit, et pour comble, sans sœur Béatrice pour la protéger. Elle enfouit la tête dans son oreiller et pleura un bon coup.

Finalement, vidée, épuisée, Clara s'endormit.

* * *

Le lendemain, tôt après le souper, sœur Béatrice et Clara se rendirent à pied chez Alice Jansonne, une veuve sans enfants. La jeune femme lui fit visiter les pièces communes. Dans la salle à manger, deux pensionnaires s'attardaient à la table en sirotant un café et, tout en causant, l'un d'eux, un jeune homme de belle apparence, ne passa pas inaperçu aux yeux de Clara. Alice fit les présentations. Le beau garçon se nommait Gilles Bernier. Il tendit une main à Clara et, aussitôt, la jeune fille, troublée, sentit une chaleur lui monter au cœur.

— Maintenant, dit Alice, je vais vous montrer votre chambre.

Les deux femmes suivirent Alice au deuxième. Celle-ci ouvrit une porte.

— Ici, c'est une salle de bain commune. Il ne me reste qu'une chambre. Elle est voisine de la salle de bain et elle a une belle vue sur le Saint-Laurent.

La pièce, tapissée de petites fleurs bleues, était meublée d'un grand lit, d'un bureau surmonté d'un miroir et d'une commode à quatre tiroirs. Sœur Béatrice ouvrit un placard vide et le referma. Clara se posta à la fenêtre ; un bateau glissait doucement sur l'eau du fleuve. Clara sourit sans savoir pourquoi.

– C'est beau, c'est grand, comparé à ma cellule, dit-elle. Ce sera combien?

– Trois dollars par semaine.

Clara ne connaissait pas la valeur de l'argent. À l'hôpital, elle était nourrie et logée, donc elle ne s'inquiétait de rien. Elle jeta un regard à sœur Béatrice.

– Je peux me permettre cette dépense?

– Oui, à la condition que vous ne fassiez pas de folies. Votre salaire à l'hôpital sera à vous, vu que vous ne serez plus nourrie et logée.

– La chambre est libre, vous pourrez vous installer quand bon vous semblera.

– Peut-être demain?

– Non, Clara, intervint sœur Béatrice. Vous avez votre travail, ce serait préférable samedi.

– Mais je dois laisser mon lit à une autre malade... C'est bon. Ça ira pour samedi.

* * *

Au retour, Clara ne cessait de bavarder.

– Ce sera fini d'entendre crier les malades à cœur de jour et, la nuit, de craindre la venue des aliénés dans ma cellule.

Finalement, Clara ne voyait que des avantages à ce changement de vie. Sœur Béatrice, à qui rien n'échappait de ce revirement soudain, ajouta:

– Maintenant, vous allez vivre libre comme les filles de votre âge et, qui sait, peut-être un jour rencontrer un bon garçon et vous marier?

* * *

Ce soir-là, des sentiments indéfinissables, jusque-là inconnus, naquirent dans le cœur de Clara.

Elle s'endormit sur son rêve.

Chapitre 12

Saint-Côme

C'était l'heure où le jour s'agenouillait devant la nuit. Le vent miaulait à la fenêtre. Victorine ouvrit les volets pour laisser entrer le frais du soir. Assise dans sa belle berçante, le cœur débordant de tendresse, elle regardait dormir son petit Jacob dans son lit d'enfant. On eût dit un ange sur un nuage.

La jeune femme se reposait en attendant que Maxime monte la rejoindre. Son bébé endormi, elle redevint triste.

Ses menstruations retardaient de trois semaines et elle avait maintenant la certitude d'être de nouveau enceinte : ses seins étaient sensibles et des nausées l'incommodaient. Était-elle heureuse ? Elle se le demandait. Elle craignait tant de souffrir comme à l'accouchement de Jacob.

Elle tendit l'oreille ; les marches craquaient sous un poids. Victorine se demanda si c'était Maxime qui montait la retrouver ou si c'était un de ses beaux-frères qui se rendait à sa chambre quand elle entendit le petit bruit sec de la clenche frapper le loquet. C'était bien Maxime.

Il la voyait, silencieuse, extrêmement tendue.

— Je te connais ben, tu sais ; je vois ben que tu me caches quelque chose. Encore l'achat d'une ferme, je suppose ?

Victorine continuait de se bercer doucement, tout en regardant son mari enlever un à un ses vêtements qu'il laissait tomber sur le plancher.

— C'est tranquille à l'automne, dit-il. Le travail pousse pas.

— Tu devrais en profiter pour surveiller les terres à vendre.

— Pas en automne, Victorine. Demain, on pourrait plutôt aller faire un tour chez tes parents ?

— Ces jours-citte, j'ai la tête ailleurs.

Maxime s'en doutait bien, à voir sa narine nerveuse et son regard fuyant.

— Y me semblait aussi, depuis quelques jours, tu parles pus. Es-tu fâchée après moé ?

— Ben non, c'est pas ça ! Je suis encore enceinte.

— C'est une belle nouvelle. C'est pas une raison pour me bouder.

— Écoute, Maxime, ça fait une semaine que je veux te l'annoncer. Comme ça regarde rien que nous deux, j'attendais le soir pour te le dire, mais je pouvais pas : tu montais tout le temps soit trop fatigué, soit trop tard pour jaser.

— Je suis ben content ! Ça va nous en faire deux à aimer. T'es pas contente, toé ?

— Le docteur y sera pas content, lui. On était supposés attendre un an, et là, ça fait même pas six mois.

— C'est pas de ses affaires. T'as très bien reprit la forme.

— Je pense ben, oui. Si on était chez nous, je serais peut-être contente, mais c'est pas le cas. Icitte, y a pas moyen de reprendre un enfant sans que ta mère ou tes frères viennent ajouter leur grain de sel pour me contredire. Ils rient quand le petit recrache sa nourriture et ils lui font manger du sucre à la crème en cachette, comme si je voyais rien. Ça va en faire des enfants élevés à la diable, ça! Mais tu vois, ce qui me tracasse le plus, c'est pas le fait d'être enceinte; c'est de pas avoir notre chez-nous. Penses-tu que les tiens vont être contents d'entendre un autre petit brailler la nuit?

— Si y trouvent à redire, je m'arrangerai avec eux autres, mais crains pas, y diront rien, y comptent trop sur mon aide.

— Même si y se plaignent pas, je serai mal à l'aise vis-à-vis d'eux.

— Y vont l'aimer, comme y aiment Jacob. Tu sais comme y en sont fous!

— Pis avec ça, y a ta mère qui vérifie mon ménage. Elle est toujours là pour me reprocher mes moindres défaillances. Déjà, elle me regarde d'une drôle de façon, comme si elle savait; elle sait toujours tout avant que j'y dise. Y a pas moyen de rien y cacher, à celle-là, surtout que, là, l'odeur de la nourriture me tombe sur le cœur. Comment elle va réagir?

Maxime resta un moment sans rien dire, puis il ajouta:

— M'man doit ben s'attendre à ça, vu qu'on est des jeunes mariés.

— J'aimerais ça, moé itou, arranger les pièces à mon goût pis m'acheter des petits riens qui rendent la maison agréable. C'est une vie ben loin de mes rêves. J'aurais mieux aimé élever mes enfants dans une maison à nous deux, dans mes affaires à moé. On est pas chez nous icitte. On a pas d'intimité.

– On a notre chambre.

– Non, même pas! Tu le sais, y faut toujours faire attention pour pas parler trop fort, pis ça, sans oublier notre lit qui grince chaque fois qu'on se retourne de bord.

– Y grince pus depuis qu'on met la paillasse à terre pour faire ça.

– Si on était chez nous, la paillasse resterait sur le lit pis je serais contente d'être enceinte. Si tu savais comme j'envie Blanche pis Noé qui sont à la recherche d'un logement au village.

Maxime caressa doucement sa nuque.

– Tu sais, moé itou, j'aimerais ça avoir notre maison.

– Toé? J'aurais pas cru! Tu m'as jamais dit ça.

– Toute la journée, je vis pour le plaisir de te retrouver le soir.

– Je te croirais si tu me laissais pas veiller seule dans notre chambre.

– C'est toé qui devrais venir veiller dans la cuisine. Les chambres sont faites pour dormir.

– Avec tout le monde? J'ai pas marié ta famille, moé!

– On devrait sortir plus souvent.

– Peut-être!

– M'man pourrait garder Jacob.

– Non! On l'amènera avec nous.

Maxime prit sa main.

– Viens, dit-il d'une voix doucereuse.

Il lança la paillasse au sol, puis il souleva Victorine dans ses bras, pencha son beau visage sur le sien et la déposa sur le lit de paille. Il était si beau avec son sourire charmeur et sa douceur que Victorine se donna à lui sans retenue.

Malgré toutes les contrariétés de la vie, leur amour ne faiblissait pas.

* * *

De son côté, Noé cherchait un logis à louer. Il n'était pas assez argenté pour se construire une maison ; l'argent qu'il arrivait à mettre de côté servait à acheter le bois pour fabriquer des armoires.

Après s'être informé à gauche et à droite à savoir si quelqu'un n'aurait pas une maison ou un logement à louer, Noé se rendit chez le forgeron avec son frère Rosaire. Chaque charretier s'arrêtait à la forge, soit pour se réchauffer, soit pour laisser reposer son cheval. On disait que toutes les nouvelles passaient par là.

La porte fit entendre un long craquement. Devant un feu d'enfer, Larochelle transformait une barre de métal dur en fer à cheval. Sept flâneurs, venus des rangs, formaient un cercle pour ainsi se tenir le plus loin possible de la chaleur. Et parmi les hommes se trouvait une seule femme : la grosse Béatrice, l'épouse du forgeron, assise sur une berçante, tricotait un bas, comme une araignée qui tisse sa toile.

— Tire-toé une bûche, dit le père Larochelle, y a pus de place sur le banc.

Noé s'assit sur une bûche instable.

— Je me cherche un logement, dit-il, mais je trouve rien. J'attends juste ça pour me marier.

— Toé, te marier ? T'as quel âge, mon jeune ? demanda la femme du forgeron, sans quitter son tricot des yeux.

— L'âge de me marier.

Suivit un éclat de rire.

— T'as encore la couche aux fesses. Si t'étais mon garçon, je t'empêcherais de commettre une pareille bêtise.

À vingt ans, Noé avait l'air d'en avoir dix-sept. Les gens se méprenaient chaque fois, et lui prenait plaisir à les laisser penser ainsi.

— Heureusement que vous êtes pas ma mère! rétorqua Noé, parce que si quelqu'un voulait m'empêcher de me marier, je me pousserais aux États avec ma blonde, comme Achille Lafrenière pis Pauline, mais nous, sans la bénédiction du curé.

— Mon Dieu! dit la femme scandalisée en faisant un signe de croix, c'est un blasphème! Toé, le jeune Beauséjour, avec tes idées pas trop catholiques, tu vas aller brûler en enfer.

— La maison de Paul Parent est libre depuis quelques mois, dit le forgeron. Paul est déménagé à Joliette.

Après un moment de silence, Adélard Venne retira la pipe de sa bouche et ajouta:

— J'ai entendu dire, à travers les branches, que Parent reviendra betôt s'installer par icitte comme cordonnier. Si c'est le cas, y va sûrement garder sa maison.

— Je vais m'informer, dit Noé.

— Tu peux pas rester chez tes parents? demanda la grosse Béatrice.

— Chez nous, avec Maxime pis sa famille, la maison est déjà ben pleine.

Finalement, ce fut Adélard Venne qui lui dénicha une petite maison au village, près de la rivière. À deux pas se trouvait un garage appartenant au voisin, qui pourrait être intéressant comme atelier pour fabriquer des meubles. Noé reluquait davantage le garage que la maison. S'il pouvait le lui louer…

Chapitre 13

Le dimanche suivant, le curé annonça, du haut de la chaire :

— Il y a promesse de mariage entre Noé Beauséjour, fils mineur d'Antoine Beauséjour et de Prudentienne Thériault de cette paroisse, et Blanche Gaudet, fille mineure de Félicien Gaudet et de Marquise Préville de cette paroisse également. Si quelqu'un connaît un empêchement à ce mariage, il est prié de nous en avertir au plus tôt.

* * *

Un soir, à la forge, le ronron d'un moteur attira l'attention des hommes. Tous se ruèrent à la fenêtre et, à travers la vitre enfumée, ils aperçurent une auto avec une capote mobile, des roues et des marchepieds en bois.

— Wow ! s'exclama Mathias. Vous avez vu ça ? Y en a qui se promènent pas à pied. Ça m'a ben l'air que c'est le clerc de notaire.

— Monsieur est en cravate et en chemise blanche ; y doit s'être trompé de porte, ajouta le forgeron.

— Peut-être qui veut faire ferrer ses roues, dit Mathias pour se moquer.

Chacun retourna à sa chaise, comme si rien ne s'était passé.

Le jeune Jean-François Morin entra à la forge, où se trouvaient quelques jeunes gens, dont Noé Beauséjour et Mathias Laurin. Même si la porte de la forge était grande ouverte, une odeur de crottin persistait dans la pièce. Il faisait une chaleur d'enfer autour des tisons rougeoyants. Larochelle, le forgeron, le visage noirci, chauffait ses fers. Il souriait, heureux comme Satan qui vient de gagner une âme. Son travail le comblait parce qu'il aimait la bonne compagnie et que son métier lui permettait de n'être jamais seul ; le jour, les hommes restaient à jaser pendant qu'il ferrait leurs chevaux et, le soir, la forge se remplissait d'hommes et de jeunes gens des quatre coins de la paroisse, qui venaient placoter. C'était chaque fois la fête.

* * *

Jean-François Morin, qui avait déjà remarqué Léonie à la messe, prit place près de Noé et lui demanda discrètement de lui présenter sa future belle-sœur. Il ajouta qu'il aimerait bien l'accompagner à son mariage.

Mathias Laurin, son voisin de chaise, avait tendu une oreille indiscrète. Il intervint :

— Tu peux ben tendre ta ligne, mon jeune, mais ce sera pour rien ; Léonie Gaudet se prépare à entrer chez les bonnes sœurs. Toute la paroisse sait ça.

Le jeune clerc de notaire riposta du tac au tac :

— J'aimerais l'accompagner au mariage de sa sœur, pas la demander en mariage.

– Ça t'en bouche un coin, mon Laurin, dit Noé. Ça t'apprendra à te mêler de tes oignons.

– Un à zéro pour toé, Morin, riposta Laurin, qui n'avait pas la langue dans sa poche.

* * *

Jean-François Morin, le petit clerc de notaire, était un garçon bien en vue dans la paroisse. À Saint-Côme, il était à la tête de l'étude, qui se trouvait une extension du bureau du notaire Forest de Joliette. Son rôle ne se limitait pas à préparer des contrats; c'était lui qui recevait les gens en consultation dans des situations délicates: décès, conflits entre voisins, ce qui demandait empathie et disponibilité. À vingt-trois ans, il savait faire preuve d'un très bon sens de l'écoute et des contacts humains. Il sut gagner tôt l'admiration et le respect des gens de la place.

* * *

En ce matin de la fin d'octobre, à son réveil, Blanche entendait comme des clous frapper la tôle du toit. «Non! Pas de la pluie pour le jour de mon mariage!» se dit-elle, taciturne. Elle se leva et, pieds nus, se rendit à la fenêtre et ouvrit les lourdes persiennes vertes. Elle resta figée devant la vitre dégoulinante de larmes. Elle en voulait au ciel de gâcher ses noces.

D'en bas montait un bruit désagréable de casseroles, de tables déplacées et de petits pas pressés; sa mère devait se démener pour que tout soit prêt pour le repas de noce.

Blanche resta là, les bras croisés, l'épaule appuyée à la fenêtre, le cœur gros. Elle sursauta à l'arrivée soudaine de sa sœur Léonie qui entra en trombe dans sa chambre.

— T'as vu comme le temps est maussade? marmonna Blanche avec un trémolo dans la voix. Si tu savais comme je suis déçue!

— Ben oui, y pleut! Pis après? Tu vas pas rester plantée là jusqu'à ce que la pluie s'arrête? C'est le jour de ton mariage. Grouille-toé un peu.

— J'aurais dû choisir une autre date.

— Voyons donc! Comme si tu pouvais deviner! Le soleil, ça se commande pas. Mais t'en fais pas avec ça; tu peux rien y changer. On a un bon parapluie, pis, après toute, c'est seulement pour le temps de nous rendre à l'église. Le mariage pis la noce auront lieu à l'intérieur; la pluie nous empêchera pas de danser pis de chanter. Dépêche-toé de te préparer pour pas faire attendre Noé à l'église.

Léonie descendit. Jean-François Morin pouvait arriver d'un moment à l'autre. Elle le connaissait de vue pour l'avoir aperçu à l'église deux fois. Si elle avait accepté de se laisser accompagner, c'était seulement pour ne pas passer la journée seule dans son coin. Elle se fichait complètement de son apparence et de son titre de clerc de notaire; c'était un cavalier d'un jour, point final! Mais pour ses parents, c'était tout autre. Même si Léonie n'avait que seize ans, Jean-François Morin était un garçon sérieux, bien mis, ayant de bonnes manières. Les Gaudet se faisaient d'avance un honneur de voir leur fille à son bras ainsi qu'un grand plaisir de le recevoir à leur table.

Blanche descendit à son tour, belle à en couper le souffle. Elle était vêtue d'une jolie robe de lin rose thé qui tombait sur sa cheville. Le corsage ajusté était fermé par une rangée de vingt et un petits boutons en perle de satin blanc. D'abondantes boucles de cheveux flottaient sur ses épaules et dansaient aux moindres mouvements de sa tête. Elle se couvrit d'une cape grise et d'un chapeau à large bord, retenu par un ruban rose noué sous son menton.

Son père l'attendait au bas de l'escalier. Toute son admiration se retrouvait dans son sourire, et une petite larme d'émotion s'attardait au de son œil. Il lui offrit son bras.

Au même instant, Jean-François frappait.

Léonie s'empressa de lui ouvrir. Le garçon se présenta lui-même.

— Bonjour, mademoiselle Léonie.

— Bonjour, monsieur… monsieur?…

— Morin, dit-il, mais nommez-moi «Jean-François».

— Icitte, tout le monde vous appelle «le clerc».

Il emprisonna la main de Léonie dans la sienne et, tout en soutenant son regard, il recula d'un pas et fit une légère révérence. Puis il abandonna sa main.

— J'aurais préféré vous être présenté avant le matin du mariage, dit-il, mais le temps m'a malheureusement manqué.

— C'est pas grave, vu que vous êtes là.

Jean-François était à peine plus grand qu'elle. Il n'était ni beau ni laid, mais il était parfaitement à l'aise. Il avait de belles manières et un langage affecté, ce qui lui donnait l'apparence d'un garçon respectable. Il ouvrit un grand parapluie noir, prit le bras de Léonie et la conduisit à son auto.

— Si vos parents et la mariée veulent monter avec nous, dit-il, la capote est levée ; ils seraient à l'abri de la pluie.

Félicien Gaudet n'allait pas refuser pareille offre. Se présenter en auto devant toute la paroisse flattait son ego.

— Laissez-moé le temps de dételer mon cheval pis je reviens.

Léonie suivit son père sous la pluie froide. Elle enleva les deux gros choux de ruban blanc qui ornaient l'attelage et les fixa aux lanternes de l'auto. Son père, sa mère et la mariée prirent place sur le siège arrière de la belle Ford noire.

— T'as l'air d'une fée dans un carrosse doré, comme dans nos cahiers de dessin, dit Léonie. Mais cette fois, le carrosse est noir.

Le clerc laissa le temps aux gens du village de se rendre à l'église avant de quitter la maison. Il fit démarrer sa Ford à la manivelle. Au premier tour, rien ; au deuxième, on entendit un ronron qui s'étouffa aussitôt ; puis au troisième, le moteur démarra. Le clerc se pressa de monter dans l'auto avant que le moteur n'étouffe de nouveau et il s'assit au volant.

Jean-François sentait bon le savon à la lavande et il avait l'air sympathique. Léonie se dit qu'elle passerait sûrement une bonne journée avec lui.

* * *

L'auto s'immobilisa devant l'église. Le perron était rempli de gens qu'on ne pouvait trop distinguer sous les parapluies de toutes les couleurs. Le parvis ressemblait à une foire.

Assis dans l'auto, Félicien Gaudet se tenait la tête bien droite. C'était tout un honneur que lui faisait le clerc de notaire de le conduire à l'église en auto!

Jean-François ouvrit la portière et Félicien Gaudet descendit. Il prit le bras de Blanche qui, dans toute la splendeur de ses dix-neuf ans, causa un émerveillement général.

Les nuages, voyant la mariée si belle, retenaient leurs larmes. Sur le perron de l'église, les parapluies aux mille couleurs se recroquevillaient sur eux-mêmes.

Blanche, les joues rouges de gêne, monta la grande allée au bras de son père. Ils s'avancèrent lentement sur le tapis rouge. Noé l'attendait devant l'autel, beau comme un dieu.

Pendant que tous les regards se posaient sur Blanche, sa mère surveillait Victorine. La jeune femme, les yeux ternes, le teint blafard, retenait difficilement Jacob qui, à dix-huit mois, tentait de s'échapper. Comme la mariée avançait dans la grande allée et que tout le monde retenait son souffle, l'enfant s'écria dans le silence du saint lieu.

– Blanche!

Tout le monde souriait de voir cet adorable enfant qui appela à nouveau:

– Blanche!

Blanche lui envoya un baiser du bout des doigts. Victorine dut mettre sa main sur la bouche de Jacob pour étouffer ses cris. Près d'elle, Maxime ne bougeait pas, les enfants étant sous l'entière responsabilité de la mère.

L'odeur d'encens et de cire se mariait au son de l'orgue qui s'en donnait à cœur joie spécialement pour Blanche et Noé.

Deux bancs derrière, Marquise regardait Victorine qui semblait épuisée, et pour cause ; depuis trois jours, elle cuisait et désossait des chapons, roulait des tartes, confectionnait un gros gâteau de noce, du sucre à la crème dur, des bonbons aux patates. La veille, elle avait sorti les vêtements de Jacob, pressé les cinq pantalons des hommes, empesé les cinq chemises, ciré les chaussures, lavé et repassé sa robe et celle de la vieille, en plus d'avoir préparé les repas et d'avoir mené à bien sa besogne journalière. Ce matin, après s'être occupée de son enfant, elle avait remis la maison en ordre pour le souper qui se tiendrait chez les Beauséjour. Quelle responsabilité lui tombait sur les bras ! La journée ne faisait que commencer et déjà une charge très lourde lui incombait. Victorine n'était plus que l'ombre d'elle-même. Sa mère se demandait si sa fille allait tenir le coup.

* * *

Au sortir de l'église, le soleil s'amusait à crever les nuages de ses dards de plomb pour se faufiler dans les déchirures.

Toute la noce se rendit chez Félicien Gaudet, dans le rang Versailles.

Sitôt entrée, Marquise s'approcha de Victorine et lui murmura à l'oreille :

— Je te défends de m'aider. T'auras assez du souper à servir à soir, chez les Beauséjour. Va t'assire dans la berçante pis grouille pas de là.

— Ça va vous en faire beaucoup, m'man ; pis aujourd'hui, vous pouvez pas compter sur Blanche pour vous aider.

— Si tout est pas parfait, ce sera tant pis ! dit Marquise.

* * *

Le dîner terminé, les hommes poussèrent la table le long du mur et y juchèrent deux chaises. Les ménétriers s'y installèrent avec leur violon.

Noé entraîna Blanche au milieu de la place. Jean-François et Léonie s'avancèrent, main dans la main, puis Rosaire et Germaine avec leur partenaire. Les violons entamèrent une valse qui fit bientôt place au *reel* du poney. Les couples formaient une chaîne. Léonie saupoudra le plancher d'acide borique. Et vive la compagnie !

Les *reels* se succédèrent jusqu'à l'épuisement des violoneux et des danseurs, après quoi les accordéons répondirent aux violons. Lepage chanta une chanson à boire. Ensuite, Noé entama *Le plus beau de tous les tangos du monde*. Puis ce fut au tour de Maxime de pousser sa chanson à répondre. C'est alors qu'Antoine Gaudet s'installa au milieu de la place pour une gigue. Finalement, les conteurs d'histoires prirent la relève.

Vers la fin de l'après-midi, les invités firent un saut chacun chez eux pour traire leurs vaches et soigner leurs animaux.

* * *

Toute la noce était attendue chez les Beauséjour pour le souper.

Marquise, qui faisait partie des invités, aidait au service de table tout en gardant un œil vigilant sur Victorine. Ses belles-sœurs, tout comme leur mère, se faisaient servir comme des invitées d'honneur.

Victorine courait à gauche et à droite et, si elle s'arrêtait un moment, elle vacillait sur ses jambes. Sa mère pensa : « Victorine va craquer. »

Après le souper, alors que les danses, les chansons et les histoires reprenaient de plus belle, Marquise s'approcha de sa fille et lui murmura à l'oreille :

— Tu tiens pus deboutte, Victorine ; slaque un peu, tu vas péter les plombs. Tiens, va donc te coucher, je vais demander à ta belle-mère de m'aider à servir le réveillon.

Victorine étouffa un rire forcé dans sa main.

— À ma belle-mère, vous dites ? Essayez, voir !

— Laisse-moé m'arranger avec elle, dit Marquise, on aura seulement à préparer le café et à servir les desserts.

— Je pourrai jamais dormir avec cette musique !

— Si tu dors pas, tu te reposeras.

Le moment venu, Marquise s'approcha de la vieille Prudentienne et lui chuchota :

— Victorine est au boutte du rouleau ; je l'ai envoyée se coucher.

— Pis qui cé qui va s'occuper de servir les invités ?

— Vous pis moé, dit Marquise, qui sourit pour mieux contenir sa colère. Comme ça revient aux parents de donner la réception, dit-elle tout bonnement, je vais vous aider. C'est pas un réveillon qui va nous peser au boutte du bras, hein, madame Beauséjour? À deux, on devrait ben en venir à boutte.

Marquise vit la vieille Prudentienne s'approcher de sa fille Germaine et lui souffler quelques mots dans le tuyau de l'oreille.

La vieille se retira ensuite dans la berçante et Germaine monta à l'étage.

Deux minutes plus tard, Victorine suivait Germaine dans l'escalier.

Marquise vit son petit manège. La moutarde lui monta au nez. Elle comprit que Victorine n'avait pas d'autre choix que de plier. Avec sa vieille chipie de belle-mère, elle n'aurait jamais le gros bout du bâton. Marquise bouillait. Cette femme pensait davantage à elle qu'à la santé de sa belle-fille et de l'enfant à naître, et ce, au point de s'en ficher éperdument. Et dire que, depuis le matin, Blanche avait la même belle-mère!

Marquise éprouvait une rancœur envers la vieille, mais elle s'efforça de ne rien laisser paraître de son mécontentement, pas le jour des noces de Blanche. Cependant, elle suivit Victorine sur les talons et lui enleva les plats des mains pour les déposer sur la table.

Avant son départ, Marquise s'approcha de Victorine et lui murmura à l'oreille:

— J'ai des restes de la noce à passer. Prends le petit pis venez coucher à la maison. Demain matin, tu dormiras tout le temps que tu voudras. Si tu restes icitte, tu vas devoir remettre la maison à l'ordre, pis demain, encore une fois, recevoir toute la parentaille des Beauséjour. Aujourd'hui, t'as fait plus que ta part.

Victorine ne se le fit pas répéter deux fois.

Maxime alla atteler Gazelle et ils partirent toute la famille pour le rang Versailles, même s'il était tard.

* * *

Au retour, dans l'auto du clerc de notaire, Marquise était silencieuse, alors que, sur la banquette arrière, son mari parlait sans arrêt.

– Blanche pourra dire qu'elle a eu une belle noce! Hein, ma Marquise?

– Oui, répondit sèchement Marquise.

À la suite de la scène de la vieille Prudentienne, Marquise était encore sous l'effet de la rancœur. Elle ravalait sa colère pour éviter que Léonie et son clerc de notaire soient témoins de sa mauvaise humeur, laquelle devait se lire sur son visage. Après tout, elle ne voulait pas ternir la réputation des Beauséjour, des gens de la même paroisse.

À la maison, Jean-François s'assit un moment sur une marche et invita Léonie à prendre place à son côté. Baron, le grand chien de la ferme, s'approcha lentement, sentit Jean-François et retourna se terrer sous la galerie.

– Je n'ai pas le goût de rentrer chez moi. La nuit est trop belle.

Ils respiraient le parfum des champs.

– Regardez le chaudron renversé, dit Jean-François, et les lucioles qui dansent devant nos yeux.

Le désir de la toucher s'empara de lui.

— Donnez-moi un bec à chaque feu de luciole.

— Non, dit Léonie, les yeux baissés sous ses longs cils pleins de pudeur.

— C'est à cause de vos parents?

— Non! Je vous aime ben, mais je suis pas amoureuse.

— Je vais vous gagner, vous verrez bien.

Il prit sa main. Léonie la retira.

Devant tant d'insistance, Léonie pensa à Baron sous le perron. Au besoin, le chien n'hésiterait pas à la défendre.

— Il est tard; je dois rentrer, dit Léonie.

Jean-François se leva et embrassa sa main.

— Quand est-ce qu'on se revoit? dit-il.

Léonie se leva à son tour.

— Je suis trop jeune pour recevoir un garçon au salon.

— Vous changerez bien d'idée un jour.

— Bonne nuit, dit-elle.

— Bonne nuit!

Léonie rentra.

* * *

Marquise attendit d'être au lit pour raconter à son mari l'histoire du réveillon.

— Je me demande comment Victorine a pu supporter sa belle-mère pendant tout ce temps, sans jamais rouspéter, dit-elle. Je reconnais pas ma fille; elle est devenue une soumise, une tendre.

— Moé, ajouta Félicien, y me semble que ça ferait longtemps qu'y m'aurait poussé des cornes. Je vais la sortir de cette maison, notre Victorine. Je vais y en trouver une ferme, moé, à son Maxime. Pis si c'est pas à Saint-Côme, ce sera ailleurs.

Marquise s'endormit d'un sommeil inquiet.

* * *

Le lendemain, Maxime suivit Félicien dans la balançoire.

— Si vous pensez pouvoir me trouver une terre, le beau-père, allez-y, je suis preneur, dit Maxime. Mais dans le moment, y en a pas, pis je sais pas quand cé que j'en trouverai une.

— Je vais surveiller pour toé. J'ai entendu dire entre les branches que les Lafrenière parlent d'aller retrouver Achille aux États. Leur terre serait à vendre, mais je sais pas si on peut y ajouter foi, avec toutes leurs cachotteries. En attendant, Victorine a toute ta famille sur les bras en plus de la sienne. Pis elle est pas ben forte. Elle allait mieux depuis cet été, mais là, de semaine en semaine, je la vois diminuer. Si tu te rappelles ben, quand je te l'ai donnée, elle avait pas ces grands yeux cernés. Toé, tu vois pas ça, parce que t'es toujours avec. Tu sais, c'est pas quand elle sera morte que ce sera l'temps de faire des changements.

Maxime se prit la tête à deux mains.

— Je suis ben conscient de ça, mais je sais pus quoi faire.

— Si tu l'aidais un peu ? Ton père peut se passer de deux bras ; y sont déjà trois pour les travaux de la ferme. Je sais ben que tenir maison, c'est pas l'affaire des hommes, mais si tu te fichais des convenances pis que t'aidais ta femme plutôt que t'occuper des qu'en-dira-t-on ? Dis-toé que tu seras pas plus avancé si un matin tu te réveilles veuf, avec deux ou trois petits sur les bras.

— Ouais! Vous me brassez la cage, le beau-père.

* * *

À partir de ce jour, Maxime prit la place de Victorine devant la cuve à lessiver. Il aida à desservir la table et à balayer la place. Au dire de sa mère, ces tâches efféminaient. La pire humiliation, ce fut la première fois qu'il prit le linge à vaisselle devant les siens.

— Quelle honte! dit la vieille. Les filles d'aujourd'hui sont ben feluettes. Ça tombe dans les pommes à propos de toute pis de rien. Elles sont pas capables de tenir maison sans que leur mari les torche. Dans mon temps, l'ouvrage nous pesait pas au boutte du bras.

— De toute façon, répliqua Maxime, insulté, on moisira pas icitte.

— Vous, m'man, dit Rosaire, vous aviez vos filles pour vous aider. Victorine doit tout faire seule, en plus de la visite plein la maison.

Par la suite, Maxime ne tint plus compte des remarques déplaisantes de sa mère.

Le fait d'être épaulée par son mari remontait le moral de Victorine, et ses forces revenaient.

Chapitre 14

Blanche était continuellement aux côtés de Noé. Elle disait qu'il avait besoin d'elle dans sa boutique à bois quand, en réalité, elle ne pouvait se passer de lui.

Elle aimait la bonne odeur du pin, le son de la scie, et entendre chanter le bois sous le rabot. Et Noé se disait que si Blanche lui consacrait tout son temps, c'était qu'il avait tout son cœur. Blanche passait ses journées entre l'atelier et la maison. Lui sifflait, elle souriait.

Dans l'intimité de leur maison, Blanche entretenait une forte complicité entre eux.

Avant le souper, Blanche prit une patate et, à l'aide de son couteau pointu, elle dessina deux yeux, un nez et une bouche riante. Puis elle leva le tubercule à la hauteur des yeux de Noé.

— Cette face te ressemble, dit-elle avec une pointe de moquerie dans le regard.

Noé retint un sourire.

C'était une invitation à la bonne humeur. Il regardait Blanche en sifflant tout doucement.

— Tu te vois pas l'air ? dit-elle. Tu me trouves folle, hein !

— Oui, un peu fofolle.

— J'ai dit ça juste pour rigoler. T'as le droit de rire, tu sais.

Blanche prenait des poses. Elle bougeait sans cesse en se dandinant. Puis elle se mit à tambouriner des doigts sur la table : tout pour agacer Noé. D'un geste du doigt, elle l'invita à la rattraper.

Chez ce jeune couple, l'humour contagieux ne manquait jamais de faire son effet. Blanche et Noé se mirent à courir autour de la table, comme des gamins dissipés. Ils riaient pour rien, et Blanche, la figure toute rouge, la tête échevelée, se sentait étourdie d'une vapeur de joie. Après trois ou quatre tours de table, à bout de souffle, Blanche s'arrêta. Noé l'emporta. Il la prit dans ses bras.

— Ha ! Ha ! Tu croyais me résister, hein ?

Il sentait les battements précipités de son cœur sous son chemisier. Il lui chuchota bouche contre oreille :

— Si tu savais comme je t'aime !

Il caressa son cou tendre.

— Viens avec moé.

Il la poussa dans la pièce voisine.

Blanche ferma les lourdes persiennes rouges et, à l'abri des regards possibles, elle se laissa choir sur le lit quand elle entendit, venant de la pièce voisine, un bruit de chaussures traîner sur le plancher. Elle s'assit carré sur le côté du lit.

— Noé, dit-elle, y a quelqu'un dans la cuisine ; c'est peut-être un quêteux ou un client.

La porte n'était jamais fermée à clef ; entrait librement qui voulait.

Blanche passa une main dans ses cheveux, emprunta un air posé et traversa à la cuisine, comme si de rien n'était.

C'étaient ses parents. Depuis combien de temps étaient-ils là? Blanche rougit jusqu'aux oreilles. Sa mère lui avait répété maintes fois: «Les filles ne jouent pas à cache-cache avec les garçons.» Bien sûr, Blanche était mariée, mais est-ce qu'on guérit de sa jeunesse?

— Vous! dit-elle. Ça fait longtemps que vous êtes là?

— Non! On a frappé par deux fois, dit Marquise. On se disait aussi qu'y avait quelqu'un; on entendait du bruit en dedans. Mais on voudrait pas vous déranger.

Ils devaient deviner ce qui se passait. Son père retenait un sourire.

— Mais non! Vous nous dérangez pas, mentit Blanche, mal à l'aise. Vous allez souper avec nous autres.

— C'est déjà fait, Blanche, y est sept heures passées.

Blanche bafouilla:

— Nous, on a dîné tard; Noé voulait finir de huiler sa commode. Ça vous dérange pas si on vous mange au nez?

* * *

Le lendemain, chez les Beauséjour, en ce 3 juin, Victorine tenait dans ses bras un deuxième bébé.

— J'aurais ben aimé avoir une fille, dit-elle à Maxime qui s'émerveillait. Mais asteure que j'ai vu mon petit garçon, je le changerais pas pour une fille.

— J'ai besoin de garçons pour aider sur la ferme.

Maxime tentait d'ouvrir la menotte qui résistait.

— C'est incroyable! Tant de force dans de si petits doigts.

Dès la naissance de l'enfant, Victorine sentit chez sa belle-mère une préférence marquée pour Jacob. Pour la vieille, le bébé n'existait pas. Victorine n'en faisait pas de cas ; Louis était trop jeune pour établir des comparaisons.

Dès que Victorine fut sur pied, la vieille ne tarda pas à la commander de nouveau : « La bru, changez le petit de couche ; arrêtez-le de pleurer ; c'est l'heure de son boire ; le petit pleure en haut ; montez le chercher. » Avec le temps, Victorine apprit à faire la sourde oreille.

* * *

À la suite de l'arrivée de Louis, Victorine espaça les visites à ses parents. La nouvelle maman trouvait la charge un peu lourde, autant pour elle que pour sa mère qui les recevait. Les enfants, changés de lit, avaient le sommeil plus léger, et au moindre cri, pour les apaiser, elle devait monter s'allonger près d'eux, alors qu'à la maison, ils dormaient leurs nuits entières. Victorine ne comptait plus les allers et retours dans l'escalier épuisant. Sans compter qu'étant sans cesse au service des enfants, elle n'était plus disponible pour jaser en paix ou encore jouer une partie de cartes. À cause de ces légers inconvénients, elle décida de faire l'aller-retour dans la même journée, comme en cette belle journée du mois d'août, où ils étaient sur le chemin.

– C'est dommage ! lui dit Maxime. Nos fins de semaine chez tes parents étaient nos seules sorties.

– Ça me punit moé itou, mais que veux-tu ! Avec les enfants, je reviens chaque fois épuisée. Si seulement tu pouvais trouver une ferme dans le rang Versailles, ce serait le paradis. Là, je te vois venir ; tu vas encore me répéter que t'en trouves pas.

– Victorine, tu le sais comme moé, dit-il.

Victorine baissa les yeux.

— Y en a jamais nulle part, dit-elle, désemparée. D'abord, va travailler ailleurs que sur une ferme. On se trouvera un logis.

— Quand on naît paysan, on le reste toute sa vie.

Maxime passa un bras autour des épaules de Victorine et ne parla plus.

Arrivé au pont couvert, il laissa reposer sa bête, comme chaque fois. Ils profitaient de cette halte à l'ombre pour déguster des sandwichs que Victorine avait préparés la veille. Ils repartaient ensuite et, tout au long du chemin, Maxime lisait tout haut les noms des colons sur les boîtes aux lettres. Il saluait aimablement les bonnes vieilles gens assis sur leur perron. Ensuite, il se vantait de connaître le nom de tous les gens de la paroisse.

Le lendemain, à la messe du dimanche, le curé annonça :

— Le 14 août à la maison du bedeau, il y aura une séance de vues animée par un monsieur Robitaille de Montréal. L'après-midi, le film sera présenté à trois heures pour les enfants. Le prix d'entrée est de dix cents. S'il y a trois enfants et plus d'une même famille, ils auront droit à un abonnement au bulletin paroissial. Le soir à huit heures, ce sera séance pour adultes. Le prix d'entrée est de vingt-cinq cents et donne droit au bulletin paroissial.

* * *

En ce soir chaud du mois d'août, l'auto du clerc de notaire entrait dans la cour des Gaudet, la capote de l'auto ouverte.

Léonie sortit sur le perron.

– Vous ? dit-elle, étonnée. Je vous attendais pas.

– Je voulais vous faire une surprise, dit Jean-François.

Léonie pensait : « Je vais pas l'avoir sur les talons tout le restant de mes jours ? »

– Entrez, dit-elle, pour rester polie.

– Non, merci. Je viens vous inviter aux petites vues.

L'invitation était si inattendue que Léonie ne savait quoi inventer pour refuser.

– Avant, je dois demander à ma mère.

– Allez-y ! Je vous attends dans l'auto.

Léonie espérait que sa mère refuserait et elle n'en doutait pas une seconde ; celle-ci voyait le mal partout et elle n'usait pas de détours quand la pudeur de ses filles était en jeu. Quelle ne fut pas sa surprise d'entendre sa mère lui répondre :

– J'aime pas que tu te balades toute seule avec un garçon, mais comme ce monsieur Morin est quelqu'un qui sait tenir sa place, je vais vous faire confiance.

Léonie sortit. Elle s'appuya dos à l'auto, croisa les bras dans une attitude empruntée et dit :

– Ma mère refuse. Elle trouve qu'à dix-sept ans, je suis un peu jeune pour sortir avec les garçons.

– Mais elle vous a permis de m'accompagner au mariage de votre sœur ?

– Pour la noce, c'était différent ; c'était pour un jour et toute la famille était là pour me chaperonner ; sinon, ma mère ne m'aurait jamais permis d'être accompagnée.

– Je vais lui parler, dit le jeune clerc qui descendit aussitôt de l'auto.

Léonie se plaça de manière à lui barrer le chemin.

— Non, dit-elle, m'man revient jamais sur ses décisions. Vous allez la mettre mal à l'aise.

Jean-François sourit. Il contourna Léonie et fila à la cuisine.

— Madame Gaudet, me permettez-vous d'emmener votre fille voir le film à la salle paroissiale ?

— Oui, mais à la condition que vous la rameniez directement icitte après les petites vues.

— Venez, Léonie. Tout est arrangé, dit le jeune clerc, votre mère accepte.

Léonie leva les yeux au ciel, découragée. Elle se rendit à sa chambre chercher un fichu du même tissu que sa robe jaune et le noua sous son menton. Elle tâtonnait. Elle cherchait un moyen de s'en sortir sans être impolie, mais elle ne trouvait rien. Elle ne pouvait pas accuser un malaise, il lui aurait fallu le dire plus tôt, ni la fatigue, car elle serait assise tout le temps des vues. Elle suivit le petit clerc à contrecœur. «Après tout, ce ne sera que pour une fois», se dit-elle en espérant que le film serait intéressant.

Sa mère, debout dans la porte, regarda partir Léonie avec le clerc de notaire. Le cœur gonflé d'orgueil, aveuglée par le rang du jeune homme, Marquise jeta un regard aux alentours pour s'assurer que ses voisins admiraient sa fille et son beau prétendant. Comme si sa valeur personnelle dépendait du regard d'autrui. L'auto s'engagea sur le sol rocailleux du chemin et fila vers le village jusqu'à rapetisser lentement et disparaître.

— Vous êtes passé tout droit, dit Léonie tout bonnement, en pointant la salle paroissiale du doigt. C'est là, derrière.

— Je sais, dit Jean-François. Je vous emmène à Joliette, je veux vous présenter à mes parents.

— Sans me demander mon avis ? rétorqua Léonie, vexée. Je veux pas connaître vos parents, moé ; je veux juste que vous me rameniez à la maison tout de suite. Ma mère m'a donné la permission d'aller aux petites vues, pas à Joliette. Elle va me chicaner quand elle va apprendre que j'ai abusé de sa confiance.

— Vous n'êtes pas obligée de lui dire. Vous pourriez lui fricoter un mensonge qu'elle goberait.

— Ce serait comme y mentir, pis ça, c'est pas dans mes habitudes. Ramenez-moé à la maison, insista Léonie d'un ton ferme.

Jean-François n'en faisait qu'à sa tête. Où était passé le garçon poli et empressé que tout le monde estimait ? Léonie répéta :

— Ramenez-moé à la maison, tout suite !

Jean-François riait. Léonie boudait. Elle lui tourna le dos, l'épaule gauche et la tête tournée vers la portière. Tout en roulant, le jeune homme lui dit :

— On m'a dit que vous voulez entrer chez les bonnes sœurs. C'est vrai, ça ?

Le clerc cherchait-il à se moquer d'elle ? Léonie, offensée, ne répondit pas.

— Pourtant, dit-il, à vous voir danser à la noce de votre sœur, je n'aurais jamais cru.

Elle ne répondit pas. Tout le reste du trajet se fit en silence. Léonie se promettait que plus jamais elle n'accepterait une sortie, et ce, avec aucun garçon.

Jean-François stationna son auto devant une grosse maison en pierre grise dissimulée sous de gros arbres. Il en descendit et ouvrit la portière à Léonie.

– Venez, dit-il.

Léonie était une tenace.

– Non, dit-elle, bien résolue. Ramenez-moé à la maison.

– Ne faites pas l'enfant, Léonie, mes parents vous attendent à l'intérieur.

– Pourquoi ils m'attendraient? Je leur ai jamais dit que je viendrais. Je suis une étrangère pour eux.

– Si c'est comme ça, attendez-moi ici, dit-il.

Seule dans l'auto, Léonie revivait les événements depuis son départ de la maison. Elle s'était bien fait avoir. Finalement, Jean-François Morin n'était pas le garçon distingué que tout le monde estimait. Ce soir-là, elle prenait conscience de sa véritable nature. L'idée lui prit de quitter l'auto, mais il était impensable de retourner à Saint-Côme à pied; elle arriverait chez elle en pleine nuit. Elle décida de patienter.

Cinq minutes plus tard, la porte de la maison s'ouvrit. Les parents de Jean-François vinrent la supplier.

– Entrez donc, mademoiselle Léonie! Ne vous gênez pas.

– Merci! À la maison, m'man va s'inquiéter; elle m'a donné la permission d'aller aux vues dans notre village, pas à Joliette. Quand elle va apprendre que votre garçon m'a amenée icitte, elle sera pas contente.

La femme chuchota quelques mots à l'oreille de son garçon, sans doute une remontrance, si Léonie se fiait à son regard dur. Le clerc tourna la manivelle, monta brusquement dans la voiture et, sans saluer les siens, il démarra en trombe. La poussière levait derrière l'auto.

Le garçon ne prononça pas un mot du retour. Une fois arrivé à Saint-Côme, il stationna son auto dans la cour arrière de son bureau, qui se trouvait derrière sa maison.

— Descendez, dit-il, j'ai des papiers à vérifier.

Léonie n'était pas bête. Elle trouvait les agissements du garçon un peu curieux. Pourquoi courait-il à gauche et à droite si son travail était si urgent? Et puis, elle n'allait pas se laisser mener par le bout du nez. Elle ne bougea pas.

— Venez, dit-il durement, j'ai quelque chose à vous montrer en dedans.

— Non! Je veux rien voir; je vous attends icitte.

Il faisait noir comme chez le loup dans la cour arrière.

Le clerc jeta un regard nerveux aux alentours puis il saisit brutalement Léonie par un poignet et la traîna de force à l'intérieur. Elle se mit à trembler. Qui aurait cru que le clerc pouvait être si terrible? C'était un tout autre garçon qu'elle avait connu. En voyant ses yeux bizarres, elle prit peur et cria de toutes ses forces:

— Allez-vous me lâcher?

Elle appela à l'aide, mais personne ne l'entendit. Elle devrait se défendre seule. Soudain, sa colère décupla ses forces. Elle se jeta par terre pour pouvoir se cramponner, les pieds au sol. Mais le clerc la tira sur la terre rude, comme on tire un traîneau sur la neige. Les yeux fous, il criait:

— Salope! Crasse!

Léonie était une obstinée. Ce garçon n'allait pas avoir le dessus sur elle; plutôt mourir que céder. Arrivée au perron, elle s'agrippa de sa main libre et de ses pieds aux marches et ensuite à un barreau qui émit un craquement et se détacha de la rampe. Saisie d'une terreur qui lui faisait dresser les cheveux sur la tête, elle hurla. Quand le clerc déverrouilla la porte, elle s'échappa, mais le temps de se relever, une main solide, une main d'homme la rattrapait par le bas de sa jupe. Elle se retrouva de nouveau par terre. La peur, l'épouvante la mura dans un silence terrifiant. À force de résister, elle sentit ses forces l'abandonner. Elle se débattait inutilement ; il était plus fort qu'elle. « Il va me tuer », se dit-elle. Et elle eut une brève pensée pour ses parents qui pleureraient sur son sort. Il la tira à l'intérieur.

* * *

Minuit sonnait quand Jean-François Morin libéra Léonie, dépucelée.

Elle n'en finissait plus de reboutonner sa robe, de désentortiller sa jupe et de replacer ses cheveux pour effacer toute trace de violence. Et, comme elle allait s'en retourner chez elle à pied, le clerc l'invita à monter dans son auto. Elle refusa net. Elle ferait tout pour l'éviter. Il la rattrapa et l'embrassa sur la bouche, un baiser maudit, tel un poison. Il saisit son bras, la tira, la poussa dans l'auto et referma la portière sur elle. Léonie ne résistait plus. Le regard traqué, elle se recroquevilla en boule sur son siège, le dos tourné au clerc, la main tremblante accrochée à la portière, la peur aux tripes. Pour Jean-François Morin, c'était comme si rien ne s'était passé ; il semblait au-dessus de tout, satisfait, comme s'il venait de signer un contrat intéressant. Assise à son côté, Léonie, agitée de petits mouvements incontrôlables, devait étouffer sa souffrance, sa rancœur, sa honte, tout refouler en dedans, comme une coupable. Elle craignait de lui dire sa façon de penser ; elle se demandait s'il allait encore la violenter. Elle n'espérait plus qu'une chose : se retrouver chez elle, seule dans sa chambre.

* * *

À son arrivée chez les Gaudet, Jean-François stationna son auto sur le bord du chemin, sans doute avec l'intention de repartir en vitesse. La honte dans l'âme, Léonie, toute pâle, toute délicate, descendit péniblement de la voiture. Elle avait perdu tout ressort, elle marchait cassée en deux, comme une vieille bûcheronne. Elle n'était plus qu'une loque. Dire que deux heures plus tôt, elle avait une dignité de reine. Il lui semblait que cet acte dégoûtant était écrit en lettres rouges sur son front. Avec le peu de forces qu'il lui restait, elle fit claquer la portière et promena un regard apeuré autour d'elle. Sa mère l'attendait, debout dans l'encadrement de la porte, les bras croisés. Léonie avait mal, très mal aux parties intimes, mais elle devait faire un effort suprême pour se redresser et marcher normalement. Au bas de l'escalier, elle hésita quelques secondes ; elle ne devait pas s'arrêter, elle ne pourrait pas repartir et sa mère se douterait qu'elle avait fait quelque chose de mal. Elle devait se montrer forte et aller de l'avant quand ses genoux pliaient, ses mains tremblaient et son cœur saignait. Elle devait aussi cacher le filet de sang qui maculait sa robe. Elle ramena l'arrière de la jupe vers l'avant, de manière à camoufler la tache rouge, et entra.

Heureusement, la cuisine était sombre ; la mèche de la lampe était en veilleuse sur le bout de la table. Léonie tenait toujours le devant de sa jupe le plus naturellement possible. Elle s'appuya dos à la table, le visage défait, les yeux fixes, comme si elle s'attendait à être fusillée. Son père remontait l'horloge. « S'il savait ! » pensa-t-elle.

— Je me tracassais pour toé, lui dit sa mère. Je t'avais pourtant demandé de rentrer tout suite après les petites vues. Je m'en souviendrai quand tu me redemanderas une permission.

Léonie faillit éclater en sanglots. C'était le clerc le coupable et c'était elle qu'on accusait. Elle baissa les yeux, retint une grimace de douleur et s'efforça de paraître calme, mais elle n'arrivait pas à calmer le mouvement de ses jambes agitées.

— On a pas été aux petites vues, dit-elle. Le clerc a changé d'idée en chemin. J'ai eu beau insister, y tenait à me présenter ses parents. Chez eux, on a jasé. Je voyais pas le temps passer. C'est pour ça que j'arrive si tard.

Sa mère leva le ton.

— Tu crains pas de perdre ta réputation à te promener comme ça, en pleine nuit avec un garçon ?

— C'est sa faute ; c'est lui qui conduisait. Je pouvais toujours pas me jeter en bas de l'auto.

— C'était à toé d'y demander de te ramener.

— J'y ai demandé aussi, mais y m'écoutait pas.

— Monte te coucher, on reparlera de tout ça demain.

Léonie disparut aussitôt dans l'escalier, satisfaite de n'avoir pas pleuré devant sa mère, même si de grosses larmes hésitaient au bord de ses paupières. Maintenant, il lui fallait tenir le coup jusqu'à son lit.

* * *

Dans sa chambre, Léonie éteignit la chandelle avant de se dévêtir. Elle se jeta sur sa paillasse et demeura sur le dos, les yeux ouverts. Enfin seule, elle écarta les jambes, espérant apaiser un peu la douleur, et elle se laissa aller à grimacer. Elle étouffait ses gémissements, la bouche sur son oreiller, mais tout son corps était secoué de sanglots. Des images dures défilaient dans son esprit. Léonie essaya de les oublier, mais elles étaient là pour y rester, comme cette odeur de cendre et de papier moisi qui empestait le bureau et qui collait à ses vêtements.

Sa mère avait dit : « On reparlera de tout ça demain. »

Demain, tout recommencerait. Elle devrait faire face à ses parents, ce qui signifiait pour elle mentir et protéger le clerc qu'elle détestait à mort. Et cette douleur au bas-ventre persisterait-elle encore longtemps ?

Quel drame dans une petite âme toute neuve !

Léonie ne voulait pas raconter ce qui s'était passé ; ces choses laides ne se disent pas à des parents. De toute façon, ils ne la croiraient pas ; ils étaient à genoux devant le clerc, un garçon bien, selon leur dire. Ils l'accuseraient même de l'avoir provoqué.

Elle avait péché, elle, une bonne chrétienne. Elle marmonna un acte de contrition et une prière plus fervente que d'habitude.

* * *

Le lendemain, Léonie aperçut des marques de doigts imprimées sur ses bras. Elle craignit que ses parents ne les remarquent. Elle revêtit un gilet sur sa robe et descendit. Malgré ses yeux cernés et sa mauvaise mine, Léonie fit des sourires forcés à ses parents. Elle feignit d'agir comme si de rien n'était, mais la violence qu'elle venait de subir occupait toutes ses pensées.

Quand sa mère lui reprocha d'avoir abusé de sa confiance en n'assistant pas aux petites vues, Léonie répondit :

— C'est vous qui lui avez donné la permission de m'emmener ; je venais de lui dire que vous vouliez pas. De toute façon, vous aurez pus à vous en faire ; c'est fini, nous deux.

— Pour de bon ?

— Oui, pour de bon.

— Tu décides pas un peu vite, Léonie ? Tu sais, c'est un garçon bien éduqué qui a su se placer les pieds. Il a un bel avenir devant lui. La fille qui va le marier va vivre comme une dame. C'est vrai que t'es encore ben jeune, mais tu peux le garder comme ami en attendant de vieillir.

— Je suis pas faite pour le mariage.

Léonie se leva et tourna le dos à ses parents pour qu'ils ne voient pas son mal à l'âme dans ses yeux humides. Elle sortit le plat à vaisselle et y versa de l'eau chaude.

— Mon avenir à moé, c'est d'entrer en religion. Vous le savez, dit-elle sans se retourner, mais personne me croit dans cette maison.

Chapitre 15

Chez les Gaudet, après trois mois sans ses règles, Léonie ne vivait que de lendemain en lendemain. Ne pas savoir la tuait.

Elle se tenait assise devant son déjeuner quand une nausée la fit courir au petit coin. C'était comme ça tous les matins, depuis trois mois, puis ça cessait vers l'heure du dîner. Au retour, elle s'assit devant son assiette et n'y toucha point.

— Tu manges pas? lui dit sa mère.

— J'ai pas ben faim à matin.

— Vide donc ton assiette; ton bol de gruau est encore plein. C'est du vrai gaspillage.

— Vous me le réchaufferez pour dîner, dit-elle, ne sachant que répondre.

— Du gruau, au dîner? Tiens, regarde ce que j'en fais.

Sa mère jeta le contenu dans le poêle.

— La prochaine fois, tu t'arrangeras pour pas avoir les yeux plus grands que la panse.

Léonie avait la tête ailleurs.

— Si tu manges pus, lui dit sa mère, tu vas t'affaiblir.

Léonie aurait aimé se confier à sa mère, mais elle n'y arrivait pas. Elle redoutait sa réaction et elle manquait de courage. Sa mère lui ferait sûrement une scène et la mettrait à la porte. Elle ne pourrait pourtant pas cacher indéfiniment sa situation ; bientôt, ses vêtements étrangleraient sa taille.

Léonie cherchait une solution. Où aller sans argent ? Elle se leva de table et commença à desservir en se creusant les méninges pour résoudre le problème par elle-même. Elle devrait peut-être commencer par une visite chez le médecin ! « Et si c'était autre chose ? » se dit-elle ; ses menstruations avaient déjà sauté des mois, par le passé, avant de devenir régulières. Ou encore avait-elle une maladie comme Augustine Larochelle, sa troisième voisine, qui avait des maux de gorge et s'endormait partout ? Avec du repos, cette fille avait recouvré la santé.

Au fond, Léonie était bien consciente de son état, mais elle refusait d'y croire.

Elle passait toutes ses nuits à chercher une solution. Sans argent, rien n'était possible. Elle était dévastée. Elle n'avait même pas le droit de craquer, d'en finir pour de bon ; les commandements de Dieu le défendaient.

* * *

Un matin, au déjeuner, Léonie demanda à sa mère la permission d'aller au village pour visiter Blanche. Sa sœur restait sa seule ressource. Là-bas, elle devrait surmonter sa honte et se confier à Blanche. À deux, elles trouveraient peut-être un moyen de la sortir de cette impasse.

– P'pa, j'peux-tu prendre le cheval pis la voiture ?

Sa mère insista pour l'accompagner. Mais Léonie avait tout prévu. Elle voulait y aller seule pour passer aussi au bureau du médecin.

– Je veux passer quelques jours chez Blanche. Depuis que mes sœurs sont mariées, la maison est trop tranquille.

– Combien de jours ?

– Disons une semaine.

– Une semaine ? Blanche va ben se tanner de toé.

– Mais non ! intervint son père. Laisse-la donc aller. Si ça fait pas, au bout de deux ou trois jours, elle reviendra.

Félicien Gaudet se leva d'un bond. On eût dit qu'il venait de rajeunir de vingt ans. Sa Marquise était encore désirable et l'idée de se retrouver seuls tous les deux, comme des jeunes mariés, lui plaisait bien.

– Va te préparer, pendant ce temps-là, moé, je vais aller atteler.

Félicien sortit en sifflant.

Léonie monta à sa chambre préparer ses effets. Elle devait surtout ne rien oublier vu qu'elle partait peut-être pour ne plus revenir ; elle n'en savait encore rien, mais elle espérait trouver une solution.

Son père déposa un sac d'avoine sous le siège de la voiture et mena l'attelage devant la porte.

En passant devant sa mère, celle-ci l'arrêta.

– Tiens, apporte un tablier. T'aideras ta sœur dans la maison.

Léonie refusa d'ouvrir sa valise devant sa mère.

– J'en veux pas. Si j'en ai besoin, Blanche m'en prêtera un.

Marquise resta un moment dans la porte à regarder partir sa fille avec sa petite valise à la main.

– Léonie s'est un peu arrondie, dit Marquise. Je vais devoir y faire une robe.

Et elle ajouta :

– On a les plus belles filles de la paroisse. Tu trouves pas, Félicien ?

– C'est parce que c'est les nôtres. Tous les parents doivent penser comme nous.

Léonie souleva gracieusement le bas de son manteau pour monter dans la voiture.

Elle secoua les cordeaux sur la croupe de Coquette et hop ! sans se retourner, elle guida son attelage dans la campagne défeuillée. Il y avait eu de la neige en novembre, mais elle avait fondu. Elle gardait la tête droite devant ses parents et elle clignait des yeux pour que sèchent ses larmes. « Je reviendrai jamais par icitte », se dit-elle. Et elle quitta les siens en emportant son lourd secret.

Personne sur la chaussée. Léonie allait, le visage vers la route et le dos tourné au soleil du matin. Le chemin était long et vallonné. Les cailloux sonnaient sous les roues. Léonie, concentrée sur l'inconnu qui l'attendait, ne voyait pas la vie qui débordait de toutes les portes ; elle s'inquiétait de la réaction de Blanche et des jours qui suivraient. Et si Blanche allait tout raconter à sa mère ? C'était peut-être une mauvaise décision de se confier à elle, mais existait-il une autre solution ? Personne ne voudrait de cet enfant. Que ferait-elle de lui, sans un sou pour subvenir à ses besoins ? Ils allaient mourir ensemble de misère et de faim. Jean-François Morin avait bousillé sa vie. Lui, un garçon que ses parents estimaient parce qu'il était instruit, poli et toujours tiré à quatre épingles. S'ils savaient ! Derrière ses belles manières, c'était un sournois, un salaud, un fumier, un écœurant de la pire espèce! Léonie suait. Elle glissa un doigt tout autour de son chapeau. Ses cheveux étaient mouillés. Était-ce la faiblesse? la nervosité? Elle éclata en sanglots. Maintenant loin des siens, elle pouvait s'apitoyer sur son sort, laisser couler librement ses larmes refoulées depuis trois mois. Comme elle approchait du village, elle enfonça son chapeau sur sa tête et rabattit le large bord sur ses yeux; ainsi personne ne s'apercevrait qu'elle avait pleuré. Soudain, juste avant d'arriver au village, une idée lumineuse lui vint à l'esprit; comme Blanche n'attendait pas sa visite, elle continuerait son chemin jusqu'à Sainte-Émélie, où elle commencerait par sa visite au médecin.

Elle fit trotter Coquette le temps de traverser la place et, à la sortie du village, elle choisit un endroit désert pour lui permettre de se reposer. Elle lui donna un picotin d'avoine. Après quinze minutes, elle caressa son cou.

– T'es une bonne bête, Coquette, dit-elle avant de reprendre la route.

Elle mena son attelage directement chez le médecin.

* * *

C'était un docteur chaleureux qui savait écouter ses clients. Il attirait la sympathie et la confiance.

La porte du cabinet s'ouvrit sur l'adolescente. Elle portait de longues tresses au dos et une frange au front. Le docteur Leblanc remarqua les yeux rougis de sa cliente. Il en avait vu d'autres. «Encore une adolescente qui s'est mise dans le pétrin!» pensa-t-il.

– Veuillez me suivre.

— Combien vous chargez pour une visite ? J'ai seulement vingt-deux sous. Tenez ! dit-elle en avançant la main vers lui.

— Gardez vos sous. Assoyez-vous et dites-moi ce qui ne va pas.

Léonie parla, les yeux baissés.

— Ça fait trois mois que j'ai pas eu mes menstruations, pis hier, j'ai eu des écoulements de sang, très peu. Je pensais que c'était mes menstruations, mais ça s'est arrêté tout seul.

— Avez-vous eu des relations sexuelles ?

— Qu'est-ce que vous voulez dire ?

— Avez-vous couché avec un garçon ?

— Oui, mais je voulais pas.

Souvent, les filles-mères, gênées d'avouer leur faute, employaient cet alibi pour s'innocenter devant le médecin.

— Avez-vous fait quelque chose pour provoquer ces écoulements, comme entrer un objet dans votre vagin ?

— Non.

Le médecin la fit allonger sur un lit court. Il l'examina, appuya sur son ventre à différents endroits et lui dit :

— Vous êtes enceinte avec menace de fausse couche.

— Qu'est-ce que c'est, une fausse couche ?

L'homme employa les termes courants pour se faire comprendre.

— C'est un enfant qui meurt avant de naître.

Léonie entrevit une lueur d'espoir.

— Y en a qui meurent avant d'arriver ? C'est possible, ça ? C'est ça que je veux ; me débarrasser de cette saleté.

Le médecin gardait son calme. Il ne la jugeait pas.

— Cette saleté, comme vous dites, est un enfant, et le devoir d'un médecin est de rendre les enfants à terme.

— Je sais pus quoi faire ; j'ai personne pour m'aider.

— Vos parents sont au courant de votre état ?

— Non ! Personne le sait, pis je veux pas que vous leur disiez.

Le médecin se cala dans son fauteuil, comme pour y rester.

— Les parents sont là pour aider leurs enfants et les soutenir dans les moments difficiles. C'est leur devoir.

— Les miens comprendraient pas. Si vous connaissiez ma mère ; elle est très sévère. Elle dirait que c'est ma faute pis, ensuite, elle arrêterait pas de me faire des reproches. J'aime mieux m'arranger toute seule avec mon problème.

— Vous avez donc si peur d'elle ?

Léonie s'en voulait à son âge de craindre encore ses parents. Elle lâcha un gros soupir.

— Chez nous, ça passerait pas.

Le médecin laissa s'écouler quelques minutes. «Les enfants savent tout détecter, pensa-t-il. Ils connaissent leurs parents mieux qu'eux-mêmes.» Il toussait, se mouchait, comme pour laisser le temps à Léonie de réfléchir, de parler. Puis, il lui demanda :

— Qu'est-ce que vous vouliez dire tantôt, par vous arranger toute seule ?

— Je sais pas. Je voudrais mourir.

— Et le père de votre enfant ?

— Non, pas lui. Surtout pas lui.

— Il est responsable de vous et de l'enfant qui vient. La loi est de votre côté.

— C'est le clerc de notaire. Je le déteste. J'y disais non, je criais, je me débattais, mais y était plus fort que moé.

— Ce garçon n'est pas de votre âge, il me semble.

— Non. Y a vingt-trois ans.

— Il connaît votre situation ?

— Non. Pis je veux rien savoir de lui, pis du petit non plus, je veux m'en débarrasser, mais je sais pas comment.

Léonie voyait dans cette possible fausse couche le rejet d'une chose sale, d'un déchet que le clerc avait projeté dans son corps.

Le médecin gardait les yeux baissés sur une belle plume qu'il tournait et retournait dans sa main.

— Il existe à Montréal, dit-il, une maison appelée Rosalie-Jetté, tenue par les sœurs de la Miséricorde, où des femmes s'occupent de filles-mères comme vous. Si vous êtes intéressée, je peux vous recommander à elles. Vous seriez avec des filles dans la même condition que vous. Là-bas, les jeunes mamans peuvent travailler. Cependant, pour être admissible, on exige que les filles gardent leur enfant.

— J'en veux pas, de cet enfant-là. Je vais m'en débarrasser aussitôt qu'y va naître.

— Si vous souhaitez entrer à Rosalie-Jetté, ne dites à personne que vous allez donner votre enfant. On ne vous garderait pas. Vous devrez agir dans le secret. Si seulement vous acceptez.

Léonie n'était pas habituée à de si importants changements et encore moins à prendre des décisions par elle-même.

— Je suis ben forcée d'accepter, dit-elle ; y a juste deux solutions : ça ou la rivière.

Léonie se sentait bousculée ; les choses allaient trop vite.

Le médecin avait une petite idée en tête, mais c'était trop tôt pour en parler. La jeune fille était encore trop perturbée avec tous les changements qu'elle subissait pour tout régler en une seule visite.

— Donnez-vous du temps avant de décider de confier votre enfant à d'autres parents. Après la naissance, si vous êtes sérieuse, vous m'en reparlerez. Je connais un couple qui, je crois, pourrait être intéressé à le prendre.

— Des gens que je connais ?

— Peu importe, puisque vous n'en voulez pas.

— Je demandais ça de même, juste pour m'imaginer où y vivrait. Je veux quand même une bonne famille pour lui.

Léonie se moucha. Elle ne reviendrait jamais à Saint-Côme. C'en était fini de sa petite routine confortable avec ses parents. Mais que lui réservait la vie ? Elle obéit docilement au médecin, sans savoir ce qui l'attendait dans la grande ville.

— Je connais pas la grande ville ; j'y ai jamais mis un pied. J'ai même pas d'argent pour m'y rendre ni pour payer une pension.

— Certaines filles travaillent dans la maison afin de compenser pour leur pension, de préférence celles qui n'ont rien ni personne pour subvenir à leurs besoins.

Le médecin préférait l'aider au plus tôt, avant qu'elle ait des idées d'avortement ou de suicide, comme la petite Lachapelle, une fille de la paroisse qu'on avait retrouvée noyée dans un puits.

— J'ai à faire à Montréal, tôt demain matin. Si vous le désirez, je pourrais vous conduire là-bas.

Léonie se demanda s'il avait vraiment à faire à Montréal ou si ce n'était pas seulement dans l'intention de lui venir en aide.

— À quelle heure au juste?

— Cinq heures du matin, ça vous irait? Comme ça, personne ne vous verra quitter la paroisse, et moi, je serai de retour à une heure décente pour ouvrir mon cabinet.

— Je serai devant l'église de Saint-Côme à cinq heures du matin. Je vous attendrai là.

— Ça ira pour cinq heures.

— Vous êtes trop bon, murmura Léonie.

* * *

Léonie fit tourner son attelage et le mena au pas vers Saint-Côme, après avoir grignoté un morceau de pain qu'elle avait pris discrètement chez ses parents avant de partir; ce serait son seul dîner. Elle avait besoin de temps pour assimiler tout ce que venait de lui dire le médecin. Elle se demandait ce qui l'attendait. Elle allait vivre dans une ville étrangère, avec de parfaites inconnues.

* * *

Blanche reçut Léonie dans ses bras. Celle-ci ne pensait qu'à son départ, mais elle ne pouvait en parler. Elle ne put retenir ses larmes. Elle se moucha et fit un sourire forcé.

— Voyons donc! Qu'est-ce qui se passe avec toé? T'as jamais été aussi sensible.

— Excuse-moé, c'est l'émotion. On se voit pas assez souvent. C'est pour ça qu'à matin j'ai décidé de venir te voir.

— Ça, c'est une bonne idée, un après-midi à nous deux. Je vais aller te montrer les beaux meubles que Noé a fabriqués à son atelier pis, en même temps, on va passer chez le marchand acheter de la viande ; ça va me faire du bien, à moé itou, de prendre l'air. Ça va nous dégourdir les jambes de marcher un peu. Pis qu'est-ce que tu dirais de souper avec Noé là-bas ? Il a beaucoup de travail. On pourrait faire un pique-nique dans son atelier.

Léonie n'allait pas refuser ; ce serait son dernier repas en compagnie de sa sœur et de son beau-frère.

Blanche sortit un petit panier qui servait à étendre son linge sur la corde.

— On va le remplir de bonnes choses, dit-elle : des sandwichs, du céleri, des cornichons, des beignes.

— Je vais t'aider à tout préparer.

Blanche sortit le hache-viande et le vissa au rebord de la table.

— Veux-tu hacher le poulet ? Pendant ce temps-là, moé, je vais faire cuire des œufs durs.

Tout en tournant la manivelle, Léonie regardait Blanche dans son cadre de vie. Sa sœur filait le parfait bonheur. Son mari gagnait bien sa vie et Blanche ne manquait de rien.

* * *

À l'atelier, Blanche choisit un endroit un peu plus propre pour y étendre la nappe et déposa au centre un pot de limonade. Noé, Blanche et Léonie s'assirent par terre. Pour Léonie, c'étaient ses derniers instants de bonheur. Elle aurait trouvé la journée bien agréable, n'eût été cette affaire bizarre que le clerc avait semée dans son ventre.

* * *

Le soir, chez Blanche, Léonie veilla très tard afin que sa sœur l'invite à coucher. Tout était calculé. Depuis sa visite au médecin, elle s'était occupée de bien préparer la suite des événements.

Comme si elle avait entendu ses pensées, Blanche l'invita à coucher :

– Tu vas pas prendre le chemin toute seule, en pleine noirceur ? Y a les loups pis les voyous ; on sait jamais.

– J'ai un peu peur, mais j'ai pas le choix.

– Ben, ça se fait pas, Léonie, une fille seule, courir les grands chemins en pleine nuit. Moé, j'ai peur pour toé. Si tu tiens absolument à partir à soir, Noé pis moé on va aller te reconduire. Mais ce serait ben plus raisonnable de coucher icitte.

Léonie accepta son invitation. Les choses s'arrangeaient par elles-mêmes ; elle n'aurait pas su où aller en attendant son départ pour Montréal.

* * *

Léonie se jeta sur le lit, tout habillée. Toute la nuit, elle compta les coups à l'horloge pour ne pas manquer son départ. Depuis quelques mois, elle avait peur du noir, peur des hommes, peur de l'avenir, et cette nuit, peur de rater son départ. Elle dormit peu. Comme toutes les nuits, ses mauvais souvenirs revinrent la hanter. Des images dures défilaient dans sa tête. Elle essaya de les mettre de côté, mais elle n'y parvint pas. À quatre heures et demie, elle sortit pour aller à la bécosse au fond de la cour et, au retour, elle se rendit à la voiture prendre sa petite valise. Il faisait nuit noire ; personne ne pouvait la voir et, l'œil aux aguets, elle surveillait si on ne la suivait pas. Elle marcha jusque devant l'église, seule avec son épreuve. Elle ne rencontra pas âme qui vive, même pas un chien ; tout le village dormait. Le docteur Leblanc était déjà là et l'attendait dans son auto.

— Avez-vous passé une bonne nuit ? lui demanda le médecin.

— J'ai pas dormi. J'avais trop peur de passer tout drette à matin. J'ai pas l'habitude de me lever si tôt.

— Allongez-vous sur le siège arrière. Je vous réveillerai une fois que nous serons rendus à Montréal.

Léonie se recroquevilla en boule et appuya la tête sur sa valise. Le médecin enleva son gilet et lui en couvrit les épaules.

Léonie quitta sa paroisse pour toujours en emportant son terrible secret. Elle s'endormit au bringuebalement de l'auto qui cahotait par les chemins les plus rudes.

* * *

Montréal vivait. Montréal bougeait. Quel contraste avec son coin de pays où tout n'était que paix et silence !

Arrivé chez les sœurs de la Miséricorde, le docteur Leblanc saisit la petite valise et précéda Léonie dans sa nouvelle demeure. Ce médecin marchait toujours à petits pas pressés ; Léonie devait sautiller pour le suivre, même si ses jambes flageolaient.

C'était une immense maison en pierre, au joli parterre entouré d'arbres. Ici et là, un peu de terre découverte laissait voir des traces de plantes annuelles arrachées. Ils montèrent les marches d'un grand escalier pour se retrouver devant deux belles portes sculptées. Cependant, toutes ces beautés n'émouvaient pas Léonie. Elle avait la tête ailleurs ; elle coupait définitivement les ponts avec son petit village. Que diraient ses parents en apprenant sa disparition ? Quelle peine elle allait leur causer !

— Sonnez, dit le médecin.

D'une main tremblante, Léonie appuya sur le bouton de la sonnette. Ils attendirent un bon moment sur le perron.

— Je peux sonner de nouveau, dit Léonie.

Ses dents claquaient et tout son corps frissonnait. Au même instant, deux portes s'ouvrirent devant eux et ils furent accueillis par sœur Madeleine, une grosse personne accueillante au sourire tendre, qui donnait envie de se blottir sur son sein, généreux comme son âme. Elle les invita à passer dans une toute petite pièce, pas plus grande qu'un portique d'église. La religieuse portait un bandeau blanc sur son front, et sa tête était couverte d'un voile noir qui cachait complètement ses cheveux. Sur sa robe noire, une grande collerette blanche, empesée, couvrait ses seins. Au-dessous dépassait une grande croix retenue par un gros cordon.

— Je vous confie ma protégée, dit le médecin.

L'homme déposa la malle sur le carrelage et se tourna vers Léonie.

— Je repasserai vous voir dans quelques mois. Je vous souhaite un bon séjour ici.

Léonie s'accrocha désespérément à la manche de son gilet, comme une noyée à son sauveteur.

— Quand au juste? Combien de mois?

— Deux ou trois.

— Trois mois, c'est long, soupira Léonie.

Elle baissa la tête, la mine boudeuse. Le médecin, le seul lien qui la rattachait à son coin de pays, l'abandonnait. Elle n'arrivait pas à lui dire à quel point elle avait besoin de lui. Elle s'efforçait de ne pas pleurer, mais ses lèvres tremblaient.

— Merci pour tout, dit-elle en ravalant. Tenez!

De nouveau, elle lui offrit ses vingt-deux sous, son seul avoir.

Il repoussa sa main. Le docteur Leblanc était un médecin dévoué, argent ou pas.

Léonie le talonna jusqu'à la porte et, les mains appuyées à la vitre, elle regarda son bienfaiteur disparaître de sa vue. Puis, se sentant complètement coupée de son monde, elle laissa échapper un cri : «M'man!» et elle se mit à pleurer à chaudes larmes.

En entendant son cri, sœur Madeleine vint à elle et lui présenta un mouchoir. Elle l'invita à la suivre.

Maintenant loin des siens, Léonie se sentait terriblement seule dans une institution qu'elle ne connaissait pas, qui dégageait une odeur de plancher frais ciré. Que faisait-elle ici, entourée de parfaites inconnues? Depuis sa sortie avec le clerc, sa vie avait été un enfer. Le bonheur et l'insouciance l'avaient quittée, voilà quatre mois déjà.

— Venez, insista sœur Madeleine.

Léonie avançait comme une automate. Elle ne savait pas où se diriger. L'envie de quitter cet endroit effleura un moment son esprit, mais sitôt à l'extérieur, où irait-elle sans argent? La religieuse poussa la porte d'une pièce qui devait être son bureau.

— Assoyez-vous à cette petite table, lui dit la religieuse, et remplissez ce formulaire.

Léonie s'assit sur une chaise inconfortable; le dossier trop droit projetait son corps en avant. Sa main tremblait. Sœur Madeleine en avait vu, des cas et, pourtant, à chaque nouvelle arrivée, l'émotion la prenait aux tripes. Elle ne s'habituait pas à la souffrance.

— Prenez tout votre temps, dit-elle d'un ton maternel.

Léonie écrivit son nom, son âge, sa taille, la couleur de ses yeux et de ses cheveux, son temps de grossesse et la date de naissance prévue. Le nom du père de l'enfant à naître était suivi d'une note : « Facultatif ». Elle écrivit : *Inconnu*.

Sœur Madeleine lui demanda de raconter les faits qui l'avaient conduite à cette institution. Chaque fille, dans cette maison, avait sa petite histoire. La sœur l'écoutait avec une grande attention, en se gardant bien de l'interrompre. Elle fut très touchée par le récit de la jeune fille. Elle invita ensuite Léonie à la suivre à la cuisine.

— À quelle heure avez-vous déjeuné?

— J'ai pas eu le temps de manger; je suis partie de Saint-Côme à cinq heures du matin.

— Suivez-moi à la cuisine.

La cuisine, plutôt vaste, dégageait une bonne odeur de cannelle, une odeur familière. Léonie inspira deux bons coups, comme pour mieux humer le parfum.

– Ça sent la compote aux pommes, dit la religieuse.

Léonie se dit qu'on allait lui en servir. Mais non, sœur Madeleine la fit asseoir au bout d'une longue table en bois doré et lui offrit un jus, des rôties et de la confiture de fraises. Léonie retrouvait un peu de sa mère dans les gestes de la religieuse.

La sœur lui attribua ensuite diverses tâches, comme préparer des limonades et laver, peler et couper les légumes ; les gens du coin donnaient généreusement à cette maison d'accueil. En somme, le travail de Léonie se résumait à tout ce qui avait trait à la cuisine.

Elle quêtait chaque fois l'approbation de sœur Madeleine.

– Je suis pas habituée de travailler. Y va falloir tout me montrer, mais craignez pas, je vais m'appliquer à ben faire mon ouvrage.

Chez les Gaudet, Léonie étant la plus jeune, sa mère ne la commandait pas.

Sœur Madeleine la mit ensuite en contact avec celles qui deviendraient ses compagnes : une centaine de filles âgées de treize à dix-huit ans. Presque toutes avaient de grosses bedaines ; celles qui n'en avaient pas étaient fraîchement accouchées. Toutes avaient l'air sympathiques. Elles causaient et riaient de bon cœur. Pour la première fois depuis des mois, Léonie se détendit.

Chapitre 16

Le même matin, au petit village de Saint-Côme, Blanche, les paupières lourdes de sommeil, se leva la première. Rien ne bougeait dans la cuisine. Elle supposa que sa sœur Léonie dormait; elle s'était couchée si tard, la veille. Blanche prépara un chocolat chaud comme Léonie l'aimait et le poussa sur le bout du poêle pour lui conserver sa chaleur. Noé rasait sa barbe devant l'évier. Blanche devait le contourner chaque fois qu'elle sortait des ustensiles du tiroir. Noé lui passa la savonnette sur le bout du nez et il y déposa un peu de mousse blanche, histoire d'égayer l'ambiance.

— Tu le fais exprès pour me retarder, murmura Blanche avec un pâle sourire.

Noé passa sa débarbouillette sur le dépôt de savon et chatouilla l'arrière de ses oreilles. Blanche lui fit un bisou en vitesse et s'échappa en se glissant, comme une couleuvre, dans le peu d'espace libre entre Noé et l'armoire.

Elle dressa la table du déjeuner en prenant soin de ne pas faire de bruit. Avant de déposer ses tranches de pain sur le rond du poêle, elle jeta un œil discret dans la chambre à visite. Le lit était refait. Léonie devait être au petit coin. Blanche jeta un œil à l'extérieur. L'attelage de son père était sous la remise. La jeune femme se pressa de dorer les rôties afin qu'au retour de sa sœur, le déjeuner soit dans son assiette. Léonie se faisait attendre. Blanche se rendit au petit coin, derrière la remise. Comme elle ne voyait personne, elle appela :

— Léonie ? T'es là ?

Rien. Elle appela de nouveau en élevant la voix :

— Léonie ! Léonie !

Blanche revint à la maison, en courant et en criant :

— Noé ! Léonie a disparu. J'ai regardé partout, pis je l'ai pas vue nulle part.

— Son attelage est dans la remise ; elle peut pas être ben loin. Va donc voir à la boutique à bois.

Blanche, dans un état d'excitation, courut à l'atelier, mais toujours rien.

— Je vais aller voir si elle serait pas partie à pied.

— Voyons donc ! Pas à pied quand son attelage est sous l'appentis. Avant de s'énerver, on va faire le tour du village ; elle est peut-être allée se promener ; y fait si beau !

Léonie restait introuvable. Et pourtant, Noé avait confiance.

— Ta sœur est pus une enfant. On devrait y laisser le temps de revenir avant de se faire du mauvais sang.

— Je vais avertir mes parents. Eux décideront de ce qui sera le mieux à faire pour la retrouver.

* * *

Le même matin, chez les Beauséjour, Maxime surgit dans le dos de Victorine et glissa ses bras autour de sa taille.

— Fais attention, dit-elle, si ta mère nous voit, elle va me faire des reproches. Hier encore, elle me reprochait d'aller m'asseoir dans la balancigne ; elle dit que les voisins vont jaser de me voir flâner, pis avec raison ; dans ce temps-là, mon ouvrage traîne.

— Qu'est-ce que t'as répondu ?

— Rien ! On m'a pas appris à me défendre.

— Je sais que m'man est exigeante pis que c'est difficile pour toé, mais essaie d'oublier ça. Si aujourd'hui on allait visiter tes parents ? En même temps, on pourrait passer saluer Noé pis Blanche.

Victorine sentait l'haleine tiède de Maxime courir comme une caresse sur sa nuque. Elle en oublia un moment ses nausées matinales, elle qui était déjà enceinte à nouveau, avec un jeune bébé de six mois et un bambin de deux ans et demi sur les bras. Elle se retourna et lui fit face. Maxime était toujours aussi beau, aussi attirant.

— Tu veux aller te promener, c'est ça, hein, Maxime Beauséjour ?

Victorine connaissait son homme ; Maxime cherchait toujours un prétexte pour sortir.

— Tu sais, dit-elle, c'est pus ben drôle chez nous, depuis que Blanche est mariée. As-tu remarqué comme Léonie a changé ? Elle est pus aussi joyeuse qu'avant. Elle parle pus.

— Ce serait pas plutôt le fait que son jeune clerc l'a laissée tomber ?

— Tu penses qu'elle était en amour ? Moé, ça me surprendrait ben gros ; elle l'a à peine connu. Léonie a toujours voulu entrer chez les bonnes sœurs pis elle s'entête dans son idée. Tu sais, quand la maison se vide, ça chambarde la vie des derniers des familles qui se retrouvent seuls avec leurs vieux parents. Léonie doit s'ennuyer.

— Dis donc oui! insista Maxime. Ça va distraire ta sœur d'avoir de la visite. T'en profiteras pour l'inviter à venir passer quelques jours à la maison. Tu sais comme elle aime les enfants.

— J'ai jamais osé inviter les miens dans ta famille; je me sens pas chez nous dans cette maison. Pis asteure que j'ai déménagé les petits dans la chambre de Noé, on a pus de chambre à visite. Léonie serait pas ben à l'aise de coucher sur le banc de quêteux.

— Viens quand même! Tu la feras parler; ça va y faire du bien. Je vais t'aider à préparer tes affaires.

— Ça va, dit Victorine. Occupe-toé d'atteler pendant que je m'occupe des enfants.

* * *

Maxime menait son attelage cahin-caha sur le chemin de sable quand il vit venir une voiture à fond de train.

— On dirait l'attelage de p'pa! s'exclama Victorine, étonnée.

La voiture s'arrêta brusquement à leur hauteur.

Maxime tira les cordeaux.

— Woh!

Félicien Gaudet, le père de Victorine, semblait surexcité.

— Je m'en allais justement chez vous. Je cherche Léonie. Vous l'avez pas vue?

— Non!

— Elle est disparue à matin.

Victorine se figea.

— Voyons! Qu'est-ce que cé que cette histoire?

Son père, incapable de répondre, ravalait sa peine.

— Elle est partie seule? demanda Victorine.

— Oui, répondit son père. Hier, elle nous a dit qu'elle s'en allait passer la semaine chez Blanche, pis à matin, quand Blanche s'est levée, Léonie avait disparu. Blanche a trouvé sa chambre vide pis son lit ben faite. Le cheval pis la voiture étaient restés sous la remise.

— Elle serait pas chez son clerc?

— Non. J'arrive de chez lui. Y m'a dit qu'y l'avait pas vue depuis des mois.

— Pis vous l'avez cru?

— C'est pas le genre à mentir.

— Pauvre Léonie!

— Ta mère est dans tous ses états. Là, Blanche est restée à la maison pour s'occuper d'elle.

Maxime murmura à l'oreille de Victorine, pour ne pas être entendu de son beau-père:

— Elle doit s'être envoyée en l'air avec son clerc de notaire.

— Ta mère croit que Léonie vit une peine d'amour, dit son père.

— Pis, son petit clerc, qu'est-cé qu'y vous a dit au juste? Y est pas inquiet?

— Y a eu l'air surpris. Y a dit qu'y aimerait offrir son appui, mais que son travail le retenait. Y a déjà un bon moment qui la voyait pus, y la trouvait trop jeune pour lui.

— Trop jeune! rétorqua Victorine, incrédule. Y savait son âge quand y a demandé de l'accompagner aux noces de Blanche. Pis en plus, y a pas le temps? Y s'en fiche?

— Tu sais ce que c'est, à cet âge-là : un jour, elles ont l'air d'une enfant pis, le lendemain, d'une femme.

Félicien fit demi-tour.

— Venez-vous-en à la maison.

Victorine, navrée, serrait son bébé sur son cœur.

— On élève des enfants, marmonna-t-elle, sans savoir les inquiétudes qu'y peuvent nous réserver. Asteure, où cé que Léonie peut ben être ? On la trouvait silencieuse ces derniers temps ; ses silences devaient cacher quelque chose d'assez grave. Pourvu qu'elle soit pas allée se jeter à la rivière ! C'est curieux ; j'ai comme un pressentiment que son clerc en sait plus long qu'y le dit. Tout le monde le vénère comme si c'était le bon Dieu, mais moé, je me garde un petit doute.

* * *

À l'arrivée de Victorine, la grande cuisine des Gaudet était déjà bondée de voisins sympathisants. La jeune femme bouleversée trouva sa mère en larmes.

— Ta petite sœur est disparue, lui dit Marquise, qui ne cessait de se moucher.

— Craignez pas, m'man, on va la retrouver. Surtout, perdez pas confiance.

Victorine ne voulait pas questionner sa mère devant les gens. Elle fit signe à sa mère de la suivre à la chambre du bas. Marquise la suivit. La mère et la fille s'assirent sur le même côté de lit.

— Avez-vous eu une prise de bec dernièrement ? Vous savez comme Léonie est têtue.

— Non, rien. Seulement que, ces derniers temps, elle était pas comme avant. Elle parlait pas. Faut dire que depuis le départ de Blanche, elle avait pus personne à taquiner.

— Je sais. On avait remarqué ça, nous autres aussi.

Les femmes retournèrent à la cuisine.

— Vous savez ben qu'elle va revenir ; sans argent, elle pourra pas aller ben loin.

— Revenir ? Quand ça ? Elle a déjà passé une nuite dehors. Y a des lacs pis des bêtes sauvages par icitte.

— Y a pas de quoi s'inquiéter, dit Noé pour remonter le moral de sa belle-mère. Vous allez voir, Léonie va revenir d'elle-même. Si quelque chose y est passé devant le nez, elle va prendre le temps de le digérer pis après elle va revenir chez elle.

Même si tous tentaient de lui redonner espoir, la pauvre mère s'imaginait les pires scénarios.

La nouvelle ne tarda pas à faire le tour de la paroisse. À midi, des attelages venaient de tous les rangs éloignés pour offrir leur soutien. Les femmes échangeaient des regards angoissés. Dans le malheur, tout le monde sympathisait.

N'en pouvant plus de rester là à ne rien faire, Félicien Gaudet se décida à avertir les autorités.

Au village, ceux-ci proposèrent de faire une battue avec les volontaires de la place. Toute la paroisse, même le bedeau, le maire et le curé, était de la partie. Le forgeron et le marchand fermèrent leur commerce.

Monsieur Gaspard Lachapelle prit le départ en main.

— Avant d'entreprendre les recherches, dit-il, y faudrait d'abord savoir quels vêtements portait votre fille.

— Un manteau brun pis une capeline du même ton. Elle a aussi apporté une petite malle noire, vu qu'elle partait de la maison pour une semaine.

Marquise monta fouiller dans la garde-robe de Léonie. Il manquait deux robes : celle de semaine à carreaux bleus et celle du dimanche en cotonnade jaune. Marquise poussa sa recherche plus à fond. Elle passa tout son linge de corps en revue. Il manquait des bas, un cotillon, un bustier et un gilet. Ses tiroirs vides ne surprirent pas sa mère ; Léonie partait pour une semaine.

Elle secoua la petite boîte en tôle où Léonie conservait très peu d'argent sonnant. Elle était vide. Marquise descendit.

— Ça me surprendrait que Léonie soit dans les grands bois, ou encore dans la rivière ; elle aurait pas emporté sa valise ni vidé sa petite banque.

— Allons-y quand même, insista Lachapelle, on prend jamais trop de précautions.

Félicien sortit retrouver les hommes. Lachapelle demanda le silence.

— Vous allez tous former des groupes de quatre, pis laissez-vous pas ; on a assez d'en avoir perdu une. Vous fouillerez les bâtiments, les hangars, les cabanes, les caves, les puits, les abords de lacs, tout. Surveillez aussi les marques de pas et les pistes de loups et d'ours. Allez savoir ! avec les bêtes sauvages qui se tiennent de plus en plus proches des maisons.

* * *

De retour de la battue, les hommes revenaient par petits groupes, pas plus avancés qu'au départ.

À la brunante, les gens s'en retournèrent chacun chez eux, bredouilles.

Félicien Gaudet avisa la police provinciale.

L'inspecteur Montreuil était un homme froid. Toutefois, comme il était le père d'une fille de l'âge de Léonie, le malheur de la famille l'interpellait.

Il frappa chez les Gaudet le même soir, pour recueillir les premières informations. Puis il demanda :

— Votre fille avait-elle d'autres fréquentations ?

— Non ! Pas que je sache, répondit Marquise.

— Ni d'amies de fille ?

— Non plus. Léonie est une fille sage qui demande rien.

— Si votre fille est partie de nuit avec sa valise, dit le policier, c'est qu'elle ne s'est pas fait enlever. D'après ce que j'entends, elle serait partie de son plein gré. Reste à savoir où et pourquoi. Vous n'avez pas eu de malentendus entre vous qui auraient pu provoquer une fugue ?

— Non, rien. Elle est partie de bonne humeur.

— Elle ne serait pas allée retrouver un petit amoureux ? À cet âge, tout est possible.

— À part le petit clerc, elle s'intéressait pas aux garçons, loin de là ; elle parlait d'entrer en communauté.

— Je vous demande ça de même ; je dois envisager toutes les avenues.

— Elle a seulement dix-sept ans, intervint son père, et elle n'a pas d'argent pour vivre.

— Je vais passer faire une petite visite à ce monsieur Jean-François.

— Vous ferez ben ce que vous voulez, mais y sait rien, avança Félicien. Je l'ai vu à matin pis y a été ben surpris de la disparition de Léonie.

— A-t-il participé aux recherches?

— Non. Son travail y permettait pas. Vous savez ce que c'est, ces gens d'affaires ont souvent des rendez-vous importants.

* * *

Le même soir, le policier se rendit chez le clerc de notaire. Avant de frapper, il inspecta les lieux à l'aide d'une lampe de poche. La maison était cachée des voisins par une rangée de mélèzes d'un côté et un garage de l'autre. Le fond de cour était passablement loin du voisin arrière. Son bureau était derrière la maison. Le lieu était assez isolé pour que la présence d'une fille passe inaperçue. Près du petit escalier, des marques de pas étaient visibles sur le sol, ce qui était tout à fait normal, vu l'achalandage.

L'homme inspectait chaque barreau de la rampe, comme il le faisait quand un crime avait été commis.

Soudain, un point brillant attira son attention. L'enquêteur balaya du bout des doigts le peu de neige qui recouvrait le sol et découvrit un anneau d'or. Il continua son balayage. À quelques pas, il cueillit une chaîne brisée. Il souffla dessus pour enlever les résidus de terre accrochés aux maillons. Il l'examina attentivement, en prenant tout son temps, et déposa les deux bijoux dans le gousset de son gilet.

Derrière le rideau de la porte, le clerc suivait la petite lumière de la lampe qui se déplaçait doucement. Il se demandait bien ce que l'enquêteur pouvait avoir ramassé au sol.

Par chance, le lendemain de sa sortie avec Léonie, il avait recloué le barreau pour ne pas avoir à s'expliquer avec le notaire et il avait effacé les marques de résistance sur le sol.

L'inspecteur monta sur le perron et, sans qu'il eût à frapper, la porte s'ouvrit toute grande devant lui. Monsieur Montreuil montra son insigne.

— Police! Monsieur Morin, c'est bien vous?

— C'est moi.

— Je suis l'inspecteur Montreuil de la police de Joliette et j'enquête sur la disparition de mademoiselle Léonie Gaudet, dit l'enquêteur en soutenant son regard.

Jean-François Morin reçut l'homme cordialement. Il lui présenta une chaise et lui offrit un verre.

— Je ne suis pas ici pour ça. Que savez-vous au sujet de cette demoiselle Léonie Gaudet?

— Rien!

— Vous ne connaissez pas cette fille?

— Je la connais, oui, pour l'avoir rencontrée une fois ou deux.

— Combien de fois exactement?

— Une fois.

— Racontez-moi les rapports que vous avez eus avec elle.

Jean-François se demandait si Léonie avait parlé à quelqu'un de leur dernière rencontre. Il raconta la journée des noces de Blanche et s'empressa d'ajouter, pour en finir avec cette histoire:

— Vous êtes sûr que vous voulez rien boire?

— Répondez à ma question. Vous avez jamais revu cette fille ?

— Vous savez, depuis le temps… Écoutez, monsieur le policier, vous me parlez comme à un coupable. Je suis un homme intègre, moi, j'ai une bonne réputation. Informez-vous. Tout le monde de la place me connaît ; on vous le dira.

— Je me passe de vos commentaires. Je ne suis pas ici pour évaluer vos qualités. J'enquête. Parlez-moi de mademoiselle Léonie. L'avez-vous revue après les noces de sa sœur ?

— Je l'ai revue une fois, mais je la trouvais un peu jeune pour m'y intéresser davantage, et ça, mademoiselle Léonie le sait. Je lui ai fait comprendre clairement.

— Plus tôt, vous m'avez dit que vous l'aviez vue une fois, et maintenant, vous êtes rendu à deux. Vos dires ne coïncident pas, dit l'agent qui cherchait à le prendre en défaut.

— Oui, deux fois.

— Où et quand l'avez-vous revue ?

Le garçon lui raconta sa sortie aux petites vues en omettant son détour vers Joliette, sa visite à ses parents et son arrêt au bureau, les faits les plus importants.

— Est-ce que cette fille avait des sentiments pour vous ?

— Je le crois.

— Vous êtes-vous permis des intimités avec elle ?

— Bien sûr que non. C'est une enfant.

— Une enfant ? Pourtant vous lui avez fait endosser un rôle d'adulte en lui demandant de vous accompagner à une noce. Maintenant, dites-moi la vérité. Où cachez-vous mademoiselle Léonie ?

– Vous faites erreur, je ne cache pas mademoiselle Léonie! répondit le clerc d'un ton catégorique.

– Parlez-moi d'elle.

– Mademoiselle Léonie attendait d'avoir vingt et un an pour entrer en communauté.

Le policier écrivait tout ce que disait le clerc.

– Vous n'avez rien d'autre à déclarer?

– Non, monsieur!

– Maintenant, dit-il, signez ici vos déclarations.

L'inspecteur replaça alors ses papiers dans son porte-documents.

– Je reprendrai contact avec vous sous peu.

L'enquêteur quitta le clerc promptement, sans le saluer.

* * *

Le même soir, Maxime et Noé montèrent chacun à leur chambre, tandis que Victorine, Blanche et leurs parents passèrent la nuit dans la cuisine à s'inquiéter et à attendre le retour possible de Léonie.

– Une auto dans la cour! cria soudain la pauvre mère.

Félicien courut à la porte.

– C'est le policier qui revient, dit-il en ouvrant.

– Prenez une chaise, monsieur le gendarme. Y a-t-y du nouveau?

– Je viens de questionner monsieur Jean-François Morin. Je n'ai rien tiré de lui. Ce garçon n'en sait probablement pas plus long que vous; du moins, c'est ce qu'il a laissé entendre.

L'inspecteur ne parla pas aux parents des doutes qu'il entretenait au sujet du clerc. Il demanda tout de même à la mère si sa fille pouvait être enceinte.

– Non, monsieur le policier. Le jeune clerc a toujours été respectueux envers elle. Ce garçon a toujours eu une conduite irréprochable.

– Vous en êtes sûre, m'man? intervint Victorine qui retenait ses pensées pour rester polie envers sa mère qui vénérait le clerc.

Marquise ne répondit pas. Elle avait une confiance aveugle en ce jeune homme.

– Qu'est-ce que vous comptez faire? dit le pauvre père, la bouche tremblante.

– Attendre qu'elle revienne d'elle-même. Si vous avez des nouvelles, faites-le-nous savoir afin qu'on ferme le dossier.

* * *

Dans le silence pesant de la nuit, toute la paroisse tremblait. C'était comme si toutes les familles de Saint-Côme avaient perdu une fille.

Victorine, elle, faisait le rapprochement entre la date des petites vues, qui marquait la fin des fréquentations, et la disparition de sa sœur. Trois mois! Se pouvait-il que le clerc cache Léonie quelque part ou, encore, qu'elle soit enceinte? «Si j'étais m'man, se dit-elle, ce serait la première chose que je redouterais. La police devrait suivre le clerc dans tous ses déplacements. Qui sait s'il ne cache pas Léonie en quelque part? On ne disparaît pas comme ça pour rien.» Victorine tut ses soupçons à ses parents;

ils étaient assez inquiets, nul besoin d'en rajouter avec des hypothèses non fondées. Elle se promit toutefois d'en parler à monsieur Montreuil, l'enquêteur.

— On ferait mieux de se coucher, dit Victorine. Si Léonie s'est sauvée de la maison, ça doit pas être pour revenir la nuit suivante.

— Pourquoi pas, si elle est dans la misère ? Pis si elle a faim ou froid ? De toute façon, je pourrai pas dormir, dit la pauvre mère éplorée.

— Si elle revient, insista Victorine, elle entrera ; la porte est jamais barrée pis son lit est toujours là qui l'attend.

— J'aimerais ben être là pour la recevoir dans mes bras. De toute façon, je dormirai pas tant qu'on l'aura pas retrouvée. Toé, Victorine, tu serais capable de dormir si un de tes enfants disparaissait ?

Victorine passa les bras au cou de sa mère.

— Ben sûr que non, m'man.

— Moé, je vais rester deboutte avec votre mère, dit Félicien. Vous autres, montez vous coucher. La journée de demain risque d'être chargée, avec les petits.

Victorine n'arriva pas à dormir. La tête sur l'oreiller, elle fit part de ses doutes à Maxime.

— Mes parents ont pas l'air de suspecter son petit clerc. Y l'ont en adoration. Moé, si j'étais eux autres, je serais pas si naïve. Ce garçon en sait peut-être plus long qu'on le pense. Si t'allais le rencontrer ? P't-être ben qu'entre gars du même âge, y serait plus à l'aise pour parler.

— Ton père est allé, le gendarme aussi. Je pourrais pas faire mieux.

— Je sais ben, mais à toé, y ferait peut-être des confidences qu'y ferait pas aux autorités.

— De toute façon, je saurais pas quoi y dire. On est pas de la même trempe, lui pis moé. Tu le sais.

— C'est vrai que t'es pas trop parlant. Je vais surveiller la malle. Léonie va peut-être se décider à écrire ; on disparaît pas comme ça, sans donner de nouvelles à ses parents. Ça me surprend qu'elle se soit pas confiée à Blanche ; elles étaient si proches, toutes les deux.

* * *

Le lendemain, Maxime, Victorine et leurs deux enfants entraient au poste de police de Joliette, où Victorine confia ses doutes à l'enquêteur.

— Je me demande si c'est pas le petit clerc qui cache Léonie quelque part, dit-elle. Si je compte ben, ça fait un peu plus de trois mois. Si Léonie était enceinte, y serait temps pour elle de se cacher.

Ensuite, Victorine parla de ses parents qui tenaient le garçon en adoration. Elle ajouta :

— Y seraient prêts à y donner la communion sans confession. Vous allez me dire que c'est juste des suppositions, dit-elle, pis vous auriez raison, mais y fallait que je vous le dise ; ça me chicote trop.

L'inspecteur fouilla dans sa poche.

— Reconnaissez-vous ces bijoux ? dit-il en les déposant sur le comptoir.

— C'est le jonc pis la chaîne de mariage de mémère Leblanc, ma grand-mère maternelle, dit Victorine en promenant son doigt sur la chaîne. Elle est brisée ? On la voulait toutes les trois, mais m'man a décidé de la donner à Léonie, qui, à son tour, la donnerait à une de ses filles. Où les avez-vous pris?

L'inspecteur ne répondit pas.

— Je vous demanderais de garder le silence sur ce que je viens de vous montrer pour ne pas embrouiller les pistes susceptibles de nous mener à votre sœur.

— On dirait que vous en savez plus long que nous autres sur cette histoire.

— Maintenant, allez! Je vais passer chez vos parents et je les questionnerai plus en profondeur.

— Allez-vous leur parler des bijoux?

— Non, ça restera entre nous.

Dès que l'attelage de Maxime eut quitté le poste de police, l'enquêteur monta dans sa voiture.

* * *

Sitôt l'inspecteur arrivé chez les Gaudet, Marquise ouvrit grande la porte devant lui et, avant même les salutations d'usage, elle demanda précipitamment:

— Avez-vous des nouvelles de notre fille?

— Je cherche toujours des indices qui pourraient me conduire à elle.

Marquise approcha une chaise de la table et lui offrit un café.

— Venez plutôt vous asseoir, j'ai certaines questions à vous poser concernant la disparition de votre fille. Racontez-moi ses sorties avec le clerc de notaire.

— Vous avez pas à le redouter, c'est un garçon très bien.

Montreuil réitéra sa demande.

— Je veux tout savoir, tout, insista l'homme, même les détails les plus insignifiants.

— Comme ça fait des mois, je sais pas si je vais me rappeler de toute.

— Je vous écoute.

La femme lui parla du mariage de Blanche, ensuite de la sortie de Léonie qui devait aller aux petites vues et qui s'était retrouvée à Joliette. Enfin, de son retour à la maison, en pleine nuit. Elle avait claqué la porte de l'auto, mais c'était probablement pour bien la fermer.

L'enquêteur écoutait Marquise, sans l'interrompre. Curieusement, les dires du clerc ne correspondaient pas à ceux de madame.

— Léonie m'a dit : « C'est sa faute ; c'est lui qui conduisait. Je pouvais toujours pas me jeter en bas de l'auto. » J'y ai dit que c'était à elle d'y demander de la ramener. Elle m'a répondu : « J'y ai demandé aussi, mais y m'écoutait pas. »

— À ce que j'entends, ce monsieur n'était pas aussi bien qu'on le dit.

— Je veux pas le noircir. Léonie mettait peut-être son retard sur le dos du jeune clerc pour pas se faire chicaner. Je me souviens qu'elle a dit aussi que c'était fini entre eux.

À ce moment, une petite lumière s'alluma dans l'esprit de Marquise. Elle dévisagea l'enquêteur.

— Pas lui ? C'est pas vrai ? Il me semblait si correct ! Si je me trompe pas, c'est à partir de ce jour-là que ma Léonie a commencé à changer. Depuis quelque temps, elle me suivait sur les talons, comme un petit chien qui craint un coup de pied. Ma pauvre Léonie ! Ça se peut-y, avoir été si aveugle !

— Ne tirez pas trop vite des conclusions.

— Vous, inspecteur, croyez-vous que le jeune Morin pourrait être responsable de la disparition de Léonie?

— Personne n'est encore accusé de quoi que ce soit.

— Asteure, dit Félicien, qui avait tout écouté sans dire un mot, je me demande ce que ce petit verrat peut avoir fait de notre fille. Y peut-y la cacher en quelque part?

— Je le répète, ne sautez pas trop vite aux conclusions. Rien ne prouve sa culpabilité dans cette affaire. Laissons la chance au coureur.

Le policier se leva. Il avait une petite idée en tête : prendre le suspect en filature.

— Je vais passer le questionner de nouveau.

— Allez-vous nous redonner des nouvelles? demanda Félicien.

— Dès que j'aurai quelque chose de plausible.

L'enquêteur quitta les Gaudet sur cette promesse.

— En attendant, nous autres, on arrive pas à dormir.

Dès que le visiteur eut passé la porte, Félicien et Marquise se laissèrent aller à imaginer toutes sortes de dénouements tragiques. Qu'est-ce que le clerc avait fait de leur fille? Léonie l'avait probablement suivi de son plein gré, si l'on se fiait à la valise qu'elle avait emportée. Le clerc la cacherait-il?

— Dire qu'on y faisait confiance, les yeux fermés, se désola Marquise en passant une main moite sur son front.

Pour les Gaudet, les heures tombaient une à une, lourdes, interminables.

Chapitre 17

Montréal

Pendant que ses parents s'inquiétaient à mourir, à la maison Rosalie-Jetté, Léonie était accoudée à la fenêtre, l'avant-veille de Noël. De l'autre côté de la rue, des enfants glissaient, assis à la queue leu leu sur deux skis qui leur servaient de traîne sauvage. Soudain, Léonie sentit une poussée dans son ventre. Elle posa la main à l'endroit où une bosse s'était formée, et elle sentit une autre bosse de l'autre côté. Pour la première fois, son enfant bougeait. Elle supposait abriter dans son ventre un ramassis de composés organiques, chair, sang, os et tissus quelconques, qui, un jour, formerait un tout. Mais voilà que, pour la première fois, ce tout bougeait. «Était-ce un pied? une main?» se demanda Léonie, qui sourit pour elle seule.

* * *

Depuis l'arrivée de Léonie, au début de décembre, sœur Bernadette exerçait les filles qui faisaient partie de la chorale à chanter *Minuit chrétien*. Léonie les entendait parfois de la cuisine.

— Plus haut! répétait-elle.

Et le ton montait pour baisser aussitôt. Le chant était triste parce que les filles, loin de leur foyer, n'avaient pas le cœur à la fête.

* * *

La veille de Noël, avant le début de la messe de minuit, elles reprirent le cantique, accompagnées de l'orgue, cette fois. Léonie, assise dans un banc, entendait les filles renifler. Toutes devaient souffrir de passer Noël loin des leurs. Là-bas, dans la petite église de Saint-Côme, les siens devaient, eux aussi, chanter *Minuit chrétien*. Il lui sembla un moment que leurs voix se joignaient à la sienne et elle chanta plus fort.

Pendant tout le cantique, Léonie n'arriva pas à détacher ses yeux de la Vierge qui tenait son enfant dans ses bras. Elle aussi était une fille-mère, mais contrairement à elle, la Vierge avait gardé son enfant. La chanson finie, elle se laissa aller à lui parler.

«Vous, Vierge Marie, vous pouvez pas comprendre ma détresse, vous aviez saint Joseph à vos côtés, pis comme vous êtes une sainte, vous aviez aussi le ciel pour veiller sur vous. Asteure que vous êtes là-haut, c'est ben normal que vous oubliiez les gens de la terre. Vous me répondez jamais quand je vous parle. On sait ben ; vous êtes une statue. Moé, je suis toute seule, je suis une fille déshonorée, plus proche de l'enfer que du ciel. J'ai personne sur qui compter, même pas mes parents ; eux, si y savaient, y m'en voudraient à mort d'avoir sali le nom des Gaudet. Moé, je me dis que si je vis ce malheur, c'est que je le mérite.

M'man disait : "On a ce qu'on mérite." Je dois être une méchante fille. »

Pendant qu'elle se dénigrait sous le regard de la Vierge muette, Léonie sentit tout à coup une présence à son côté. Elle tourna discrètement la tête et aperçut le beau docteur Leblanc et sa dame. Elle oublia la Vierge et leur sourit de toutes ses dents. Elle ne le croyait pas. Ils avaient fait deux bonnes heures de route, spécialement pour elle, la nuit de Noël. Le docteur Leblanc avait décidé de lui faire la surprise pour Noël, plus tôt que les deux ou trois mois qu'il lui avait promis. Ils étaient là, à ses côtés, dans la petite chapelle de la rue Bossuet, et ce fut pour Léonie une grande joie, comme si le médecin et sa femme étaient un peu ses parents. Elle se tassa au fond du banc pour leur libérer une place à ses côtés. Quelle chance elle avait ! Combien de filles étaient seules ce soir de Noël.

Léonie se remit à chanter avec son cœur :

Le Seigneur a fait pour moi des merveilles,
Saint est son nom,
Il s'est penché sur son humble servante,
Il se souvient de son amour.

Léonie avait hâte que la messe prenne fin. Tout le reste de l'office fut une série de distractions. Elle attendait la visite du docteur, mais pas si tôt. Elle craignait même de ne pas le revoir avant la naissance de son enfant. La messe terminée, le docteur la prit dans ses bras et la serra étroitement, sans la moindre arrière-pensée, comme si elle était sa fille. Puis il passa paternellement un bras autour de ses épaules et lui dit :

– Vous avez meilleure figure que la dernière fois, quand nous nous sommes quittés. Voici ma femme, Lorette.

À son tour, la femme lui fit l'accolade. Puis ils quittèrent la chapelle et arrivèrent à la chambre de Léonie.

– Vous vous plaisez dans cette maison ? demanda-t-elle.

– Ce sera jamais comme chez nous, même si les filles sont ben traitées icitte. On doit suivre le groupe, au même endroit, à la même heure, entendre les mêmes voix et les mêmes pas. Ça fait beaucoup de « mêmes », hein ! Mais, voyez-vous, y faut continuer. Y a aussi des bons côtés : les sœurs sont gentilles, la nourriture est bonne pis on manque pas du nécessaire. C'est une bonne place. Toutes les filles sont mes amies. Mais malgré tout ça, des fois, l'ennui me prend.

Le médecin lui tendit une boîte enrubannée.

– C'est pour vous. Ouvrez-la ; c'est votre cadeau de Noël.

– Un cadeau ? Pour moé ? Votre présence est le plus beau présent. Venez !

Léonie s'approcha de la fenêtre et se servit de l'appui pour déballer son colis.

C'était une robe de maternité en crêpe léger, de couleur raisin et agrémentée d'un col de dentelle écru. Au buste, une broderie nid-d'abeilles donnait de l'ampleur au vêtement. Une petite merveille. Léonie la tenait à bout de bras et l'imaginait sur elle. On pouvait lire sur son visage une immense joie. Elle se retenait de se jeter dans les bras de ses bienfaiteurs.

– Qu'elle est belle ! Merci ! J'en avais réellement besoin ; la mienne me pète sur le corps. Oh ! Excusez, je veux dire qu'elle est trop serrée.

– J'aimerais que vous la portiez ce soir. On a pensé à vous inviter au restaurant pour réveillonner, dit le docteur. J'en connais un qui reste ouvert en cette nuit de Noël. Allez chercher votre manteau. Habillez-vous chaudement, il fait un de ces froids à geler le mercure.

Léonie se pressa d'aviser sœur Madeleine de son absence.

– Allez, dit-elle, ça va vous faire du bien de prendre l'air un peu. Vous restez toujours à l'intérieur.

– J'ai honte de mon habillement devant le docteur. J'ai un vieux manteau qui a fait le tour de la famille. Regardez, y est tout usé aux poignets.

– Attendez-moi. Nous allons emprunter les vêtements d'une compagne.

La religieuse revint avec, sur le bras, une pèlerine de couleur marine, un béret du même ton et un petit manchon en lapin blanc.

* * *

Montréal était en fête. Les lampadaires éclairaient les rues comme en plein jour et, malgré l'heure tardive, la ville regorgeait de monde. Tous se hâtaient. Quel contraste saisissant avec le petit village de Saint-Côme ! Des gens allaient et venaient sur les trottoirs. On pouvait voir l'intérieur des maisons illuminées de petites chandelles rouges à chaque fenêtre. Des angelots, des sapins et des pères Noël ornaient la devanture des magasins. Dans la rue, on entendait des airs d'accordéon, venus on ne savait d'où, mêlés aux grelots sonnants des voitures. Quelle féerie! Léonie, penchée à la vitre de l'auto, ne voulait rien manquer de ce spectacle saisissant.

Une fois l'auto stationnée derrière un édifice, le médecin ouvrit les portières et invita les deux femmes à descendre. Il prit la taille de sa femme et celle de Léonie et les serra contre lui pour les protéger du vent. Ils entrèrent dans un restaurant chic de la ville, éclairé à l'électricité. À l'intérieur, la température était confortable. Les clients entraient à pleine porte.

Le placeur conduisit le petit groupe à une table située près de grandes fenêtres basses, où ils pouvaient voir les passants, le cou engoncé dans leur col de fourrure. Le docteur Leblanc prit les manteaux et présenta une chaise à sa femme. Il répéta le même geste à l'égard de Léonie, si mignonne dans sa nouvelle robe, qui lui seyait très bien, et avec son béret sur le coin de l'œil. Il lui dit:

– Mademoiselle Léonie, assoyez-vous en face de moi. Pendant les échanges, j'aime bien voir le visage de mes interlocuteurs.

Léonie surveillait tout pour ne pas être en reste. Le docteur Leblanc et sa femme déplièrent une épaisse serviette de table rouge vin et la posèrent sur leurs genoux. Léonie réalisait que, dans son petit coin de campagne, on ne lui avait pas appris le protocole. Chez elle, les cérémonies n'avaient pas d'importance; les gens devaient d'abord subsister. Ce jour-là, en compagnie d'un médecin, les règles d'étiquette lui manquaient. Elle imita ses bienfaiteurs de son mieux.

Le serveur apporta un verre d'eau à chacun et leur tendit un menu. Il portait une serviette sur le bras gauche. Léonie n'avait jamais vu tant de cérémonies.

— Prenez le temps de choisir, lui dit le médecin.

Léonie faisait glisser son doigt lentement sur le menu.

— Tout est si cher, dit-elle.

— Ne regardez pas à la dépense, choisissez ce que vous préférez. C'est Noël et, cette nuit, vous avez la permission de faire des abus. Cependant, pas d'alcool dans votre état.

Madame Leblanc ne parlait pas, mais à plusieurs reprises, elle jeta un regard discret sur vers Léonie. Elle voyait cette fille pour la première fois. Elle avait conservé le cou long et délicat d'une fillette qui pousse trop vite. Elle la trouvait très jolie. Elle s'arrêta à la pureté de son front et y décela un reste d'enfance que la maternité n'arrivait pas à souiller.

Léonie se sentait en confiance avec ses protecteurs. Elle ferma le menu, posa ses mains douces sur le bord de la table et attendit.

On lui demanda son choix.

— Je prendrai de la dinde, de la tourtière et des petits pois verts. Ça va me rappeler les Noëls de chez nous ; c'est ce que maman nous servait au réveillon.

Le médecin et sa femme optèrent pour le même repas.

En attendant d'être servie, Léonie posa la question qui l'obsédait depuis l'arrivée des Leblanc :

— Qu'est-ce qu'y a de neuf à Saint-Côme ?

Le médecin lui cacha que ses deux sœurs étaient enceintes ; ce n'était pas à lui de lui apprendre les nouvelles.

— Moi, comme je suis de Sainte-Émélie, j'ai très peu de nouvelles de Saint-Côme.

– Vous allez pus visiter les malades ?

– Oui, bien sûr, mais de là à apprendre des nouvelles...
Au fait, oui, une famille Kelly, des Irlandais, est nouvelle-
ment arrivée dans le rang des Venne.

– Et ma famille ?

– J'ai entendu dire que le jour de votre disparition,
toute la paroisse a participé à une battue pour vous
retrouver.

Léonie, mal à l'aise, baissa les yeux sur ses mains.

– C'est tout ?

– Avez-vous contacté votre famille, soit par courrier
ou autrement, depuis votre arrivée ici ?

– Non, pis c'est pas dans mes intentions. Je veux
même pas y penser.

– Vos parents sont très inquiets. Votre mère doit avoir
recours aux médicaments pour dormir.

Léonie n'ajouta rien. Elle baissa les yeux sur son assiette
et dut faire un effort surhumain pour ne pas pleurer.

– Si c'est votre choix de rester dans l'ombre, ajouta
le médecin, je le respecte. Mais si jamais vous décidez de
les contacter, je serai prêt à vous apporter mon soutien ; je
pourrais même intervenir si vous le désirez.

– Merci ! Mais c'est non. Mes parents seraient humiliés
et je serais la honte de la famille.

« Quelle ténacité dans cette petite tête ! » pensa l'homme.

– Vous, docteur, vous êtes pas gêné de vous montrer
en public avec une fille-mère ? Icitte, sur la rue, tout le
monde regarde avec dédain les filles à gros ventre ; personne
nous salue.

Léonie s'étiquetait comme si elle n'était rien.

– Les gens peuvent bien penser ce qu'ils veulent. Si je vous disais que presque chaque famille compte une fille-mère, vous me croiriez ? Malheureusement, les gens ne comprennent pas toujours, mais, avec le temps, ils oublient. Si on parlait plutôt de vous, Léonie ? Dites-moi ce que vous ressentez avec tous ces changements qui se passent à l'intérieur de vous et aussi à l'extérieur.

– Vous m'avez sortie de ma misère. Je vous dois ben des mercis.

– Mais c'est de vous que je veux entendre parler.

La figure de Léonie s'illumina.

– Le bébé est formé depuis hier ; asteure, y a des pieds pis des mains.

– Depuis hier ? Qu'est-ce que ça signifie ? demanda le médecin en fronçant les sourcils.

– Asteure, y est tout fait, expliqua Léonie. Sa tête, ses bras et ses pieds sont pris après son corps. Hier, y a commencé à bouger ; une petite bosse est sortie sur mon côté gauche, pis quand j'ai essayé d'y toucher, une autre est sortie du côté droit, comme si le bébé jouait au plus malin avec moé.

– Votre enfant est formé depuis le premier jour, Léonie. Au début, il n'était pas plus gros qu'une petite fève qui germe.

Léonie, incrédule, le dévisagea un moment.

– Moé, je pensais que c'était un paquet de chair, de sang et d'os tout mêlés qui se collaient avec le temps.

– Mais non !

– Icitte, c'est à qui des filles sentira son bébé bouger la première, pis pas question de tricher ; les autres doivent voir ou sentir la bosse.

Léonie s'émerveillait d'un simple mouvement de son enfant. Le médecin ne reconnaissait pas la petite fille bouleversée qu'il avait conduite à la crèche, moins d'un mois plus tôt. Son côté maternel était-il en train de s'éveiller? Léonie avait-elle changé d'idée au sujet de l'avenir de son enfant? Le docteur Leblanc jeta un regard discret à sa femme. Celle-ci devait penser comme lui.

Le serveur déposa les assiettes sur la table. Léonie se pencha et ouvrit les narines pour mieux humer le fumet pénétrant qui s'échappait des viandes. Elle attendit que le médecin et sa dame commencent à manger et elle les imita.

— C'est une belle nouvelle, ça! reprit la femme. Votre enfant fait sentir sa présence; ça veut dire qu'il veut vivre, ce bébé.

— Avez-vous fait un choix à son sujet, demanda le docteur, ou si vous préférez vous donner du temps avant de prendre une décision? C'est un pensez-y bien; c'est l'avenir de votre enfant qui est en cause.

— C'est tout décidé depuis le début. J'ai pas les moyens de le garder.

— Et si vous aviez les moyens?

— Non, dit-elle. Juste à y penser, je vois la face du clerc, un fou furieux. Cet enfant me répugne avant même de naître.

— Un enfant, c'est sacré, ça vient au monde parfait. Il n'est pas responsable de la manière dont il a été conçu. Avez-vous pensé que ce bébé est aussi une moitié de vous?

— Pis l'autre moitié? J'en veux pas, trancha net Léonie. Pis y aura rien pour me faire changer d'idée, même pas le fouet. Asteure, on va laisser dormir l'affaire.

Le docteur pensait autrement. Il connaissait bien les ressorts qui font bouger l'âme humaine. Il s'amusait à tourner sa tasse sur sa soucoupe.

— Vous savez que certains enfants donnés ne sont jamais adoptés ? Ceux-là sont trimballés des crèches aux orphelinats jusqu'à l'âge adulte. Ces petits malheureux ne connaissent pas la vraie vie de famille ; ils traînent leur misère tout le reste de leurs jours. Est-ce que c'est ce que vous souhaitez pour votre enfant ?

— Ben sûr que non !

Léonie changea aussitôt le cours de la conversation.

— J'ai très peur de l'accouchement. Y a des filles qui disent que c'est une vraie boucherie.

— On n'en meurt pas. La peur ne peut que vous nuire en prolongeant le temps des contractions. Le moment venu, laissez-vous aller et restez confiante.

— J'ai ben hâte que tout soit fini.

— Tout va bien se passer, croyez-moi. Si possible, je serai près de vous.

— Sœur Madeleine m'a offert de suivre un cours d'infirmière après l'accouchement. Pensez donc si j'ai accepté !

— C'est une belle nouvelle, mais à ce que je comprends, vous n'avez pas l'intention de retourner dans votre famille de sitôt.

— Non ! répondit carrément Léonie. Je me vois mal expliquer à mes parents ce qui m'est arrivé et encore moins affronter les gens de ma paroisse. On jaserait sur mon compte. Non ! C'est fini pour moé, Saint-Côme. Mais si, un jour, mon métier me permet cette dépense, j'aimerais aller m'y promener la nuit. Après toute, c'est ma paroisse.

— Si seulement vous pouviez rassurer vos parents.

Léonie baissa les yeux Le médecin n'insista pas davantage.

— Je vous encourage fortement à suivre ce cours. Il vous permettra de faire le bien, tout en gagnant votre vie honorablement.

Le serveur apporta le dessert : un gâteau aux fruits nappé de crème fouettée.

— J'ai une proposition à vous faire, dit le médecin. Je voudrais que vous m'écoutiez sans m'interrompre. Ma femme et moi serions prêts à prendre votre enfant si vous acceptez, et ce, sans signer de papier. Si jamais, par la suite, vous regrettiez votre décision, nous vous le remettrions sans vous causer de problème, chose qui s'avérerait difficile, presque impossible, dans le cas d'une adoption légale. Personne ne connaîtrait les origines de l'enfant. À moins que vous préfériez ignorer dans quelle famille votre enfant sera adopté pour l'oublier complètement. Ce sera à vous de décider.

Après une pause, il ajouta :

— Maintenant, si vous avez des questions, allez-y.

Léonie hésita avant de répondre. Elle analysait la situation. Son enfant, en demeurant chez le docteur Leblanc, lui permettrait de conserver les bons rapports déjà existants entre eux. Ce couple n'était-il pas le seul lien qui la rattachait à son coin de pays ?

— Ça me soulagerait de savoir l'enfant entre bonnes mains, dit-elle. Je voudrais pas qu'on y fasse la vie dure. Je vous remercie de tant vous occuper de moé pis de lui.

Léonie parlait de son bébé d'une manière dégagée.

Le médecin posa une main sur son poignet, comme pour sceller leur entente.

Léonie ne voulait ni pleurer ni gâcher le réveillon. Elle appuya ses coudes sur la table, releva la tête et raconta :

— Là-bas, les filles s'amusent à trouver des prénoms pour leur bébé. Y en a qui sortent les pires monstruosités, juste pour faire rire les autres, comme Félias, Zéphirin ou Urgel !

« Cette petite raisonne en enfant, pensa le docteur Leblanc. En fait, elle est à peine sortie de l'enfance. »

Léonie dut se rendre compte que leurs petites folies n'intéressaient personne. Elle ajouta :

— Y faut ben rire un peu si on veut pas mourir d'ennui, loin de notre clocher. Vous savez, je suis pas la seule à vivre un déchirement. À la Miséricorde, y a des filles qui, en plus d'être séparées de leur famille, vivent des grosses peines d'amour ; toutes les nuits, j'en entends pleurer. Au fond, chacune traîne des petits malheurs qui se ressemblent un peu.

— Et je peux savoir quels prénoms vous avez choisis pour votre bébé ? demanda la dame.

— Denis pour un garçon pis Lucille pour une fille. Mais, vous savez, j'ai encore ben le temps de changer d'idée ; y me reste un peu plus de quatre mois. Sœur Madeleine dit qu'on est libre de donner le nom de famille de notre choix. Tout ça est ben pour rien, les parents adoptifs vont leur donner un nom de leur choix.

La dame répéta :

— Denis Leblanc, Lucille Leblanc. Les deux sonnent bien, dit-elle, souriante.

— Me permettez-vous de donner le nom de Leblanc ? demanda Léonie. C'est votre nom, mais c'est aussi le nom de jeune fille de ma grand-mère maternelle.

– Mais oui! Pourquoi pas?

On faisait la file devant la caisse, et la clochette d'entrée ne se taisait jamais. Le docteur tira de son veston une montre en or qui marquait trois heures de la nuit.

Il sortit de table le premier.

– Pas déjà, dit Léonie.

Elle sortit ses vingt-deux sous et les offrit au docteur. Celui-ci sourit et repoussa sa main en la refermant tendrement sur ses sous.

– Non, laissez. Vous en aurez besoin.

Léonie les remit dans sa poche.

– Merci, monsieur le docteur! Vous êtes trop bon pour moé.

Elle ajouta:

– Quand je vais raconter ma sortie à mes compagnes, elles me croiront pas. Les sœurs ont préparé un réveillon pour celles qui sont seules, mais ça égalera jamais un réveillon comme je viens de connaître. Je me sentais comme une princesse dans un château. En plus, c'est mon premier repas dans un restaurant.

Le médecin et sa femme souriaient, contents d'avoir apporté un peu de bonheur à une petite malheureuse, mais surtout de savoir qu'ils seraient prochainement parents.

* * *

Dehors, le froid pinçait les joues.

Léonie redressa son béret sur sa tête et monta dans l'auto. Chacun de ses mouvements était gracieux.

L'auto reprit le chemin vers la Miséricorde et, tout en roulant, l'homme tourna légèrement la tête vers Léonie :

— J'aimerais bien qu'on m'envoie un télégraphe si c'est possible, dès le début de vos contractions.

Léonie échappa un « Oui ! » qui venait du cœur.

— Ça me soulagerait tellement de vous savoir là ! Je vais le dire à sœur Madeleine. J'ai hâte que tout soit fini pour pouvoir me coucher sur le ventre. Je dormais toujours comme ça avant.

Le médecin regarda Léonie dans le rétroviseur et posa sur elle un regard plein de tendresse.

Tout le temps du parcours, il étira la conversation pour empêcher Léonie de s'endormir et d'être ensuite tenu de la réveiller.

— Surtout, pas un mot au sujet de l'adoption de l'enfant, ni aux religieuses ni à vos compagnes ; ne dites pas votre secret, même à la plus discrète des filles. Je vous répète qu'on ne vous garderait pas.

— Craignez pas, docteur ! Je vais faire tout ce que vous me demandez. Moé, je raconte pas mon histoire à personne ; elle est pas belle. Je suis un peu à part des autres, même si icitte toutes les filles sont mes amies. Presque toutes ont des amoureux qui leur écrivent des lettres d'amour.

Le médecin et sa femme descendirent de l'auto et reconduisirent Léonie jusqu'à la porte. De gros flocons légers couvraient leurs épaules. Léonie tourna la sonnette et chercha à s'abriter sous la galerie. Une religieuse vint ouvrir, une petite lampe à huile à la main. Sur le seuil, le médecin et sa femme embrassèrent Léonie sur les deux joues.

– Merci! dit-elle, l'air chagriné. Je vous aime ben, vous deux.

Ils se retirèrent.

Léonie se posta à la fenêtre et, le cœur serré, elle agita la main en guise d'au revoir. Il était trois heures trente de la nuit. Elle recula d'un pas. Il faisait chaud à l'intérieur. La sœur à la lampe patientait. Léonie reprit ses sous restés dans la poche du manteau emprunté.

– Les filles sont déjà couchées? demanda-t-elle.

– Ça fait plus d'une heure. Venez! Je vais vous conduire à votre chambre.

Pas un bruit dans la pension. Toutes les filles devaient dormir. Soudain, un hurlement brisa le silence de la nuit. Léonie plaqua les mains sur ses oreilles. Un frisson lui parcourut l'échine. Elle se demanda bien quelle fille accouchait. Trois étaient à terme : Marie, Alice et Babette. Bientôt, ce serait à son tour de souffrir et elle redoutait farouchement ce moment. Elle se rendit jusqu'à son lit sur le bout des pieds. Elle enleva sa belle robe et enfila un jupon que sa mère avait taillé dans une poche de sucre, blanchie. Sa voisine de chambre reniflait. « Une autre qui, comme moé, doit s'ennuyer de sa famille. » À deux, elles pourraient se consoler, mais c'était défendu d'entrer dans les chambrettes des autres.

Les filles-mères souffraient de se sentir loin des leurs. Cette nuit surtout, quand le silence du dortoir ramenait chacune d'elles dans sa chère famille. On entendait des pleurs étouffés dans les oreillers. Ça commençait par des reniflements discrets qui, comme une épidémie, se propageaient de lit en lit et se multipliaient jusqu'à se transformer en sanglots incontrôlables, épuisants.

Comme ses compagnes, en cette nuit de Noël, des images vivantes ramenaient Léonie dans son coin de pays. Chez elle, la maison devait être pleine de monde, les tables, allongées, le lit de ses parents, chargé de manteaux. Elle imaginait son père, sa mère puis sa place vide à la table. Est-ce qu'eux aussi pensaient à elle ? Léonie se blottit dans son lit de plume. Elle n'en pouvait plus de résister au sommeil. À peine eut-elle le temps de poser sa tête sur l'oreiller qu'elle tomba dans les bras de Morphée.

* * *

Pendant que Léonie souffrait de se sentir loin des siens, là-bas, au fond des campagnes, sa mère surveillait la porte ; elle s'attendait à tout moment à voir surgir Léonie. Le retour de sa fille aurait été son plus beau cadeau. Victorine et Blanche n'osaient pas y faire allusion pour ne pas attrister la fête, mais elles n'en partageaient pas moins les mêmes pensées que leur mère. L'absence de Léonie leur pesait comme une boule de plomb dans l'estomac. Marquise servait les siens sans parler de l'absente ; elle n'aurait pas pu le faire sans pleurer et elle ne voulait pas gâcher le repas de Noël. Pourtant, chacun pensait à la même chose.

À la fin du réveillon, la moitié de la nourriture restait dans les assiettes. Léonie absente, c'était comme si les mets manquaient d'épices.

Chapitre 18

Chez les Gaudet, les semaines et les mois passèrent. Les parents de Léonie ne recevaient aucun signe de vie de leur fille, comme si l'affaire était classée. Pour sa mère, une chose était certaine, Léonie s'était enfuie de la maison de son plein gré; elle avait tout calculé avant son départ, ses effets disparus en étaient la preuve. Elle devait vouloir vivre son histoire d'amour sans avoir à faire face aux reproches du curé et de ses parents. Et toujours les mêmes questions revenaient, toutes mêlées, dans la tête de Marquise: pourquoi sa fille ne lui avait-elle pas laissé un mot? Comment arrivait-elle à manger, à se loger? On disait qu'à Montréal des filles vendaient leur corps pour de l'argent. Mais non, sûrement pas Léonie, une fille qui voulait entrer en communauté. Si au moins elle la savait en sécurité, à manger trois repas par jour, à dormir dans un bon lit. Marquise se reprochait de ne pas avoir été davantage à l'écoute de sa fille.

Au début de cette disparition mystérieuse, on disait: «Quand Léonie était là.» Et, après des mois, on parlait de moins en moins d'elle parce que tout avait été dit et remâché à son sujet. Cependant, l'inquiétude restait présente dans le cœur de ses proches. De temps à autre, Félicien se rendait au poste de police s'informer des nouveaux développements, pour finalement apprendre qu'on avait filé le clerc de notaire et qu'aucune piste n'avait mené à leur fille.

L'inspecteur avait encore une corde à son arc : la chaîne et la bague trouvées dans la cour arrière du bureau. Il confronta de nouveau Jean-François Morin avec les bijoux.

Le clerc eut un haussement d'épaules.

– Je ne comprends pas, dit-il avec le plus grand calme.

– Avez-vous déjà amené mademoiselle Léonie ici ?

– Jamais !

Encore une fois, le policier se butait à un mur. Il ne pouvait accuser le garçon à tort et à travers ; Léonie était partie de son plein gré, ses effets emportés avec elle en étaient la preuve.

* * *

Montréal

Mai clignait de l'œil au soleil. Les premiers bourgeons faisaient leur apparition.

Léonie avait une heure de libre avant que commence son travail à la cuisine. Son accouchement était prévu ces jours-ci et, pourtant, rien ne se passait encore.

Elle s'attarda à la fenêtre, songeuse, la peur aux tripes. Sœur Madeleine encourageait les filles à bouger et à marcher durant les derniers mois de la grossesse, pour faciliter l'accouchement, mais Léonie, trop paresseuse pour faire de l'exercice, fit tout le contraire de ce qu'on lui conseillait.

Elle demeurait assise à la fenêtre, là où le doux soleil de mai dessinait un grand carré lumineux sur le plancher. Une Bible traînait sur une table basse. Léonie l'ouvrit, la feuilleta distraitement et la déposa. Ce matin, elle n'arrivait pas à se concentrer; l'ennui de sa famille se faisait de plus en plus présent. Et puis, très bientôt, ce serait l'accouchement avec son lot de souffrances. Elle se sentait si seule.

Depuis quelques jours, le bébé ne bougeait presque plus. Sœur Madeleine disait que c'était normal, les derniers jours avant la naissance. La semaine précédente, la religieuse lui avait fait remarquer que son ventre était descendu, un signe que le bébé préparait sa sortie. Même si elle avait hâte de se débarrasser de cette chose sale qui bougeait en elle, Léonie aurait voulu repousser ce moment. Elle craignait tellement de souffrir.

Elle se rendit à la buanderie, où ses compagnes lavaient la literie. La pièce était humide et Léonie ne se sentait bien nulle part. Elle demanda à sœur Madeleine la permission de se retirer dans sa chambre. La religieuse remarqua ses traits tirés.

— Ça ne file pas? dit-elle. Allez vous reposer; bientôt, vous allez avoir besoin de toutes vos forces pour accoucher.

— J'ai peur. Y a des filles qui disent que c'est terrible, que ça fait très mal.

— Dites-vous que ça s'endure, sinon, nos mères n'auraient pas eu des enfants à la douzaine.

La religieuse laissa passer une vingtaine de minutes et revint au dortoir. Léonie dormait.

Ce jour-là, Monique, une nouvelle arrivée, remplaça Léonie à la cuisine.

* * *

À deux heures de l'après-midi, Léonie ressentit une première contraction. Elle se tourna sur le côté gauche et la douleur cessa. Quelques minutes plus tard suivit une autre crampe. Elle se roula sur le côté droit, puis ne sentit plus rien. Elle entendit sonner un chapelet. C'était sœur Madeleine qui venait. Léonie lui racontait son malaise quand une troisième douleur la fit grimacer.

— Suivez-moi, dit la religieuse. Je vais vous confier à sœur Marguerite. Les accouchements, c'est son domaine.

Léonie la suivit, silencieuse, inquiète devant l'inconnu. Une peur irraisonnée la prit et elle se mit à claquer des dents. Comme elle aurait aimé avoir sa mère auprès d'elle dans ces moments importants de sa vie!

On fit marcher Léonie pour aider l'enfant à descendre. Elle s'arrêtait à chaque contraction. Deux religieuses soutinrent ses pas jusqu'à ce que Léonie leur dise :

— J'en peux pus! Ramenez-moé à mon lit.

Après un examen, sœur Marguerite lui apprit que son col était dilaté de deux pouces.

— C'est beaucoup? demanda Léonie.

— C'est très bien, lui répondit la sœur. Le travail avance normalement.

— Je vais l'avoir à quelle heure?

— Je ne sais pas; il n'y a pas deux accouchements pareils.

Un peu plus tard, Léonie se mit à forcer. Et le reste se passa très vite.

À six heures, Léonie entendit le premier cri de son enfant.

— Vous avez une petite fille, dit sœur Marguerite. On peut dire que ç'a été un bel accouchement.

— Une fille? dit Léonie, étonnée. J'ai toujours pensé que ce serait un garçon.

— Qu'est-ce qui vous faisait penser cela?

— Je sais pas. C'était comme ça.

La sœur pesa l'enfant et dit, le ton chantant:

— Six livres et huit onces!

Elle déposa ensuite le bébé sur le sein de la maman.

C'était une petite fille rose à la figure ronde, aux cheveux de la couleur de l'or, belle comme ce n'était pas possible. Elle n'avait aucun trait du traître. Dès le premier regard, Léonie sentit un bonheur la traverser comme un courant, et son cœur se mit à battre pour son enfant.

Le docteur Leblanc lui avait dit qu'un nouveau-né vient au monde pur, donc sans tare. Dans le temps, elle ne l'avait pas cru, mais aujourd'hui, en voyant son bébé avec son air angélique, elle lui donnait entièrement raison. À peine arrivée, sa petite fille suçait son pouce et entrouvrait les yeux, comme si elle cherchait à voir le monde dans lequel elle arrivait ou autre chose encore; peut-être le visage de sa mère? Léonie ressentit une joie indéfinissable pénétrer tout son être.

Elle retira le pouce pour mieux voir la petite bouche qui s'avançait en lippe boudeuse. Elle délia ses doigts, mais la nouveau-née ramena aussitôt son pouce dans sa bouche. Déjà, Léonie l'aimait.

— Si m'man te voyait! dit-elle avec des larmes dans la voix.

Léonie parlait à un nourrisson comme on parle à une enfant de trois ans.

— T'es ma petite fille à moé toute seule. T'as pas de papa, mais je vais t'aimer pour deux. Ton nom devait être Lucille, mais t'es trop petite pour ce grand nom. Ce sera Luce, pis ta maman, c'est Léonie.

Comme elle s'en voulait d'avoir pensé à donner son enfant ! Jamais elle ne pourrait s'en séparer.

Au fait, elle devait aviser le docteur Leblanc ; dans la précipitation des événements, elle l'avait oublié, elle qui s'accrochait à cet homme comme s'il était son père. Toutefois, sa visite prochaine allait être assombrie : Léonie allait les décevoir, elle qui avait promis de leur donner son bébé.

La mère et l'enfant devaient passer les dix prochains jours dans une petite chambre attenante à l'infirmerie.

* * *

Le lendemain, sœur Marguerite ouvrit le rideau sur une belle journée ensoleillée. Léonie allaitait sa fille quand on lui annonça l'arrivée du médecin.

— Monsieur le docteur est accompagné de sa dame.

Léonie était dans tous ses états. Était-ce possible de ressentir en même temps deux sentiments contraires : tristesse et joie ? La sœur lui prit l'enfant des bras.

— Je vais lui donner son bain et je vous la ramène aussitôt.

Après les ablutions, sœur Marguerite ramena l'enfant enroulée dans une couverture rose qui, ouverte sur son cou, laissait entrevoir une jaquette en flanelle blanche. Elle déposa la petite merveille dans les bras de la jeune maman et quitta la pièce. L'enfant traînait sur elle cette douce odeur sucrée, particulière aux nourrissons.

– Qu'elle est mignonne! s'exclama la dame en voyant l'enfant avec sa petite tête fragile penchée mollement sur le bras de sa maman.

Derrière sa femme, le docteur souriait. Il n'avait pas besoin de parler, il dévorait la petite fille des yeux.

Léonie se mit à bécoter son bébé sur le front, les joues, le cou. Le médecin comprit le miracle de l'amour maternel, sans que Léonie ait à lui expliquer le changement qui s'était produit en elle.

Madame Leblanc présenta une boîte enrubannée à la nouvelle maman.

– Ouvrez-la, dit-elle. C'est pour votre petite Lucille.

Léonie lut sur une minuscule carte: *Félicitations!*

– J'ai changé le nom de Lucille pour celui de Luce, rectifia Léonie.

– C'est aussi très joli.

C'était une grenouillère blanche à capuchon. Une merveille! La dame souleva le vêtement; dessous se trouvait un beau châle blanc en laine et soie torse, aux contours frangés. Léonie ne parlait pas, elle regardait les beaux vêtements, les yeux tristes, la gorge serrée. Elle supposa que le docteur et sa femme avaient apporté ces vêtements pour ramener l'enfant avec eux.

Une larme au coin des yeux, elle serrait sa fille sur son cœur.

– Je regrette de vous faire de la peine, mais je l'aime tellement, dit-elle, je pourrai jamais m'en séparer.

— C'est bien ce que j'espérais, dit le médecin en tapotant sa main. Depuis le début, notre intention était de prendre votre enfant pour vous la réserver.

Léonie, fort émue, fondit en larmes.

— Merci pour tout ! Vous êtes de vrais parents pour moé.

— Maintenant, désirez-vous que j'annonce la belle nouvelle à vos parents ?

— Non !

— Je me mets à leur place ; ça les rassurerait de vous savoir vivante et en bonne santé. Et aussi de connaître votre adorable fille. Mais je respecte votre choix.

Léonie essuya une larme.

— Je suis le torchon de la famille, dit-elle en baissant les yeux. Avec le temps, mes parents vont m'oublier.

— Oh non ! N'allez pas penser ça ; ce n'est pas possible pour des parents normaux. Vous, Léonie, seriez-vous capable d'oublier votre fille ?

— Ben sûr que non !

— Pourtant, vous la connaissez à peine.

Léonie éclata de nouveau en sanglots. Le médecin attendait. Léonie se ressaisit.

— Depuis que je suis enceinte, je pleure pour rien. Excusez-moé. Accepteriez-vous d'être parrain et marraine de ma fille ?

C'était la plus douce de toutes les récompenses.

— J'allais vous le proposer.

Chapitre 19

Saint-Côme

Au printemps, la terre commençait à respirer. On sentait déjà son odeur âcre.

Pendant qu'à Montréal Léonie vivait une naissance gardée secrète, sa sœur Victorine se trouvait enceinte d'un troisième enfant. L'accouchement était prévu pour la fin du mois. Victorine et sa petite famille demeuraient toujours chez les beaux-parents, dans le Dixième Rang, le rang des Venne.

On disait que les années de naissance apportaient avec elles des chances inattendues.

Surprise! Au début de mai, Maxime trouva enfin une ferme à vendre, à Saint-Côme, dans le Sixième Rang, qu'on nommait «le Grand Belœil». En réalité, c'était deux terres, dont une plus plate, sans bâtiments ni maison. Comme elles n'étaient pas trop éloignées l'une de l'autre, Maxime pourrait cultiver les deux.

En apprenant la nouvelle, Victorine ne put retenir un cri de joie, elle qui n'y croyait plus. Enfin son rêve d'avoir une maison bien à elle se réalisait. Elle était dans un tel état d'excitation qu'elle ne pouvait s'arrêter de rire. Maxime vit se rallumer ses yeux fatigués.

— Viens, dit-elle, suis-moé une minute, j'ai à te parler.

Maxime la suivit dans l'escalier. Une fois dans sa chambre, elle enlaça Maxime et lui plaqua un gros bec sur la bouche.

— On va enfin se retrouver chez nous, tous les deux ! Je suis aussi heureuse qu'aux naissances de nos enfants !

Maxime rit. Il ne s'attendait pas à une aussi forte réaction de la part de Victorine.

— J'y crois pas encore, dit-elle.

— Pourquoi tu m'emmènes dans notre chambre ?

— Pour me réjouir toute seule avec toé. Cette ferme, c'est notre bonheur à nous et ça regarde personne d'autre que nous deux. Asteure, parle-moé de la maison.

— Elle est ben petite, dit-il. Tu vas peut-être te trouver à l'étroit, mais comme je peux pas trouver mieux pis que le prix me convient...

Victorine demandait peu. Après s'être imposé de si grands sacrifices, elle pouvait se passer de fantaisie.

— C'est pas grave, la grandeur, dit-elle. Tout ce que je veux, c'est de me retrouver seule avec ma petite famille. Je serais prête à manger par terre pour partir d'icitte. La maison sera certainement pas plus petite que cette chambre qui rapetisse à chaque nouvel enfant. Pis au besoin, on l'agrandira. Elle compte combien de chambres ?

— Je sais pus trop. Une seule, je pense, mais y a une grande salle à manger qui pourrait servir de chambre pour les enfants...

— Non, l'interrompit aussitôt Victorine, je m'en servirai pour recevoir mes invités. J'ai jamais osé recevoir ma parenté chez vous.

— Au fait, je me rappelle avoir vu un escalier qui mène au deuxième. Y a peut-être une chambre ou deux à l'étage du haut, mais je l'assurerais pas ; je suis pas monté.

— J'ai tellement hâte de la voir ! Je suis folle de joie ! Quand je pense que ma tâche va s'alléger !

Le couple allait posséder une maison, mais rien pour la meubler. Maxime promit de surveiller ici et là pour trouver des meubles bon marché.

Victorine s'en remit entièrement à lui.

— M'man a promis de me donner un lit de fer, ajouta Victorine, tu te rappelles, celui où nous couchions en visite chez elle ? Mais j'ai pas de commodes, ni table ni chaises.

— Cette semaine, j'irai fureter icitte et là, peut-être dans les bric-à-brac.

Cette nouvelle agréable vint mettre un baume sur la vie difficile de Victorine. Si ce n'avait été de la disparition de Léonie qui l'obsédait continuellement, elle aurait nagé en plein bonheur. Elle allait enfin vivre la vie de ses rêves.

— Dès que le contrat sera signé, lui promit Maxime, je t'emmènerai visiter la maison.

— Beau temps, mauvais temps ?

— Ce sera à toé de décider. Mais je t'avertis, elle a pas été habitée depuis deux ans.

— J'ai ben hâte de la voir. Mais je sais d'avance qu'elle va me plaire. Je suis pas exigeante pantoute ; je demande pas autre chose que de nous retrouver chez nous avec nos enfants. Asteure, si tu veux, j'aimerais aller annoncer la nouvelle à m'man.

— C'est une bonne idée. Je vais atteler Gazelle à la charrette. Par la même occasion, on va en profiter pour rapporter le lit que ta mère t'a promis.

Quand Victorine parlait de visiter ses parents, Maxime redevenait comme un enfant ; son beau-père et lui faisaient la paire.

* * *

La semaine qui suivit parut à Victorine la plus longue de toute sa vie. Si au moins elle avait une idée de la maison où elle irait habiter : elle aurait pu imaginer Maxime, entrant de l'étable et filant à l'évier, ainsi que le berceau de jour dans un quelconque coin tranquille de la cuisine et, aussi, les chambres des enfants, mais non ! Elle aurait beau se figurer des scènes, tout serait forcément différent.

* * *

Le lundi, un homme, en habit noir et souliers vernis, circulait en bicyclette dans le rang des Venne. Il avait un porte-documents placé en bandoulière qui, à chaque tour de roue, battait contre son flanc. Il s'arrêta chez les Beauséjour, appuya son bicycle au perron et se reposa un moment sur la deuxième marche, le temps de reprendre son souffle. Puis, il monta le petit escalier et frappa.

À l'intérieur, Maxime se leva comme un ressort et courut ouvrir.

— Entrez, monsieur le notaire, dit-il en ouvrant la porte toute grande devant l'arrivant. Je vous attendais plus tôt.

— Vous demeurez loin du village, dit l'homme essouf-flé. Je n'arrivais plus. Avoir su, je serais venu en auto plutôt que d'avoir emprunté la bicyclette de mon clerc. Surtout avec ces côtes ; monte, descends…

Le notaire parlait d'une voix enrouée, comme venue des cavernes.

Maxime lui avança une chaise.

— Ma femme va vous servir une collation pour refaire vos forces.

— C'est bien aimable à vous. Je prendrais aussi un thé, si ce n'est pas trop vous demander.

La vieille se retira sur le perron. Le petit Louis faisait sa sieste. Victorine couvrit la tête de Jacob d'un chapeau de coton, mit dans sa main une vieille cuillère au manche tordu et, dans l'autre, un bol en étain bosselé pour qu'il puisse s'amuser à creuser des petits chemins à l'entrée du jardin. Elle poussa l'enfant vers l'extérieur.

— Va retrouver mémère Prudentienne.

Prudentienne était déboussolée. Depuis son mariage, Victorine s'occupait de l'entretien de la maison et des repas. Elle cuisinait très bien ; il fallait goûter ses desserts succulents : son pouding au suif, son sucre à la crème et ses tartes au sirop d'érable. Intérieurement, elle reconnaissait que Maxime avait fait un bon choix en épousant Victorine. Celle-ci ne lui avait jamais rien refusé. Personne ne pourrait la remplacer. La vieille posa la main sur son cœur qui battait à grands coups sous l'emprise de l'émotion. « Victorine va me manquer », se dit-elle.

* * *

À l'intérieur, Victorine sortit de l'armoire un encrier en verre à moitié plein et le déposa sur la table.

– Laissez, ma petite dame, j'ai tout ce qu'il me faut là-dedans, dit le notaire en posant la main sur son porte-documents : un encrier, une plume et un beau contrat. Mon clerc a tout préparé.

– Avant, si vous patientez un peu, j'vais vous faire une beurrée de confiture, dit Victorine. Approchez votre chaise.

– Vous êtes trop bonne.

Après s'être sustenté, le notaire lut tout haut le contenu du contrat qui n'en finissait plus. Il le plaça ensuite devant Maxime

– Signez au bas de la feuille, dit-il.

La plume se mit à grincer sur le papier.

Le contrat signé, le notaire assécha la signature avec un buvard et referma l'encrier.

– Maintenant, les deux terres vous appartiennent, dit-il en serrant la main de Maxime. Félicitations !

Maxime reconduisit le notaire à la porte. Puis de retour dans la cuisine, il prit Victorine dans ses bras et lui fit faire un tour complet sur elle-même, sans égard pour son gros ventre ni pour sa mère qui entrait à ce moment.

– Asteure, Victorine, amène les enfants, on va aller visiter notre nouveau chez-nous.

– Qui cé qui va préparer le souper ? demanda la vieille ronchonneuse.

Victorine, en pleine euphorie, se fichait maintenant de tout ce qui ne se rapportait pas à son bien-être.

– Le petit lard est dans la dépense, dit-elle, pis les œufs, dans le poulailler. Faites comme quand j'étais pas là. Vous allez devoir vous réhabituer.

— Je veux aller voir la ferme, moé itou, dit la belle-mère. Je veux voir où vont rester mon garçon pis mes petits-enfants.

Victorine fit mine de ne rien entendre. Elle prit discrètement quelques galettes aux raisins et se dépêcha de sortir. Elle courait presque avec son gros ventre de huit mois. Il lui fallait faire vite pour ne pas donner la chance à la vieille de les accompagner. Victorine rabattit le petit siège en cuir qui tournait le dos à la bête puis aida Jacob à s'y installer. À son tour, elle monta avec Louis dans ses bras et prit place aux côtés de Maxime. Elle prit les cordeaux des mains de Maxime et les secoua sur la croupe de Gazelle qui partit au trot sur le chemin cahoteux. Victorine échappa un long soupir de soulagement, comme lorsqu'on souffle une chandelle. Son mari mit ce soupir sur le compte de sa hâte de voir la maison où elle allait demeurer.

C'était le plus bel après-midi du monde. Au printemps, la campagne est riante, les verts, plus verts qu'en été. Un vent léger caressait les visages sans les agresser. Victorine était transportée par tant de bonheur.

La voiture roulait sous un ciel infiniment pur et son ombre traversait lentement la campagne. Le bruit du roulement était charmant parce que Victorine et Maxime étaient heureux. Pointu, le chien à qui Maxime défendait d'escorter la voiture, les suivit jusque chez les Marchand. Dès qu'un membre de la famille s'éloignait, le chien était sur ses talons.

Le chemin n'en finissait plus. Il ressemblait maintenant à un long ruban qui montait sans fin vers le ciel pour redescendre ensuite. Dans le rang Grand Beloeil, les maisons défilaient lentement et, devant chacune, Maxime passait tout droit.

Victorine laissait vagabonder ses pensées sur toutes les petites misères qu'elle avait supportées pendant ces années de cohabitation. Si elle n'avait pas eu ses enfants, elle n'aurait pas tenu le coup. Ses enfants étaient ses grandes joies.

— Finalement, les quelques mois qu'on devait passer chez tes parents se sont étirés en presque cinq longues années, dit Victorine.

— Asteure que tout rentre dans l'ordre, pourquoi remuer le passé ?

— Peut-être pour être en paix ensuite.

Maxime n'étira pas la conversation. Lui n'avait pas été malheureux pendant ces années passées dans sa famille. Et puis, il n'allait pas revenir sur un sujet qui avait été si souvent une cause de mésentente entre eux. Ce jour-là, ils repartaient à neuf et c'était tout ce qui comptait.

Mais pour Victorine, c'était plus difficile que pour son mari de faire le saut de ces années ardues à la douce félicité. C'était comme si ses rancœurs et ses bonheurs passés entraient et sortaient de sa tête comme des personnages incontrôlables. Enfin, elle devait passer l'éponge sur ses pensées moroses pour laisser place à la béatitude. Pourquoi ne pas profiter pleinement de sa promenade et de sa chance quand enfin le vent tournait du bon côté pour elle et sa petite famille ? La vie qui s'ouvrait devant eux était si prometteuse !

Maxime leva le bras.

— C'est là ! La prochaine ferme, en haut de la côte, dit-il. Tu vois, Victorine, t'as sous les yeux trente arpents de terre qui nous appartiennent.

Victorine ne voyait que des vallons. Elle s'affola de la lenteur de la pouliche.

Au milieu d'une côte malaisée, Gazelle, la tête baissée, les babines molles, s'arrêta net. Maxime laissa reposer sa bête.

Le petit Jacob, pressé de repartir, criait à tue-tête : « Hue ! Gazelle, hue ! » Mais la bête ne lui obéissait pas ; un cheval n'a qu'un maître. Pendant que la jument se reposait, Maxime tirait les petites mains de Louis vers lui.

– Venez, les enfants, dit-il en plaçant Jacob debout entre Victorine et lui et en juchant Louis sur ses genoux. Regardez là-haut.

Maxime pointa la petite maison du doigt.

– C'est là que nous allons rester.

La maison avait sur la façade une longue véranda comme en ont les presbytères.

– Une véranda ! s'exclama Victorine, excitée. On va pouvoir y dormir les chaudes nuits d'été.

L'endroit lui plut tout de suite.

De loin, la maison ressemblait à un vieux nid juché sur une montagne. C'était une maisonnette en bois à un étage et demi, assise sur un solage en pierre des champs. De loin, elle avait la forme d'une tour d'observation. Une cheminée de pierre perçait le toit de bardeaux grisonnants.

– Tenez-vous ben, on repart. Hue ! cria Maxime.

La bête reprit son pas régulier pour s'arrêter devant la maison.

Comme la ferme était vallonnée, Maxime dut mettre des cailloux sous les roues pour empêcher la voiture de reculer.

– Regarde notre domaine, Victorine. Y est à toé autant qu'à moé.

– Pourquoi une échelle au pignon de la maison ?

– C'est pour ramoner la cheminée.

* * *

Un petit escalier aux contremarches découpées d'étoiles menait au perron. Victorine, malgré le poids de sa maternité, monta sur la pointe des pieds. Elle poussa la porte que l'humidité avait gauchie et traversa la véranda. Elle s'écria joyeusement :

— Me voici enfin dans ma maison cent fois rêvée !

La véranda était en fait un long perron qu'on avait fermé de huit fenêtres à deux battants. De grosses mouches collées aux vitres bourdonnaient dans un bruissement d'ailes.

Jacob courait de haut en bas. Louis, qui avait fait ses premiers pas depuis peu, découvrait tranquillement les pièces. Leurs pas menus résonnaient de pièce en pièce. Victorine commença lentement la visite des lieux. Le bas des murs était en petites planches en V, comme chez ses parents, et le haut, en plâtre de couleur crème. Elle poussa une porte en bois qui donnait sur une cuisine chaleureuse avec ses deux fenêtres d'où le soleil entrait librement. Et tout au fond trônait un vieux poêle en fonte à six ronds, coiffé d'un petit miroir. Derrière la porte se trouvaient un banc de quêteux et, au-dessus, trois crochets en fer, qui ressemblaient à des points d'interrogation. Sur une armoire basse reposait un évier en fonte surmonté d'une pompe à eau rouge à long manche, et dans un coin se cachait une grande dépense. Dans cette petite cuisine chantante vivrait la famille.

Le regard de Victorine se promena autour de la pièce vide et elle imagina une table, une glacière et une huche à pain. Tout au fond de la pièce, deux grandes portes s'ouvraient sur une salle à manger que Victorine nomma « la grand-maison ». Les murs, comme ceux de la cuisine, étaient faits de minces planches en V. Victorine se promettait de garder fermée cette pièce bien fenêtrée afin qu'elle ne serve que pour les jours de fête. Un cadre à bordure noire avait été oublié sur un mur. Il représentait la Sainte Face. Victorine riait de voir Jacob qui, en apercevant la tête couronnée d'épines et les larmes qui coulaient des yeux, faisait un grand détour chaque fois qu'il passait devant.

À gauche de la cuisine se trouvait un petit salon tout nu et, tout à côté, une chambre qui cachait un placard dissimulé sous un escalier de meunier. Ce petit escalier dérobé séparait la chambre de la grand-maison et menait au deuxième. Dans ce recoin, une araignée avait son réduit.

Victorine monta et, arrivée en haut, elle fit une pause. Le deuxième ne comptait qu'une seule pièce assez restreinte, à cause du toit pentu. Les planchers étaient en planches de pin. Aux pignons, de petites fenêtres, comme des lunettes, s'ouvraient sur le ciel. Elles permettraient de provoquer des courants d'air les jours de grande chaleur.

Victorine sut tout de suite qu'elle serait heureuse dans cette maison.

En bas, Maxime l'appelait :

– Victorine ! Viens voir les bâtiments.

Victorine prit la main de Jacob et suivit son mari, qui tenait Louis dans ses bras, pour ménager sa femme.

Après avoir fait le tour des bâtiments, Maxime se dirigea vers la voiture.

– Ça me tente pas de repartir asteure qu'on a un chez-nous, dit Victorine. Tu y penses pas, Maxime, on va avoir cinq pièces, à nous seuls, plus la véranda.

— J'ai faim, moé! Et pis on doit aller chercher nos affaires chez mes parents, dit Maxime. Pour ramener les meubles, on prendra la waguine.

La visite des lieux terminée, Victorine s'en retourna chez ses beaux-parents contre son gré. Elle ne disait pas un mot. Elle éprouvait un poignant besoin de retrouver la maison qui maintenant était sienne. Elle se voyait en train de boire son café dans la véranda et elle imaginait sur son lit sa belle courtepointe jaune et blanche qui dormait depuis des années dans son coffre en cèdre. Elle avait mis deux longs mois à la piquer avec ses sœurs, au temps où elle demeurait chez ses parents, dans le rang Versailles.

Maxime la tira de ses pensées.

— Tu sais, dit-il, chus ben content qu'on se retrouve seuls avec notre petite famille.

— On va mener une vie plus normale. Chez tes parents, c'était ta mère qui décidait de tout.

— Elle a toujours été comme ça pis ça m'a jamais dérangé, sauf pour mon mariage. J'ai dû la menacer de m'exiler aux États, comme Achille pis Pauline, pour qu'elle nous fasse une place dans la maison. J'ai gagné mon boutte.

— On entend pus parler d'eux autres.

— Les gens racontent toutes sortes d'histoires sur leur compte, des belles pis des laides. On dit que Pauline a ouvert un petit magasin dans sa maison pis que des femmes d'icitte tissent pis piquent des courtepointes que son père poste là-bas. Ç'aurait l'air que ses affaires marchent en grand pis qu'elle va devoir déménager dans plus grand.

— Pis son mari?

— Lui, ça reste un mystère. On dit que Pauline en parle jamais dans ses lettres. Personne sait rien pis tout le monde suppose. Y en a même qui vont jusqu'à dire qu'y sont séparés. La mère d'Achille en parle jamais à personne.

— Y parlent pas de revenir par icitte?

— Je sais pas; je questionne pas. Regarde, là-bas, p'pa nous attend, assis sur le perron.

— N'empêche que j'aimerais ça, aller visiter les États.

— T'es folle; ça doit coûter un prix fou. Y a juste les gros riches qui peuvent se payer des voyages à l'étranger.

Maxime se leva et cria:

— Woh, Gazelle!

Victorine poussa Jacob devant elle et prit Louis dans ses bras.

— On arrive à temps; y a un orage qui monte à l'ouest.

Son beau-père était tout heureux de leur apprendre qu'il avait trouvé deux commodes à quatre tiroirs dans la grange d'un brocanteur.

— J'ai dû pas mal barguiner. Finalement, je les ai eues pour une chanson, dit l'homme. La peinture est un peu écaillée sur le dessus pis y a quelques taches d'humidité, mais Noé vous offre de remettre le bois à neuf. Vous pouvez vous fier à lui, vous savez comme y fait du beau travail. J'ai aussi acheté une pendule à coucou qui a pus de voix, mais elle tient ben le temps.

— Je demanderai à Noé de la laisser chez le bijoutier, quand il ira à Joliette.

— Une des commodes servira aux garçons pis l'autre, pour notre linge de corps, dit Victorine, enthousiasmée par les belles surprises qui se succédaient.

Pendant que Noé décaperait les meubles, elle laisserait les vêtements dans des boîtes de carton. Victorine était prête à tous les sacrifices pour partir au plus tôt de chez ses beaux-parents.

— Entrez ! Il commence à pleuvoir.

Victorine saisit la main des enfants et entra. Une bonne odeur de pain chaud embaumait la cuisine. À sa grande surprise, la table était dressée. Victorine n'en revenait pas des prévenances de sa belle-mère.

— Le souper est déjà prêt ? dit la jeune femme étonnée.

— Comme Antoine était parti à la recherche de meubles, je me retrouvais seule à m'ennuyer dans une maison vide. Je me suis dit que tout le monde reviendrait avec une faim de loup, donc je me suis occupée à cuisiner.

— Justement, j'ai une faim de loup.

— Antoine vous a-t-il dit qu'y a trouvé des commodes ? Deux ! Vous pourrez apporter le ber pis aussi la chaise haute en attendant de vous en procurer une, dit la vieille Prudentienne, mais celle-là, je vous la prête juste pour un mois ou deux ; vous en aurez besoin quand vous viendrez en visite.

Après le repas, la vieille dit à la jeune :

— Laissez-moé m'arranger avec la vaisselle.

Victorine resta sans voix. Cette promenade l'avait claquée ; pourtant, elle n'avait rien fait d'autre que se promener. Le fait de respirer l'air frais à pleins poumons la rendait paresseuse. Mais que se passait-il pour que sa belle-mère change à ce point ? Pour la première fois, Victorine voyait son visage empreint de bonté.

Malgré ces gentillesses, elle gardait une méfiance à son égard.

Au coucher, Victorine, en dépit de sa grande fatigue, tarda à s'endormir ; tout tournait dans sa tête, trop de beaux projets occupaient son esprit, des projets qui, enfin, se concrétisaient.

* * *

Depuis l'achat de la ferme, Victorine sentait comme un vent de bonheur l'envelopper, et le poids de la belle famille devenait plus léger, peut-être parce que sa tête et son cœur étaient déjà ailleurs, là-bas, dans la petite maison du Sixième Rang. Comme avant son mariage, elle fredonnait en travaillant.

La maison demanda une semaine de travaux ménagers. C'était beaucoup de surmenage pour Victorine, enceinte jusqu'au cou. Blanche et sa mère vinrent lui prêter main-forte. Blanche peignit les murs à la chaux, qui durcissait comme la pierre, et sa mère lava les planchers au lessi.

Sa mère lui dit :

— Y était temps que tu partes de chez les Beauséjour ; pas parce que c'est pas du bon monde, mais la tâche était trop lourde pour ta santé fragile.

— Parlez pus de ça, m'man, ces soucis sont derrière pis je veux pas les traîner comme un boulet. J'ai besoin de rire et de chanter. Là, tout arrive en même temps : le temps doux, le soleil pis le bonheur.

Dès l'aube, les femmes jasaient, riaient, mais l'éternel nœud, dans le cœur de leur mère, ne se défaisait pas. La disparition de Léonie, comme une blessure profonde toujours présente à son esprit, l'empêchait d'être complètement heureuse.

Dans la petite maison régnait une odeur de peinture fraîche. Une fois les planchers huilés, les châssis doubles enlevés et les vitres brillantes de propreté, Blanche offrit à Victorine d'accrocher les tentures.

— J'en ai pas, Blanche, pis c'est correct de même ; le bonheur va pouvoir entrer à pleines fenêtres.

— La chaleur aussi, marmonna Blanche, mais si c'est ce que tu penses !

— Le jour, je vais fermer les persiennes pour conserver le frais de la nuit, comme à la maison.

* * *

Le premier soir dans sa maison, Victorine s'endormit, épuisée.

Dans le silence de la nuit, elle sentit une présence, comme des pas feutrés près de son lit. C'était Jacob. L'enfant, debout à la tête du lit, se mit à bécoter sa mère sur une joue.

— Ouste ! Dans ton lit, Jacob, pis je veux pas te voir redescendre avant que le soleil se lève.

— Mémère voulait, elle ! répliqua l'enfant.

Victorine, mi-endormie, le reconduisit à sa chambre.

Dès la première lueur du jour, Jacob s'écria d'en haut :

— M'man, le soleil est debout ; j'peux me lever ?

Ce fut le signal. Victorine s'extirpa difficilement de ses draps. Elle aurait donné cher pour pouvoir dormir tard ce matin-là, mais ses garçons, deux marmots d'un an et de trois ans, allaient bientôt descendre l'estomac vide. Déjà, elle les entendait trottiner au plafond, comme des petites souris.

Maxime se leva à son tour. Il fit une attisée, puis s'agenouilla, les coudes sur la table, pour une courte prière du matin. Victorine le suivit de près. Elle aussi était pieuse, mais à sa façon ; pour elle, son travail était une prière continuelle.

Elle tournaillait à petits pas pressés autour de la table quand Maxime tira sa main et l'embrassa. Victorine passa ses bras autour du cou de Maxime et ferma les yeux. Ces marques d'amour lui avaient tellement manqué chez ses beaux-parents qu'elle en était rendue à se demander si elle était encore désirable. C'était le premier jour dans leur maison et, déjà, Maxime et elle se retrouvaient aussi amoureux que des nouveaux mariés ! N'avaient-ils pas des années à rattraper ?

Maxime passa la porte en disant :

– Je dois surveiller les encans. Je veux me monter un troupeau de vaches.

La table du déjeuner n'était pas dressée que les gamins apparurent en caleçon en haut de l'escalier. Jacob descendit doucement, une main agrippée à la rampe. Le fait que le gamin avait déjà dégringolé les marches de haut en bas, chez ses grands-parents, l'avait rendu prudent. Derrière lui, son petit frère, déjà habile, descendait en se glissant sur les fesses.

Jacob s'assit sur le banc, derrière la table.

– Je veux de la soupane, dit-il.

Louis, le petit dernier, s'accrocha à la jupe de sa mère qui distribuait des bols de gruau pendant que les rôties doraient sur le poêle à bois.

Victorine passa une débarbouillette mouillée sur les minois et les mains des enfants, puis elle installa le petit Louis sur une chaise haute qu'elle poussa contre la table.

Elle déposa un bol devant lui et plaça une cuillère ronde dans sa main.

– Tiens, dit-elle, v'là ta soupane. Y est temps que tu commences à manger tout seul.

Comme Victorine allait se servir à son tour, elle entendit bâiller la porte. Maxime entrait en sifflant.

En passant près du jeune Louis qui éclaboussait le plancher avec ses céréales, Maxime replaça la cuillère dans la main de l'enfant, lui fit avaler quelques bouchées et le laissa continuer seul.

Victorine retrouvait son Maxime des beaux jours, et lui, sa Victorine ricaneuse. Finies les mésententes au coucher. Elle se coucherait et se lèverait heureuse. Maxime regrettait de ne pas être parti de chez lui plus tôt.

Chapitre 20

On était en mai, c'était le temps des semailles et du vêlage.

Victorine devait accoucher à la fin du mois.

— Cette fois, Maxime, j'espère que ce sera une fille, dit-elle, sceptique. Mais je pense que je sais pas faire autre chose que des garçons.

— On prendra ce que le bon Dieu nous donnera.

— T'as ben raison ; je demande seulement qu'y soit en bonne santé.

Maxime décrocha un gros gilet suspendu au mur.

— Si je me trompe pas, ça va être pour aujourd'hui, dit Victorine en posant ses mains ouvertes sur son ventre, à moins que ce soit de fausses douleurs.

Ce jour-là, Maxime comptait semer son blé sur sa terre voisine. Mais voilà que Victorine allait déranger ses plans.

— Sarpent ! Pas déjà ?

— T'as pas à te surprendre ; je suis rendue à mon temps.

— Qu'est-ce qui va être aujourd'hui, m'man ? la questionna Jacob.

Victorine demeura bouche bée. Pas déjà les questions embêtantes qui commençaient, à seulement trois ans ! Elle hésita un moment avant de répondre.

— Peut-être une visite chez matante Bartine.

C'était ainsi que tout le monde nommait Albertine, qui demeurait dans le même rang.

— Yé ! s'écria Jacob, tout joyeux.

— Hé ! tenta de répéter le petit Louis, comme un perroquet.

— Ce sera seulement si votre père trouve le temps, rectifia Victorine, qui ne voulait pas décevoir Jacob. Mais vous avez pas idée d'aller vous promener en caleçon ; montez vite vous habiller.

Victorine suivit les enfants dans l'escalier et, tout en montant, elle donna de petites tapes affectueuses sur les fesses de Louis qui montait à quatre pattes. Victorine le regardait tendrement ; Louis, son bébé, allait bientôt céder sa place au suivant. Il était pourtant bien jeune.

En bas, Maxime déposa sa tasse vide devant lui. Il saisit un vieux chapeau un peu dépaillé, accroché au clou derrière la porte, s'en coiffa et se posta au bas de l'escalier. De là, il cria à Victorine :

— D'abord que tu files pas, je vais aller semer quelques rangs de patates derrière la grange. Si par cas t'as besoin de moé, je serai pas loin ; t'auras rien qu'à me lâcher un cri.

Maxime eut tout juste le temps de sortir du hangar avec une chaudière de pommes de terre coupées en quatre dans une main et une pioche dans l'autre que Victorine le rappelait.

— Maxime, peux-tu venir ?

Maxime voyait bien que ça n'allait pas par le ton différent de sa femme. Il remisa sa pioche et sa chaudière et revint à la maison. Dans la cuisine, Victorine, agenouillée, essuyait le plancher.

– Qu'est-ce que tu fais à quatre pattes?

– M'man a fait pipi à terre, dit Jacob.

– Mes eaux sont crevées, le corrigea Victorine, et le plancher a reçu toute la saucée. Comme si j'avais besoin de ça, juste sur le point d'accoucher!

– Enlève-toé de là, je vais m'en occuper.

– Martha m'a dit qu'habituellement, quand les eaux crèvent, on accouche dans les heures qui suivent. Y a pas à se tromper, je vais accoucher aujourd'hui, le 27 mai. Y faudrait que tu conduises les enfants chez matante Bartine pis que tu ramènes Martha en revenant. Fais ça vite!

* * *

Une fois seule, Victorine dut se tenir à une chaise pour arriver à se redresser tant une crampe lui barrait les reins. Elle était très nerveuse : ses jambes flageolaient, ses genoux claquaient, pourtant, elle n'en était pas à son premier accouchement. Elle s'assit un moment dans la berçante et posa ses mains tremblantes sur les appuie-bras, histoire de se détendre pendant quelques minutes. Mais ce fut tout le contraire qui se produisit ; son premier accouchement revenait la hanter. À la naissance de Jacob, elle avait passé douze heures à endurer les pires souffrances ; chaque contraction lui faisait l'effet d'un coup de poignard aux reins. Au suivant, tout s'était passé vite et bien. Elle n'avait pas eu le temps de s'épuiser. Si celui-ci pouvait être aussi rapide !

Victorine en était là dans ses réflexions quand elle quitta sa chaise péniblement. Elle eut tout juste le temps de faire sa toilette qu'une forte envie de pousser la prit. Elle essaya de se retenir, mais le besoin de forcer l'emportait sur sa volonté. Elle revêtit une jaquette à la hâte et s'allongea sur son lit. Après trois poussées, l'enfant naquit. Victorine, dans un état de grande nervosité, s'affola. Elle cria à l'aide, mais ses mots se perdirent dans le silence de la maison. L'enfant se mit à hurler de lui-même. Et Maxime qui n'arrivait pas. « Il n'a pourtant pas raison de tarder », se dit Victorine. Martha, la sage-femme, ne demeurait qu'à trois fermes de chez elle.

Mais qu'est-ce qui se passait donc ?

Victorine, complètement désemparée, se retrouvait seule dans sa maison avec un bébé entre les jambes et elle craignait pour sa vie. Impossible de le prendre : elle risquait d'arracher le cordon ombilical. Et allait-il étouffer si on tardait à le couper le cordon ? Pouvait-il manquer d'air ? Avait-il froid ? Elle ne connaissait rien aux accouchements. Elle réprima une envie de pleurer. Elle tenta de se consoler en se disant que son accouchement s'était bien déroulé, mais la survie de son enfant l'inquiétait. Les larmes coulaient sur ses joues contre son gré. Victorine souleva le buste et vit le petit paquet de chair qui venait de sortir de son ventre et qui déjà vagissait. Ne pouvant retenir sa surprise, elle s'écria :

– Une fille ! C'est pas vrai !

Victorine tira gauchement la couverture et réussit à couvrir la nouveau-née.

Cinq interminables minutes passèrent puis Victorine entendit grincer la porte. De son lit, elle reconnut les voix de Maxime et de Martha.

— Venez vite! s'écria-t-elle, venez voir! Tout est fini pis, cette fois, c'est une fille! s'écria la maman, les yeux remplis de larmes de bonheur.

— T'as pas accouché toute seule? dit Maxime.

— Ben oui! Vous arriviez pus.

— Ah ben, sarpent! T'as été plus vite que moé.

— C'est notre fille qui était pressée.

Maxime s'approcha doucement et caressa la main de Victorine. Il répéta:

— Ah ben, sarpent! Une petite fille! Je suis content, ma femme, je suis ben content. Toé qui voulais tant une fille! Mais j'espère qu'elle restera pas plissée comme ça.

— Tu sais, on a pas de chambre de filles. Y va falloir y trouver un coin, à celle-là.

— On aura ben le temps de penser à ça plus tard. Pour le moment, la petite va dormir dans notre chambre.

Martha noua et coupa le cordon ombilical.

— Y avez-vous trouvé un nom, à cette enfant? demanda Martha.

— Ce sera Rose. Je voulais le donner aux autres naissances, mais comme c'étaient des garçons…

Victorine ne tenait plus en place. Déjà, elle était assise dans son lit. À chaque grossesse, elle avait rêvé de robes, de rubans et de froufrous pour ensuite se faire à l'idée qu'elle n'aurait jamais de filles. Maintenant, elle devait se faire à l'idée qu'elle en avait une. Elle répétait:

— Je me demande si je rêve.

— Tu rêves pas. C'est ben une fille, dit Martha, pis une vraie, avec plein de cheveux. Asteure, couche-toé ; tu viens à peine d'accoucher pis on dirait que tu vas partir en courant.

Victorine imaginait déjà sa fille à tous les âges de sa vie quand elle sentit un liquide couler entre ses cuisses. Elle n'osa pas bouger de peur d'aggraver son état.

— Martha, dit-elle, je sens mon lit tout mouillé.

Le sang se répandit sur les draps, la jaquette, la paillasse et l'hémorragie continuait. Martha, complètement affolée, craignait que Victorine ne se vide de son sang. Elle ne savait comment agir dans ces situations critiques. Déjà, elle imaginait la jeune femme morte. Dépassée par les événements, elle se promit que son rôle de sage-femme se terminerait avec cet accouchement. Elle retourna à la cuisine.

— Maxime, dit-elle tout bas pour ne pas être entendue de Victorine, cours vite chercher le docteur Leblanc. Tu y diras que Victorine est en hémorragie. Surtout, brette pas ; c'est grave.

Maxime ne prit pas le temps d'atteler. Il monta sans selle sur Picotine, une pouliche coureuse tout aussi rapide que Gazelle, parce qu'elle aussi avait de la jeunesse dans le corps. Il disparut au coude du chemin avec le chien, Pointu, sur les talons.

Martha retourna à la chambre, les jambes flageolantes. Quelle besogne l'attendait ! Elle ne savait plus si elle devait commencer par laver l'enfant ou tout nettoyer avant l'arrivée du médecin quand il lui vint une idée : ne rien nettoyer. Il valait sans doute mieux que le docteur évalue la perte de sang de l'accouchée. Déjà, le visage de

Victorine pâlissait et il était presque impossible de voir si ses yeux étaient ouverts ou fermés, elle qui avait l'air si en forme deux minutes plus tôt! Martha lui prit le bébé des bras et alla le déposer sur la table de cuisine. Elle craignait que Victorine ne trépasse et ne laisse trois petits orphelins. Le médecin demeurait à Sainte-Émélie. C'était toute une trotte. Victorine avait le temps de mourir avant son arrivée; elle était déjà à l'article de la mort. Martha se sentait la seule responsable de sa vie. Elle allait au moins lui tenir la main. L'enfant pleurait toujours. «Si ses cris peuvent tenir la maman éveillée», se dit Martha quand, soudain, une idée géniale germa dans son esprit: soulever le bassin de l'accouchée sur un dossier de chaise renversée sur le lit. Elle se rendit à la chambre en poussant une chaise devant elle. Victorine dormait. Martha l'appela pour la ressaisir.

– Victorine! Réveille-toé. T'auras ben le temps de dormir quand le docteur sera passé, dit-elle.

La sage-femme parlait pour empêcher Victorine de sombrer dans un sommeil éternel. Elle renversa la chaise sur la paillasse et s'agenouilla inconfortablement au pied de l'accouchée.

– Je vais t'installer cul par-dessus tête. Reste molle. Tu dois surtout pas faire d'efforts; ça te serait fatal.

– Comme si j'en avais la force! dit Victorine à voix basse. J'ai juste envie de dormir.

Martha tira de toutes ses forces les jambes de Victorine jusqu'à ce que son bassin soit plus élevé que ses épaules. En temps normal, elle n'aurait jamais pu y arriver, mais dans les moments critiques, des montées d'adrénaline apportent des forces passagères inimaginables.

– Bon ! Ça y est. Je sais que t'es pas ben confortable, échafaudée de même, mais dis-toé que c'est pour ton bien. Tu vas devoir passer un peu de temps dans cette position. Moé, je sais pas quoi faire d'autre.

Martha enroula une serviette bien serrée et en fit un tampon qu'elle pressa sur les parties intimes de Victorine.

– Asteure, bouge pas d'un poil tant que le docteur sera pas arrivé.

– Je veux pas mourir, soupira Victorine.

Victorine parlait bas, les paupières mi-closes. Martha devait coller l'oreille à sa bouche pour l'entendre. Elle avait l'impression que la jeune femme était sur le point de s'éteindre, comme sa voix. Elle tenta de l'encourager.

– Tu mourras pas. T'as trois beaux enfants qui peuvent pas se passer d'une mère.

Martha approcha une chaise, s'assit tout près de Victorine et tint sa main. Il lui semblait veiller une morte. Elle resta là, accablée, l'œil vague et fixe, comme lorsqu'on regarde dans la nuit une apparition qui s'évanouit. « Si le docteur peut arriver à temps ! » pensa-t-elle.

L'enfant pleurait sur la table de cuisine, mais Martha l'ignora ; la petite n'était pas en danger. Si seulement ses cris pouvaient tenir sa mère éveillée ! Elle souleva un peu la couverture pour surveiller l'hémorragie. La serviette demeurait intacte. Martha crut que l'hémorragie diminuait vu que le tampon restait sec, mais était-ce seulement une impression ? Que se passait-il à l'intérieur du corps de l'accouchée ? Le sang s'accumulait-il dans ses entrailles ? Elle regardait ses mains prises d'un tremblement incontrôlable.

Victorine ne ressentait aucune douleur. Le bonheur d'avoir une petite fille devait la tenir en vie. Elle pensait aussi à son plaisir de revoir sa sœur Blanche qui serait la marraine de l'enfant. Elle s'ennuyait tellement de sa famille.

Placée en biais de la fenêtre, Martha aperçut l'auto du médecin qui fonçait vers la maison. Maxime était dans l'auto avec le docteur Leblanc.

« Il doit avoir laissé Picotine à Sainte-Émélie, avec l'intention de retourner là-bas avec le docteur.»

– Enfin, dit-elle en laissant échapper un long soupir de soulagement. Le docteur arrive, Victorine. Lui, y va pouvoir te soigner mieux que moé.

Le médecin descendit de l'auto, saisit sa trousse et laissa la portière ouverte. Il courut, conscient qu'une hémorragie pouvait emporter la jeune maman dans l'au-delà. Maxime le talonnait. À l'intérieur, le médecin traversa la cuisine sans s'arrêter à l'enfant qui vagissait sur la table et fila directement à la chambre où il trouva la jeune femme, le bassin juché sur une chaise. Elle était d'une pâleur cireuse.

– Je suis arrivé à temps, dit-il, soulagé.

Il tapota la main de la maman pour la réconforter et prit son pouls. Il retira une seringue de sa trousse et lui fit une injection.

Maxime tenait sa main.

Martha allait se retirer quand le médecin lui dit :

– Vous avez eu une idée géniale, madame Martha ; vous avez probablement sauvé la vie de ma patiente avec votre débrouillardise.

– Vous pensez ? Moé qui viens de me jurer que j'aiderais pus jamais une femme à accoucher ! J'ai eu tellement peur de la perdre.

— Mais non, objecta le médecin. On a besoin de femmes comme vous qui savent prendre les bonnes décisions au bon moment.

— Asteure que vous êtes là, docteur, voulez-vous que j'enlève la chaise ? Victorine serait plus à l'aise allongée. Moé, rien qu'à la regarder, je suis mal pour elle.

— Pas tout de suite ; laissez le temps au médicament de faire son effet.

Le médecin s'adressa à Maxime.

— Madame a perdu beaucoup de sang, ce qui va lui causer de l'anémie. Je vais lui laisser un bon tonique. Il serait bien aussi de lui servir du rôti de bœuf saignant, deux fois par semaine. Vous ferez cuire la viande dans une poêle en fonte ; la fonte a la propriété de fournir un supplément de fer aux aliments. Même avec tous ces soins, madame va prendre du temps à s'en remettre. Elle devra être au repos pendant une année complète et, surtout, pas de maternité.

— Une année ? C'est long, docteur.

— Quand on est rendu au fond de la mine, il faut du temps pour remonter sur terre.

— Je vas faire tout ce qu'y faut, affirma Maxime.

* * *

Après avoir donné le premier bain au bébé, Martha ouvrit un carton qui contenait la layette de baptême qui avait servi aux générations précédentes. Un trésor, cette layette : une longue robe blanche et une mante à capuchon en satin blanc, richement brodées à la main. Elle en revêtit l'enfant et la porta à sa mère que l'émotion étouffait.

– Qu'elle est belle ! murmura Victorine, le regard rempli de tendresse. Elle est toute délicate.

Victorine s'amusait à caresser les joues roses. Elle était en pâmoison devant sa fille, et avec raison : elle était adorable avec sa figure ronde, son petit nez retroussé et ses yeux fermés dur comme ses petits poings. Victorine bécota son front, ses joues, ses menottes.

– Asteure, si je peux prendre le dessus pour m'en occuper, ajouta la maman.

La scène était tellement attendrissante que Martha elle-même en était émuc.

Le bonheur régnait dans la petite maison des Beauséjour.

Chapitre 21

Les mois couraient. Vint janvier, un mois froid à pierre fendre.

Chez les Beauséjour, les enfants endormis, Victorine passait le balai quand elle entendit des pas sur le perron, suivis de coups frappés à la porte.

— Je me demande ben qui ose sortir par un pareil frette!

Maxime se leva de la berçante et, comme il allait ouvrir, il distingua deux silhouettes à travers le givre de la vitre.

— Ah ben! Nos voisins, Bernard pis Juliette! Entrez! Restez pas là à vous faire geler.

Les Gauthier entrèrent, précédés d'un banc de vapeur blanche qui se dissipa aussitôt.

— Vous avez pas choisi votre soir pour sortir, dit Maxime, c'est le pire frette de l'hiver, pis en plus un vendredi. Mais allez pas croire que c'est un reproche, au contraire, vous avez ben faite! Ça va nous donner la chance de passer une veillée en bonne compagnie.

— Le goût de sortir nous a poignés comme ça, sans qu'on pense au frette. On aurait pourtant dû; je sens pus mes joues, dit Juliette en tapotant sa figure. Après le souper, y nous a pris une envie de jouer aux cartes, ça fait qu'on s'est habillés, pis nous v'là.

— Enlevez vos manteaux pis venez vous chauffer, dit Maxime. Croyez-moé, c'est pas ici dedans que vous allez geler.

Victorine s'avança.

— Vous avez pas emmené votre petite Angélique ?

— Ben oui ! dit Juliette en sortant de son manteau un petit bébé de deux mois.

Victorine lui prit l'enfant des bras et glissa sa main sous les couvertures. La petite, toute chaude, dormait paisiblement.

— Je vais la coucher sur mon lit. Mais avant, si tu veux m'aider, on passerait la couchette de Rose dans la dépense, comme ça, si ta petite Angélique pleure, elle réveillera pas la mienne.

Rose avait huit mois.

La dépense était une pièce de cinq pieds sur huit où on conservait les denrées non périssables. Il s'en trouvait une autre tout au bout du hangar, où on entreposait le beurre, les viandes, les beignets, les pâtés, etc.

Revenue à la cuisine, Victorine déposa une assiette de tire à la mélasse sur la table pendant que Maxime versait deux verres de caribou pour les hommes.

— Avez-vous des nouvelles de votre sœur Léonie ? s'informa Juliette.

— Non, rien. Si vous saviez comme elle nous manque ! Je surveille la malle tous les matins, mais toujours rien. J'ai pourtant l'impression qu'un de ces jours on va la voir réapparaître.

— C'est quand même mystérieux, cette disparition !

— On va jouer au cinq-cents, les femmes contre les hommes, dit Bernard en distribuant les cartes.

Les hommes vidaient verre après verre. Ils se taquinaient et riaient. Pendant une brasse, Victorine prépara du café. Ils étaient tous tellement concentrés sur leur jeu qu'ils n'entendaient pas l'horloge sonner les heures.

— Bon! On va y aller, dit Bernard. Moé, je suis en train de canter sur ma chaise.

Victorine se leva d'un bond.

— Pas déjà minuit! Les veillées en bonne compagnie passent toujours trop vite. Y faudrait se voir plus souvent. Mais là, vous allez pas partir comme ça, le ventre vide?

Elle se pressa de sortir des biscuits aux amandes.

* * *

Après le départ des Gauthier, la maison des Beauséjour redevint silencieuse. Maxime bourrait le poêle tandis que Victorine nettoyait la table.

— Quel plaisir que ces visites entre voisins! dit-elle.

Victorine n'avait pas connu ces joies; chez ses beaux-parents, elle ne recevait personne, sauf sa sœur Blanche lors de ses relevailles.

Maxime, la lampe à la main, précéda sa femme à la chambre.

— T'as oublié Rose dans la dépense, dit-il.

— Je vais la laisser là en attendant qu'on agrandisse la maison. On va laisser la porte ouverte pour laisser entrer la chaleur.

– Je pense que j'ai jamais tant ri, dit Maxime. J'ai encore mal aux mâchoires. Ce Bernard, y donne pas sa place avec ses histoires qui tiennent pas deboutte.

– Ce serait pas plutôt le caribou? Vous avez un peu abusé, tous les deux.

Maxime s'objecta en chantant la fin de ses phrases.

– Mais non, ma Victorine, C'est pas trois petits verres. On s'est juste réchauffés un petit peu.

Victorine posa un doigt sur les lèvres de Maxime.

– Moins fort! Tu vas réveiller les enfants.

Chapitre 22

Victorine était fertile. Le dimanche 29 janvier 1912, chez les Beauséjour, un tout petit être voyait le jour. On le baptisa Michel.

Les semaines passaient et Victorine commençait à se sentir à l'étroit.

— Avec quatre enfants, on va devoir agrandir la maison d'au moins deux chambres à coucher, proposa Victorine.

— On va aussi devoir acheter une voiture à trois sièges.

Victorine insista :

— Un coup parti, on pourrait aussi agrandir la cuisine de quelques pieds du côté nord ou encore réchauffer la véranda.

Maxime ne dit rien. À son regard fermé, Victorine voyait bien qu'il était contre ces travaux. Elle insista quand même ; cet ajout n'était pas un caprice, mais bien une nécessité.

— Comme c'est là, notre famille s'agrandit vite. Et pis, y a Rose qui couche toujours dans la dépense.

— Comme ça, elle est proche de notre chambre, dit Maxime qui s'accommodait de tout.

— Peut-être qu'on devrait arrêter de faire des enfants si on manque d'espace.

— Pour le moment, on peut encore s'arranger.

En réalité, Maxime rêvait d'un autre endroit où il ne serait pas obligé de mettre des cailloux sous les roues des charrettes pour les empêcher de dégringoler les côtes.

— Y faudrait plutôt trouver une autre ferme avec une maison plus grande, dit-il.

— T'es pas sérieux?

Victorine se rappelait le temps où elle demeurait chez ses beaux-parents, alors que Maxime lui promettait d'acheter une terre. Ils avaient dû attendre près de cinq interminables années avant d'en trouver une. Victorine savait d'avance qu'elle devrait s'armer de patience. Maxime était un procrastinateur. Il faisait tout lentement. D'ailleurs, ne vivait-il pas au temps où les gens ne savaient pas se presser? Certes, il avait d'honnêtes intentions et de bonnes qualités; il était travaillant, affectueux et amusant. Quand il ne sifflait pas, il emplissait la maison de chansons à répondre et tapait du pied. Ainsi, le bonheur régnait dans leur chaumière. Mais quand il s'agissait d'effectuer un changement important, Maxime remettait toujours à plus tard.

* * *

Victorine surprotégeait Rose. À deux ans, la petite jacassait déjà comme une pie. Son père ne cessait de la regarder, de l'admirer. Elle avait de grands yeux très mobiles, à l'expression sauvage, et le rire sonore de sa mère. Depuis sa naissance, tous les soirs, Victorine l'endormait dans ses bras et lui chantait tout son répertoire de berceuses. Et pour cause, Maxime se sentait laissé-pour-compte. Sa fille ne montait jamais sur ses genoux, comme le faisaient ses frères au même âge. On eût dit que Rose appartenait exclusivement à sa mère. Maxime pensait que Victorine dépassait les bornes. Finalement, outré de ce comportement, Maxime reprocha à sa femme de négliger les garçons au profit de Rose. Lui qui supposait qu'à la prochaine naissance, Victorine concentrerait toute son affection sur le nouveau-né et qu'elle cesserait d'être aussi possessive envers Rose, il s'était royalement trompé !

— Les garçons ont eu leur tour, dit-elle. Tu te rappelles pas comme je les ai bercés, eux autres aussi ? En tout cas, y ont pas l'air d'en souffrir.

— Tu la mignonnes trop ; plus tard, elle se débrouillera pas. Mets-y des bottes, je vais l'amener à l'étable y montrer les vaches.

Rose essaya d'habiller la chatte avec de vieux chiffons, mais la petite bête s'échappa et alla miauler près de la porte pour demander la sortie.

— T'es pas sérieux, Maxime ? Les vaches intéressent pas une enfant de deux ans. Et pis, elle reviendrait de là toute sale.

* * *

En plein cœur d'après-midi, Victorine profita du temps que bébé Michel et Rose faisaient leur sieste pour se rendre aux bécosses derrière le hangar. Comme il lui arrivait parfois, elle confia la garde de la maison à Jacob qui n'avait que cinq ans.

— Je vais m'absenter deux minutes, le temps d'aller au petit coin, dit-elle. Si Michel pleure, flatte-lui le dos pour qu'il se rendorme, pis si Rose se réveille, je veux que t'en prennes ben soin. Surveille l'escalier ; si Rose déboule, elle risque de se tuer.

— Promis, m'man, répondit Jacob, sans lever la tête de son puzzle.

* * *

Au retour de Victorine, la porte de la dépense était grande ouverte et Rose avait disparu.

— Jacob ! Où est passée Rose ?

— Dans la dépense, dit Jacob sans se retourner.

— Non, elle est pas là. Ses petits souliers de beu sont à côté de son lit, mais pas de Rose. Je t'avais pourtant demandé de la surveiller !

— Je sais ben, mais je l'ai pas vue.

Victorine se tourna vers Louis.

— Toé, Louis, l'as-tu vue ?

— Non ! Vous perdez toujours tout dans cette maison.

— Allez voir en haut, insista Victorine, nerveuse.

Victorine fouilla la maison de fond en comble. Elle regrettait d'avoir laissé Rose sous la surveillance de Jacob qui n'était qu'un enfant. Elle aurait dû attendre le retour de Maxime pour aller au petit coin. Elle pensa un moment que la petite était allée retrouver son père aux champs. Affolée, Victorine prit le bébé avec elle, obligea les garçons à la suivre et s'y rendit à la hâte. Rien. Elle pensait à Léonie, sa sœur disparue, et son cœur de mère se serra.

Maxime abandonna son travail aux champs et suivit Victorine.

— Énerve-toé pas pour rien, lui dit-il pour la rassurer. Rose peut pas être allée ben loin, en si peu de temps, avec ses petites jambes.

Les larmes aux yeux, Victorine pensa au pire : la nuit, le lac, les ours, les loups. Dès qu'un enfant s'éloignait de sa vue quelques minutes, elle se voyait morte.

— Le temps qu'on la cherche, dit-elle, la petite court toujours.

— Je vais aller voir chez les voisins.

Maxime avait beau vouloir cacher son inquiétude, son air soucieux et son pas pressé trahissaient ses pensées. Il pensait déjà à alerter tout le rang. Il passa les bâtiments au peigne fin. Rien. Il alla retrouver Victorine chez le deuxième voisin.

— Regarde, Maxime, qui c'est qui vient là-bas sur le chemin ? dit Victorine. On dirait quelqu'un avec un enfant dans les bras. C'est-y mon imagination qui me joue des tours ?

Ils se pressèrent d'aller à leur rencontre, mais Victorine, appesantie par le poids du bébé, tirait de l'arrière. Maxime arriva le premier.

Rose se jeta dans les bras de son père. C'était la première fois depuis sa naissance que sa fille lui sautait dans les bras si promptement, sans chercher sa mère du regard. Maxime eut un moment d'attendrissement, comme si Rose venait de naître une seconde fois. Il la serra contre lui.

— Quand je l'ai vue venir, expliqua Martha, j'ai ben pensé qu'elle s'était échappée de chez elle. J'ai couru au-devant. Elle pleurait à cause des cailloux sous ses pieds.

Victorine arriva à son tour, tout essoufflée.

– J'ai eu si peur! dit-elle. Avec les enfants, y s'agit juste d'un moment d'inattention pour que tout tourne au drame. Une chance que t'étais là. Quand je pense qu'elle aurait pu passer une nuite dehors; j'en ai le frisson.

Maxime jucha Rose sur ses épaules.

– Hop! À la maison! L'ouvrage m'attend.

Et il s'écria sans se retourner:

– Merci, Martha!

* * *

Mai allait bientôt embrasser juin. Le 30 mai 1915, plus de trois ans après la naissance de Michel, la famille s'agrandit d'un cinquième enfant qu'on nomma Léon, un petit être tout délicat qui pesait cinq livres. Après quatre bébés nés en cinq ans, Maxime et Victorine avaient fait plus attention.

– Il est ben de moé, celui-là? dit Maxime avec l'intention de taquiner Victorine.

– Encore quelques mois pis tu vas voir, y va reprendre du poil de la bête.

* * *

Malgré les bons soins de sa mère, Léon restait un enfant délicat. Cependant, Maxime remarquait la souplesse avec laquelle le petit se déplaçait. À six mois, il marchait à quatre pattes et suçait son gros orteil. Rose lui faisait des chatouilles, la tête sur son ventre, et l'enfant riait aux éclats. À dix mois, le petit marchait.

Chaque fois que Jacob ou Louis passaient près du petit Léon, ils lui donnaient de la main une petite poussée sur le front et le petit tombait assis par terre. Les gamins riaient, l'enfant rechignait.

– M'man, disait Rose, regardez Jacob pis Louis, y arrêtent pas d'agacer Léon.

Victorine intervint sévèrement :

– Si vous vous tenez pas tranquilles, je vais ouvrir la porte de cave ; le bonhomme Sept Heures pis Croque-mitaine vont monter[6].

Victorine avait beau semoncer Jacob et Louis, ceux-ci faisaient la paire. Ils vivaient heureux dans cette maison chaude de rires. Ils avaient des chaises pour se bercer, un banc de quêteux pour bouder et une bouche pour siffler.

* * *

Et toujours, comme dans toutes les familles du temps, un enfant poussait l'autre. Dès que Victorine sevrait un enfant, elle redevenait enceinte. Deux ans après la naissance de Léon, le 10 juin 1917, ce fut le tour de Claude d'occuper le berceau. Maxime et Victorine étaient maintenant les parents de cinq garçons et d'une fille.

À chaque naissance, sans qu'on sache trop pourquoi, la petite Rose était aussi heureuse que si elle recevait un cadeau. Déjà, à sept ans, on reconnaissait chez la gamine un instinct maternel très développé.

À la suite de toutes ces naissances, la maison semblait rapetisser. Dans la chambre du haut, les garçons devaient

---

6. Ces deux personnages étaient des êtres imaginaires très sévères dont on menaçait les enfants pour les tranquilliser et les envoyer au lit.

enjamber les lits pour se rendre à leur paillasse. Et ce n'était pas fini ; dès que le ventre de Victorine se vidait, Maxime le remplissait. N'avait-on pas dit : « Allez et multipliez-vous » ? Maxime disait : « Une maison chaude, du pain sur la table et des coudes qui se touchent, voilà le vrai bonheur ! »

Et Victorine, avec un nouveau bébé dans les bras, reprenait ses plus beaux refrains.

Chapitre 23

Les années heureuses filaient à une vitesse folle.

À neuf ans, Rose, une petite blonde frêle aux cheveux bouclés, aux yeux noyés, à la bouche frémissante, montrait déjà une grandeur d'âme et beaucoup de chaleur humaine. Sa mère pouvait lui confier certaines responsabilités en raison de son âge, comme survciller le petit Claude le temps d'étendre ses couches sur la clôture, et à l'occasion, elle lui permettait de le bercer, mais toujours sous sa surveillance. Rose considérait son petit frère de deux ans comme une poupée vivante. Elle chantonnait avec l'enfant dans les bras. Elle s'attachait très fort à ce petit frère qui apportait tant de joie dans la famille.

* * *

Chez les Beauséjour régnaient le bonheur et la paix jusqu'à ce jour de février où, couchée dans la petite dépense, la fillette entendit râler. Elle se rendit à la chambre de ses parents pour leur demander ce qui se passait. Sur la commode, une chandelle allumée jetait une lueur sur le grand lit. Le petit Claude était couché entre ses parents. Il avait une forte fièvre.

– C'est Claude que j'entends râler comme ça ? demanda Rose à sa mère.

– Oui, c'est lui. Y fait beaucoup de fièvre.

Rose voulut le prendre pour l'amener coucher avec elle.

– Non, Rose, lui dit sa mère. Ton petit frère file mal ; y est mieux dans notre lit.

La fillette retourna à sa chambre. Elle resta éveillée toute la nuit à prier son petit Jésus. Tôt le matin, elle entendit son père qui allumait le poêle dans la cuisine. Il n'y avait plus aucun bruit dans la chambre ; sa mère et Claude devaient dormir. Rose quitta son lit à pas de loup et s'assit sur la berçante. Elle n'avait pas dormi de la nuit avec le petit qui râlait et qui demandait des soins. Son père lui dit :

– Va te recoucher, Rose.

– Je peux pas dormir avec Claude qui est malade.

Les râlements de l'enfant se changeaient en sifflements.

– Viens, lui dit son père.

Il prit sa main et la conduisit à son lit.

– Essaie de dormir. Ta mère pis moé, on va s'occuper de ton petit frère. Tantôt, je vais aller chercher le docteur à Sainte-Émélie, y va le guérir.

C'était toujours le bon docteur Leblanc. Il avait un gros défaut : dès qu'il s'assoyait, il s'endormait. Ce n'était pas surprenant ; il passait ses nuits à courir d'un malade à l'autre.

Maxime était souvent demandé pour aller chercher le médecin parce qu'il possédait une pouliche pas battable à la course. Ce jour-là, il poussa Picotine à fond de train.

* * *

Arrivé à Sainte-Émélie, il apprit que le médecin s'était absenté pour une visite à domicile. Sa femme prit le message.

Maxime enfourcha de nouveau sa pouliche et revint au trot.

* * *

À la maison, Rose, très curieuse, quitta son lit et se rendit à la fenêtre de cuisine qui donnait sur le chemin. Elle surveillait tout ce qui se passait chez elle, à l'extérieur comme à l'intérieur. L'auto du médecin entra dans la cour en même temps que son père. Une femme l'accompagnait.

Elle était revêtue d'un grand châle de laine gris dont elle se faisait un cache-nez. En entrant, elle déroula cette espèce de couverture qui l'enveloppait de la tête aux pieds. Rose reconnut sa grand-tante Marie, la sœur de sa grand-mère. Elle suivit le docteur à la chambre.

Rose alla, sur la pointe des pieds, surveiller ce qui se passait par l'entrebâillement de la porte. Ses parents étaient trop pris par la maladie de Claude pour s'occuper d'elle.

– Y mange pus, dit Victorine, y repousse même les jus.

Le docteur Leblanc examina la gorge du petit puis prit sa température. Il leva les yeux vers les parents et dit :

– C'est une pharyngite aiguë. Je crois qu'il n'y a plus rien à faire. Sa gorge est tellement enflée qu'il n'y passerait pas un cure-dents. C'est la cause de son sifflement. Je ne peux plus rien pour lui. Je le regrette.

Son père et sa mère échangèrent un regard qui faisait mal à voir. De grosses larmes silencieuses roulaient sur leurs joues.

— Vous pouvez rien faire ? insista Victorine, la bouche tordue de douleur.

— J'aurais pu si vous m'aviez prévenu plus tôt.

— Au début, on a cru à un simple mal de gorge. J'y ai mis une mouche de moutarde sur la poitrine.

Victorine s'en voulait. Son enfant allait mourir par sa propre faute.

Le médecin quitta la maison sur-le-champ ; il avait d'autres patients à visiter.

Rose, comme une petite souris, s'esquiva avant d'être vue. Elle se rendit à la fenêtre et se posta sous le rideau blanc qui tremblait dans sa main. Devant la porte, la voiture du médecin n'arrivait pas à démarrer.

Celui-ci revint sur ses pas.

— Maxime, dit-il, pouvez-vous me reconduire ?

Maxime ne voulait pas laisser sa femme seule avec son enfant à l'article de la mort.

— Je vais vous amener chez le voisin qui, lui, vous conduira à Sainte-Émélie.

Sitôt Maxime parti, Claude, dans le grand lit, ouvrit les yeux et fit un effort, comme pour s'asseoir, puis il retomba, étouffé. Ce fut son dernier souffle.

Rose était seule dans la chambre avec sa mère en début de grossesse. Celle-ci porta la main sur son cœur et s'évanouit.

La fillette s'agenouilla près de sa mère qui gisait au sol.

– M'man, dit-elle, la voix chevrotante.

Et elle redit encore et encore :

– M'man ? Laissez-moé pas.

– Qu'est-ce qui se passe ? demanda aussitôt tante Marie, qui s'occupait de la cuisine.

– C'est m'man ! Elle est morte. Venez vite, matante Marie, m'man est morte, répéta Rose en sanglotant.

La tante accourut.

– Faut pas pleurer, Rose, faut être forte.

Rose ravalait sa peine, mais sa bouche se tordait et son menton tremblait.

Elle recula sur le pas de la porte. Ses yeux larmoyants ne quittaient pas la scène. Tante Marie s'approcha de Victorine, qui venait de retrouver ses esprits. Elle déposa une serviette humide sur son front et approcha une chaise du lit.

– Assieds-toi, dit-elle.

Plus personne ne s'occupait de Rose, comme si elle était invisible.

Rose essuya ses yeux et s'avança. Elle s'appuya à la barre transversale du pied du lit et, muette, resta là à fixer le corps de son petit frère. Déjà le petit visage prenait la couleur de la cire.

Quand son père entra, il s'approcha du petit Claude qui ne respirait plus. Il prit l'enfant par les mains et le souleva pour l'aider à reprendre son souffle, mais ce fut peine perdue. À ce moment, Maxime, anéanti, réalisa que la vie avait quitté le corps de son enfant. Il joignit les deux menottes dans sa grosse main, glissa l'autre sous la tête de l'enfant et la déposa délicatement sur l'oreiller. Victorine se jeta dans ses bras et tous deux pleurèrent à gros sanglots.

Les enfants éprouvaient une émotion extrême à voir la peine de leurs parents. Ils voyaient leur père pleurer pour la première fois. Rose aurait voulu se joindre à ses parents, partager leur tristesse, et pourtant, elle resta en retrait, sans bouger, comme si c'était leur douleur à eux seuls. Puis, comme sa peine était trop forte, elle se retira à sa chambre où elle se laissa aller à sangloter sans bruit.

Trois heures passèrent. Les frères de Rose étaient sans voix. Ils ne connaissaient rien de la mort, mais l'atmosphère lugubre de la maison était pour eux quelque chose d'anormal. Leur petit frère mort, la maison était morte aussi.

La fillette vit sa tante Marie prendre le petit Claude sur ses genoux et le laver au complet. Elle revêtit ensuite la dépouille d'une belle robe blanche et l'allongea sur une petite table qui se trouvait dans le salon. Elle étendit ensuite un linge blanc sur l'enfant.

Rose enregistrait tout dans sa petite tête.

C'était triste dans la maison. Claude, âgé seulement de deux ans, était étendu sans vie et il ne reviendrait pas.

Pour Rose, ce deuil fut l'épreuve la plus dure à supporter. Toute jeune, sa mère l'avait responsabilisée et la fillette avait développé un comportement maternel très fort. Elle aimait ce petit frère de tout son cœur. Que de fois elle l'avait amusé ou bercé pour l'endormir! Claude était beau et intelligent. Il la nommait «Ose».

L'après-midi, Maxime se rendit au village et revint avec un petit cercueil tout blanc. Il éloigna les enfants; il les trouvait un peu jeunes pour affronter la mort.

Cependant, après un moment, Rose, qui ne pouvait s'empêcher d'écornifler, entrebâilla doucement la porte, tout juste pour y glisser un œil. Elle vit sa tante Marie déposer le petit corps dans la boîte. Elle ressentit une curieuse impression. Le petit ne bougeait pas. Allait-on fermer le couvercle sur lui, comme lorsque sa mère mettait les vêtements en boîte aux changements de saison ? La tante Marie suspendit un crêpe noir à la porte. C'était la première fois que Rose faisait face à la mort d'un être cher. Elle regarda autour d'elle, puis elle se retira avant d'être vue.

Le soir, la parenté et presque tous les gens du rang vinrent sympathiser. Victorine tomba dans les bras de madame Lepage qui avait perdu une petite fille l'année précédente. La femme avait vécu la même épreuve. Victorine se cramponna à elle comme une naufragée à une bouée.

— Vous me comprenez, vous ? dit-elle. Vous êtes passée par là.

Une violente émotion faisait trembler sa voix. Les deux femmes partageaient la même douleur, les mêmes larmes.

Les gens parlaient bas pour respecter leur peine. On ne s'entendait pas sur la cause du décès. Ces dernières années, quelques enfants étaient décédés de maladies contagieuses. Madame Gauthier disait que le petit était mort du croup, madame Venne penchait plutôt pour la diphtérie, et le docteur avait diagnostiqué une pharyngite. Celui-ci devait avoir raison, il possédait le savoir.

Le lendemain, un fourgon mortuaire tiré par un cheval entra dans la cour. Un croque-mort en descendit et, comme il s'apprêtait à clouer le petit cercueil, Rose lui demanda une mèche de cheveux.

– Va chercher les ciseaux, dit-il.

– Je les ai dans ma main, dit-elle.

L'homme souleva le couvercle.

– Vas-y, dit-il!

Rose ne savait pas où elle devait couper. Elle choisit le dessus de la tête. Elle déposa ensuite les cheveux dans un petit contenant à pilules qu'elle conserverait précieusement.

L'homme referma le couvercle sur le corps de l'enfant et emporta le petit cercueil.

Maxime prit le bras de Victorine secouée d'un tremblement incontrôlable. Il la voyait se refermer sur elle-même, demeurer silencieuse pendant des heures, et la pitié lui serrait le cœur.

– Reste icitte, dans ton état, tu ferais mieux de te reposer.

Elle posa les mains sur son bedon déjà bombé.

– Rien ni personne pourra m'empêcher d'aller reconduire mon enfant à son dernier repos.

Maxime n'argumenta pas.

Toute la famille s'entassa dans la *sleigh* et suivit le fourgon mortuaire jusqu'à l'église où se déroulerait la cérémonie des anges. Les enfants étaient muets. Tout au long du trajet, leurs parents pleuraient.

À l'église, Maxime garda la main sur le petit cercueil tout le temps que dura la célébration.

À la fin, le prêtre adressa quelques mots de consolation aux parents.

On déposa le cercueil dans le charnier où étaient conservés les corps de ceux qui mouraient durant l'hiver. Les dépouilles seraient enterrées au mois de mai, après le dégel.

Rose conserva ce triste souvenir dans son cœur.

Au retour, elle cacha son petit contenant de cheveux dans le premier tiroir de la commode. La maison, sans Claude, semblait vide. Rose se demandait bien pourquoi on ne gardait pas le corps de son petit frère à la maison, puisqu'il ne pouvait être enterré. Au moins, le temps de s'habituer à son absence. Et s'il avait froid dehors? Ça prenait combien de temps pour monter au ciel?

Que de questions, que de mystères, que de peine pour une petite tête de neuf ans!

* * *

Quelque temps après le décès de Claude, la vie normale reprit son cours. Mais la maison, autrefois joyeuse, était devenue triste. Rose se remettait du terrible drame. Quand on est jeune, on a une grosse peine une journée, et souvent, le lendemain, c'est oublié. Mais ce ne fut pas le cas pour la mère; chaque fois que les enfants nommaient Claude, Victorine pleurait.

* * *

Le 10 août de la même année, un nouvel enfant vint réclamer sa place au cœur de la famille. Une belle petite fille qu'on prénomma Élisa. Rose était folle de joie d'avoir enfin une petite sœur. Elle se penchait sur son berceau et passait de longs moments à la regarder. Pour la fillette, la petite Élisa était une poupée fragile. Hélas, sa joie fut de courte durée. Le soleil n'avait pas eu le temps de faire deux fois le tour de la terre que la grande faucheuse s'acharnait de nouveau sur la famille. La mort vint chercher Élisa dans son sommeil. Le médecin nomma cette maladie « la mort du nourrisson ». On n'en connaissait pas la cause.

Deux décès en sept mois. C'en était trop pour Victorine. Vidée de ses larmes, elle s'en prenait à Dieu et au Diable. Son regard se durcit.

Pour la deuxième fois, Rose regardait son père partir avec une boîte qui contenait un corps, cette fois celui de sa sœur. Une autre petite vie innocente qui laissait derrière elle une douleur déchirante.

Comme au décès de son fils Claude, Maxime pleura durant tout le trajet de la maison au cimetière.

Rose se tenait toujours en retrait. Comme beaucoup d'enfants, Rose vivait seule des souffrances d'adultes parce qu'elle ne savait pas les exprimer. En plus de ces épreuves difficiles à supporter, la fillette devait en subir les contrecoups : ses parents, enfermés dans leur peine, ne se parlaient plus, elle n'entendait plus son père taper du pied, ni sa mère chanter, ni les garçons blaguer. Les géraniums séchaient sur l'appui des fenêtres. En entrant dans la maison, la mort avait envahi le cœur de tous les occupants.

Victorine, sous le coup de grandes épreuves, vivait une révolte intérieure. Elle en oubliait ceux qui restaient pour pleurer ses morts. Rose, elle-même très affectée, aurait eu besoin d'être consolée dans les bras de sa mère, mais celle-ci semblait absente ; les petits disparus prenaient toute la place dans ses pensées et ceux qui restaient n'existaient plus.

Elle voyait sa mère passer ses journées assise dans la berçante, le visage défait, le regard éteint, à fixer le sol. Au début, la tante Marie abattait tout le travail de maison à elle seule, mais au bout d'un mois, elle dut retourner chez elle.

Victorine avait perdu tout intérêt ; elle passait ses journées en robe de nuit et elle ne se donnait plus la peine de cuisiner.

— P'pa, qui va s'occuper de m'man ?

— Elle-même.

— Pis le lavage, le ménage, le reprisage ? Je vais être poignée toute seule avec ça ? Je vais en avoir plein le casque.

— Tes frères t'aideront.

— Des garçons, ça sait rien faire dans une maison.

Rose épluchait les patates, allait cueillir des légumes au jardin et demandait à Jacob de s'occuper de cuire la viande pendant qu'elle dressait la table.

— Approchez, m'man.

La fillette prit le bras de sa mère et la conduisit à sa chaise.

— Mangez !

Victorine maigrissait à vue d'œil ; elle picotait dans son assiette, comme un oiseau. Elle n'avait pas faim ; la douleur la nourrissait.

Dans sa petite tête d'enfant, Rose se demandait si un jour sa mère redeviendrait, comme aux beaux jours, jaseuse et ricaneuse. Elle tentait de la consoler en l'aidant de son mieux, comme peut le faire une enfant de dix ans.

Mais sa mère ne voyait rien, comme si un suaire lui voilait la vue.

La douleur causée par la perte de deux êtres chers ne s'estompait pas et toute la maisonnée en subissait les conséquences. Le bonheur avait déserté la maison.

* * *

Deux ans plus tard, la maison des Beauséjour pleurait toujours la mort des petits disparus.

Un matin, Maxime prit le bras de sa femme et la conduisit sous le gros érable, près de la coulée. Là-bas, les enfants ne pourraient entendre ce qu'il avait à lui proposer. Victorine, toute pâle, toute délicate, marchait d'un pas de somnambule, les épaules voûtées. Le chagrin avait fait grisonner ses tempes.

Maxime la fit asseoir sur l'herbe.

Elle restait là, sans un geste ni une syllabe, recroquevillée en boule, tout comme l'étaient ses nerfs.

Maxime s'assit près d'elle, prit sa main et la regarda intensément.

— La vie est laide, dit-elle avec un sentiment d'abandon.

— Ça me fait mal au cœur d'entendre ça. Mais y nous reste cinq enfants. Pis on peut pas continuer de même, Victorine. Comme tu peux pas t'occuper d'eux, on va devoir les placer dans des familles, comme des orphelins.

Victorine se redressa d'un coup sec.

— Jamais! s'écria-t-elle.

Et son cri venu droit du cœur s'étrangla dans sa gorge.

Elle dévisagea Maxime, le regard dur.

– Tu songes vraiment à éparpiller nos enfants d'un bord pis de l'autre ?

Maxime prit son visage entre ses mains. Victorine voyait bien qu'il avait le motton.

Elle ne pouvait imaginer ses enfants loin d'elle. C'était comme si toutes ses espérances glissaient hors d'elle. Deux rides amères encadraient sa bouche crispée.

– Mais qui va s'occuper d'eux ? demanda Maxime. Rose a beau faire tout son possible, mais pour une enfant de douze ans, c'est toute une charge sur ses épaules. Je voudrais pas qu'elle tombe malade à son tour.

– Je suis là, moé, protesta Victorine. Ce sont nos enfants et c'est à nous, les parents, de nous en occuper, mais je suis tellement fatiguée.

– Ensemble, on va tenir le coup, murmura-t-il. Tu te rappelles après la naissance de Jacob, comme t'étais faible ? J'ai dû t'aider dans la maison quand t'étais enceinte de Louis ; je vais recommencer.

Maxime regarda ses seins lourds. Une masse de cheveux bouclés encadraient son visage délicat. Ce fut comme si Maxime la découvrait de nouveau.

Victorine sentit une main sur sa nuque et une joue frôler la sienne. Maxime la caressa comme un enfant qu'on console. Il ne pouvait parler ; l'émotion l'étouffait. Victorine éclata en sanglots. Elle prenait conscience que Maxime existait et que, comme elle, il souffrait.

Maxime la regarda fixement avec douceur, puis ses lèvres s'ouvrirent. Victorine renversa la tête en arrière et ferma les yeux.

Maxime avait envie de la prendre dans ses bras, de la caresser, de l'embrasser et, pourtant, il ne sut que lui dire :

— Viens !

Victorine se leva et rajusta sa robe. Maxime saisit son bras et la conduisit à la maison.

***

La vie reprenait avec ses vieilles habitudes. À la suite de la discussion avec Maxime, Victorine avait décidé d'être plus présente auprès de sa famille après deux années de noirceur.

En ce bel été, Victorine, l'œil toujours occupé à surveiller les enfants, se berçait sur le perron quand elle entendit une voiture sur le gravier.

— Blanche pis sa petite famille ! s'écria-t-elle, radieuse.

Victorine courut au-devant.

— De la belle visite ! dit-elle en embrassant sa sœur.

— On passe juste comme ça, en coup de vent. Noé a quelque chose à te montrer, une lettre de sa sœur Clara, qui semble dater de plusieurs années.

Noé murmura à l'oreille de Victorine, pour ne pas être entendu des enfants :

— Quand je suis passé à la maison, m'man était déjà partie pour Joliette. J'ai vu cette lettre jaunie sur la corniche du foyer J'ai profité d'une distraction de Rosaire pour la piquer. Là, je dois la remettre à sa place avant le retour de m'man. Si elle savait, elle m'en voudrait à mort.

– Qu'est-ce qu'elle raconte d'intéressant?

– Lis, tu verras.

Victorine déplia la petite feuille et lut tout haut.

Monsieur, madame,

Si, ce soir, je me décide à vous contacter de nouveau, même si vous ne me donnez jamais signe de vie, c'est que j'ai une question à vous poser. Est-ce que vous êtes mes vrais parents?

Sœur Béatrice me dit de vous oublier plutôt que de me morfondre à vous attendre et elle a raison. Elle dit que ce n'est pas normal de passer toute ma jeunesse enfermée comme une religieuse, parce que ma famille ne veut pas de moi. Elle dit que ce sera bon pour moi de connaître la vie en dehors des murs d'une institution, de voler de mes propres ailes et, qui sait, peut-être un jour me marier.

On dit qu'ailleurs, les jeunes filles font la fête; moi, je ne sais ni rire ni danser.

Ici, on a besoin de mon lit. On ne peut pas me garder plus longtemps vu que je n'ai plus besoin de soins depuis cinq ans. La nièce de sœur Béatrice tient une maison de pension à quelques rues d'ici. Elle accepte de me louer une chambre. Je viendrai travailler à l'hôpital, cinq jours par semaine, comme je le fais déjà, mais je serai mieux rémunérée. J'ai hâte de sortir de cette prison, même si j'ai un peu peur de ce qui m'attend à l'extérieur; je ne trouve aucun plaisir à vivre ici, entre ces grands murs blancs, crépis à la chaux.

Si vous ne me répondez pas, ce sera mes dernières nouvelles. Comme vous m'avez rayée de votre vie, je vous écris pour la dernière fois. Je ne vous donne pas ma nouvelle adresse ; ce serait pour rien.

Clara

Tous se regardèrent, la gorge serrée.

Victorine replia la feuille et leva les yeux sur Blanche.

— Pauvre Clara ! On sent une grande froideur chez elle : en début de lettre, elle écrit *monsieur, madame*, et aussi, dans ses dernières lignes, elle signe *Clara*, sans aucun témoignage d'affection. Quelle vie dure ! Comme elle a dû souffrir !

— C'est surprenant qu'elle soit pas virée folle, ajouta Noé.

— Si on allait lui faire une petite visite, tous les quatre ? Sœur Béatrice pourra nous dire où la trouver.

À suivre

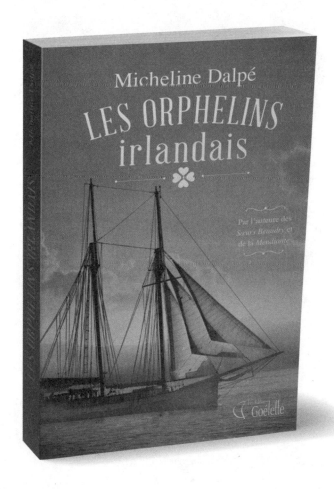